NICK POLIZZI
en PEDRAM SHOJAI

OPGELADEN

Vertaling Saskia Peeters

HarperCollins

Voor het papieren boek is papier gebruikt dat onafhankelijk is gecertificeerd door FSC®
om verantwoord bosbeheer te waarborgen.
Kijk voor meer informatie op www.harpercollins.co.uk/green.

HarperCollins is een imprint van Uitgeverij HarperCollins Holland, Amsterdam.

Copyright © 2020 Rising Tide Productions, LLC
Oorspronkelijke titel: *Exhausted*
Copyright Nederlandse vertaling: © 2021 HarperCollins Holland
Vertaling: Saskia Peeters
Omslagontwerp: Charles McStravick
Bewerking: Pinta Grafische Producties
Zetwerk: Mat-Zet B.V., Huizen
Druk: CPI Books GmbH, Germany

ISBN 978 94 027 0821 9
ISBN 978 94 027 6207 5 (e-book)
NUR 770
Eerste druk juli 2021

Originele uitgave verschenen bij Hay House, Inc., Carlsbad, Verenigde Staten.

HarperCollins Holland is een divisie van Harlequin Enterprises ULC.
® en ™ zijn handelsmerken die eigendom zijn van en gebruikt worden door de eigenaar van het
handelsmerk en/of de licentienemer. Handelsmerken met ® zijn geregistreerd bij het United States
Patent & Trademark Office en/of in andere landen.

www.harpercollins.nl

Voor de zoeker die antwoorden heeft gekregen,
maar nog steeds moe is, dit is voor jou.
En voor onze echtgenotes, omdat ze zo geduldig,
begripvol en ondersteunend zijn geweest.
We weten hoe vermoeiend dat kan zijn.

Inhoud

HOOFDSTUK 1

Leven in een defecte wereld

Er heerst een epidemie in de moderne wereld. Miljoenen mensen worden elke ochtend wakker met het gevoel fysiek, mentaal, emotioneel en spiritueel uitgeput te zijn. We hebben gewoon niet de energie die nodig is om de dag door te komen.

Je kunt het zo bekijken. Stel je voor dat je elke morgen als je je ogen opendoet, 100 eenheden energie krijgt die je kunt benutten, maar nog voordat je aan de ontbijttafel zit, heb je al 20 eenheden verbruikt aan negatieve gedachtepatronen, onverwerkte trauma's en stress in je omgeving (zoals een relatie die niet werkt of overprikkeling door beangstigende krantenkoppen).

Nu heb je nog maar 80 eenheden. Dat is een groot probleem, want je hebt *100 tot 120 eenheden* nodig voor de verplichtingen van de dag. Misschien heb je kinderen die je moet verzorgen, zijn er klusjes die moeten worden gedaan, moet je werken, wil je bazen en collega's tevreden stemmen, is er een echtgenoot of partner die aandacht wil, heb je ouder wordende ouders bij wie je langs moet gaan... de lijst is oneindig.

Wat kun je dan doen? Je leent wat energie van morgen om vandaag door te komen en drinkt daarvoor liters koffie, propt suikerrijke snacks naar binnen, negeert dat je vermoeid bent, vergeet te bewegen en blijft maar doorgaan. Om de eindjes aan elkaar te knopen. In een poging genoeg energie bij elkaar te schrapen voor de dag.

Maar elke ochtend word je met een paar streepjes minder energie wakker. En dat dan dag na dag, jaar na jaar. Je wordt elke dag wakker met een of twee streepjes energie minder, terwijl wat je nodig hebt onveranderd 100 tot 120 eenheden is.

Je zakt steeds dieper weg in de val van vermoeidheid. De spanning die je voelt omdat je meer te doen hebt dan waarvoor je tijd hebt, wordt geleidelijk een zware deken van stress die de hele tijd op je drukt. En terwijl de stress de overhand krijgt, word jij futlozer.

Wij noemen deze neerwaartse spiraal *overbesteding*. Het leven moet evenwichtig worden geleid, maar jij blijft maar energie verbruiken en opmaken zonder de voorraad aan te vullen.

En je raakt oververmoeid.

Het probleem van overbesteding is dat je uiteindelijk een keer de rekening gepresenteerd krijgt. Misschien voel je de vermoeidheid niet als twintiger. Je bent misschien een beetje moe, maar dat los je met een kop koffie zo op.

Maar tien of twintig jaar later kunnen je bijnieren het uiteindelijk niet meer aan. Je zenuwstelsel laat steken vallen. Je kunt geen erectie krijgen. Je raakt maar niet zwanger. Je krijgt last van acne. Je wordt zwaarder. Je darmwand blijkt aangetast. Je voelt je opgeblazen, winderig en hebt problemen met je ontlasting. Je kunt nog geen tien minuten lopen zonder dat je wilt gaan liggen.

Je leeft zo een aantal jaren door en dan komt het moment dat je immuunsysteem het begeeft, waardoor je vatbaarder wordt voor opportunistische ziekten.

Uitputting is het opstapje naar ernstigere medische problemen. Je arts laat wat testen doen en moet je tot zijn spijt vertellen dat je diabetes hebt, een hartkwaal, multiple sclerose, kanker, gewrichtsreuma, de ziekte van Crohn of iets anders wat beangstigend en slopend is. Je moet aan de medicijnen. Nu kun je niet meer zonder de dure farmaceutica en de vervelende bijwerkingen die ze geven.

Dat is het leven in de moderne wereld.

Het is waardeloos.

Het hele leven vaart op *energie*. Al het andere is ondergeschikt aan deze biologische basisbehoefte. Je kunt al het geld van de wereld hebben, een leven vol fantastische kansen, een prachtig gezin en een onbetaalbaar stel vrienden, maar als je niet de rauwe levensenergie hebt die je in deze wereld aandrijft, heeft geen van die dingen betekenis.

Als je geen energie hebt, kun je niet *leven*.

Als je dit punt hebt bereikt, is het geen wonder dat het leven zo moeilijk, zwaar, duister en overweldigend lijkt.

Nu we het slechte nieuws hebben verteld, kunnen we met het goede nieuws komen. Je hoeft niet in zo'n uitgeputte toestand te leven. Er is een andere manier om de wereld te ervaren, en die willen we je laten zien. In dit boek bieden we je middelen, technieken, strategieën en nieuwe mindsets om een einde te maken aan je vermoeidheid, je energie aan te vullen en weer het gevoel te krijgen dat je leeft.

We gaan je helpen je energiepeil op te stuwen zodat je de beschikking hebt over de 100 tot 120 eenheden die nodig zijn om je dag en verplichtingen aan te gaan. We maken een einde aan de energielekken en vullen je reserves weer aan.

Je kunt een bloeiend leven leiden. Dat verdien je, dus houd je vast want we nemen je mee door je vermoeidheid en naar de andere kant, waar vreugde, opwinding, passie, wilskracht en het leven op je wachten.

HOE DIT BOEK IS ONTSTAAN

Waarom zou je je door ons laten begeleiden op deze reis? Nou, wij hebben onze levens gewijd aan het helpen van mensen.

Pedram beoefent de oosterse geneeskunst, is gewijd priester van het Gele draak-klooster in China, een veelgeprezen qigongmeester, kruidengenezer, documentairemaker en oprichter van Well.org.

Nick produceert documentairefilms over bewezen alternatieven voor de conventionele geneeskunde en is de oprichter van The Sacred Science, een organisatie die onderzoek doet naar eeuwenoude genezingstradities.

We werken allebei al ruim twintig jaar in deze vakgebieden en vermoeidheid is een van de thema's die steeds weer terugkomen. Pedram heeft er vaak mee te maken in zijn gezondheidskliniek in Los Angeles. Hij heeft patiënten behandeld met migraine, maagdarmproblemen en nog veel meer. Iedere patiënt vertoonde zonder uitzondering dit symptoom: vermoeidheid.

Veel van hun problemen kwamen voort uit het feit dat ze zo moe waren dat ze niet genoeg energie hadden om hun lichaam biologisch goed te laten functioneren. Nadat er was gekeken naar de oorzaken van de vermoeidheid en die waren aangepakt, verdwenen hun andere gezondheidsproblemen vanzelf.

Terwijl Pedram patiënten behandelde, trok Nick door 's werelds meest afgelegen plekken, zoals het Amazoneregenwoud, het hoge Andesgebergte en de Sahara. Hij ontmoette, filmde en leerde van inheemse sjamanen, medicijnmannen, vroedvrouwen en andere genezers.

Nick is altijd op zoek naar culturele waarschuwingssignalen en zwakke plekken. Hij heeft jarenlang onderzocht waarom we verslaafd raken aan pepmiddelen en stimulansen als koffie en energiedrankjes en kalmerende middelen als alcohol en voorgeschreven medicijnen. Hij was altijd op zoek naar verbanden en raad eens wat hij vond? Overduidelijke energieproblemen.

Elke dag zien we mensen van alle leeftijden, met uiteenlopende banen en posities, getrouwd en vrijgezel, met kinderen, kleinkinderen, of niet, die volledig uitgeput zijn. Ze slepen zich door het leven en dat vinden wij verschrikkelijk. Mensen verdienen beter. Ze verdienen het om te voelen dat ze leven en gedijen.

Maar we zien een enorme lacune in de gezondheids- en wellnesswereld als het gaat om het begrijpen en behandelen van vermoeidheid. De moderne geneeskunde, en dan vooral westerse artsen, weten niet hoe ze het probleem moeten aanpakken. Er bestaat geen magische pil die het kan verhelpen.

Vermoeidheid vraagt meestal om een veelzijdige aanpak. Je moet kijken naar leefstijl en gedrag en onderliggende gezondheidsproblemen aanpakken die voor ieder mens uniek zijn. Dat vraagt om tijd, onderzoek, geduld en schijnbaar lastige veranderingen in eetpatroon, slaap, beweging en stressmanagement.

Dat leidt ertoe dat de meeste mensen er alleen voor staan en leven in de veronderstelling dat deze mate van vermoeidheid – of het nu mentaal, emotioneel, fysiek, spiritueel, alles samen of een combinatie is – er gewoon bij hoort. We maken onszelf wijs dat het hoort bij onze altijd drukke, overwerkte, door succes gedreven cultuur. We nemen aan dat het gewoon bij het ouder worden hoort. Iedereen heeft er last van, dus wat is het probleem?

Het is een enorm probleem. Als je niet genoeg energie hebt om de dag door te komen, kun je er niet staan als de man of vrouw, vader of moeder, zoon of dochter, broer of zus, beste vriend of vriendin, vrijwilliger, collega of baas die je zou willen zijn. Het betekent dat je niet kunt genieten, niet het plezier en de opwinding kunt voelen die je ervaart als je lééft.

Als je je energie aanvult en genoeg eenheden hebt voor al je verplichtingen, voel je je sterker, meer gefocust, gelukkiger, rustiger en meer vervuld van leven.

Wie wil dat nou niet?

LEVEN IN EEN DEFECTE WERELD

We gaan een heleboel mythes, misvattingen, onbewuste denkpatronen en onbedoeld gedrag de wereld uit helpen. We zullen ook allerlei culturele en sociale verhalen die je met de paplepel zijn ingegoten ontkrachten.

We ontkrachten nu meteen de grootste leugen die je is voorgehouden: het idee dat je altijd meer moet doen. Loop harder. Niet stoppen. Doorgaan. En wanneer (niet als) je uitgeput bent, krijg je te horen: 'Gefeliciteerd! Je hoort nu bij de groep.' Of: 'O, ben je moe? Jammer voor je. Doe het er maar mee, want zo is het leven. Iedereen is moe.'

Nee, niet iedereen is moe. Nee, als een halfdode zombie door je dag wankelen is geen leven. Dat is niet hoe het leven – hoe jóúw leven – zou moeten zijn.

Je leeft in een defecte wereld met een haperend besturingssysteem.

In onze westerse cultuur wordt veel van onze eigenwaarde opgehangen aan wat we dóén. We maken onszelf wijs dat goede ouders overal bij betrokken zijn. Goede burgers doen vrijwilligerswerk. Goede parochianen doen mee aan taartenverkopen. Goede echtgenoten hebben seks. Goede zoons en dochters gaan met hun ouder wordende vader en moeder naar doktersafspraken. Moeten we nog doorgaan?

En daarbovenop moeten we ervoor zorgen dat we de 'juiste' kleding dragen, in het 'juiste' huis wonen, in de 'juiste' auto rijden en alle andere statussymbolen verwerven die bij het leven in de westerse wereld horen. We proberen te voldoen aan alle absurde verwachtingen en blijven, volledig gestrest, rondrennen terwijl we ons lichaam, onze geest en elkaar uit het oog verliezen.

Je bent moe omdat je onder een onredelijke, onhaalbare en onmogelijke druk op je tijd en energie leeft.

Onze cultuur is verziekt en wij zijn de enigen die het niet in de gaten hebben. Wij hebben allebei veel tijd in andere landen over de hele wereld doorgebracht, bij inheemse volken die genoegen scheppen in zonlicht en buitenlucht. De mensen die wij hebben ontmoet en geobserveerd, rusten uit als ze moe zijn en slapen meer dan vier uur per nacht. Ze geven om Moeder Natuur. Ze genieten van fantastische maaltijden die zijn bereid met pure ingrediënten en worden gegeten te midden van vrienden en familie. Ze doen rustig aan. Ze bewegen. Ze zoeken verbinding met hun geest of ziel (of welke term ze er ook voor gebruiken) en met elkaar.

Ze zorgen ervoor dat ze leven en niet alleen maar doen.

Laten we hier even bij stil blijven staan. Denk hier even over na. Leven, níét doen.

We weten dat het mogelijk is, want we doen het allebei. Wij zijn niet zomaar twee hippies uit de Rocky Mountains, uit Colorado en Utah. Wij zijn drukke baasjes. We runnen meerdere ondernemingen, maken documentaires, schrijven boeken en blogs en maken podcasts terwijl we ook echtgenoten zijn voor onze vrouwen en vaders voor onze jonge kinderen. We hebben ouders en broers en zussen en vrienden die we ook nog regelmatig zien. We gaan naar de sportschool, maken wandeltochten, spelen een potje basketbal, doen aan kungfu en qi gong en vullen onze dagen met werk, wilskracht, passie, familie – met léven.

We krijgen dingen voor elkaar, maar alleen maar doordat we hebben geleerd onze energiehuishouding in balans te houden. We gebruiken onze energievoorraad én vullen hem aan. We hebben allebei het juiste energiebeleid ontwikkeld voor onze dagen, tijd en verantwoordelijkheden. Als je dat doet, heb je genoeg brandstof om je leven te leiden en er echt van te genieten.

We hebben in dezelfde positie gezeten als jij nu. We hebben allebei door bittere ervaring geleerd dat we geen superhelden zijn. We hebben ons op verschillende momenten in ons leven machteloos gevoeld omdat we geen energie hadden, maar wel van alles moesten. Wij hebben ook een einde moeten maken aan die overbesteding. Het is ons gelukt, dus jij kunt het ook.

Wij weten wat de andere kant van uitputting is; het beloofde land bestaat. Wij weten wat het van je vergt – tijd, geduld, discipline, nieuwsgierigheid, toewijding – om een einde te maken aan die vermoeidheid. En wij weten dat als je weer energie hebt, het leven compleet anders wordt.

JOUW VERMOEIDHEIDSREIS

Dit boek gaat niet om onze persoonlijke reizen, hoewel we wel wat van onze verhalen en hoogtepunten met je delen.

Dit boek is veel groter dan wij. Toen we besloten samen een boek over dit onderwerp te schrijven, waren we het erover eens dat het mensen moest helpen om meer inzicht te krijgen in wat er allemaal gebeurde met hun lichaam, hun geest en hun ziel. We wilden mensen verschillende remedies bieden die zijn gestoeld op de wetenschap en worden onderschreven door 's werelds meest vooraanstaande deskundigen en die hen helpen hun energiehuishouding te resetten.

We zijn op weg gegaan met onze camera- en filmploeg en hebben meer dan zestig vooraanstaande experts op het gebied van gezondheid, wellness en conditie, artsen, beoefenaars van functionele geneeskunde en toponderzoekers geïnterviewd. We hebben fantastische mensen gesproken, zoals dokter Mark Hyman, Ari Whitten, dokter David Perlmutter, dokter Kellyann Petrucci, dokter Datis Kharrazian, dokter Leigh Erin Connealy, dokter Joe Mercola, Magdalena Wszelaki, dokter Darin Ingels, dokter Robert Rountree, Ben Greenfield en vele anderen.

Dit boek bevat hun gedeelde kennis.

Wat je hier zult lezen, is gebaseerd op hun onderzoek en werk waarmee ze duizenden patiënten hebben geholpen van hun vermoeidheid af te komen en hun energie en levenskracht terug te krijgen. Dit boek bevat hun beste tips, technieken en inzichten met betrekking tot vermoeidheid. Het bevat ook alles wat we hebben geleerd op onze eigen weg naar vermoeidheid en terug, en tijdens het werk dat we de afgelopen twintig jaar hebben gedaan op het gebied van gezondheid en wellness.

We nemen je mee op een reis die de volgende acht hoofdstukken bestrijkt. Elk hoofdstuk behandelt een belangrijke oorzaak van vermoeidheid en een route weg van de afgrond. De onderwerpen zijn: eetpatroon en voeding, het darmstelsel en het immuunsysteem, sport en beweging, slaap en herstel, toxiciteit, bijnieren en hormonen, het brein en spirituele gezondheid.

Deze acht onderwerpen zullen de basis vormen voor jouw energie. Als je deze zaken onder controle hebt, kun je je energie beheersen.

Elk hoofdstuk bestaat uit vier onderdelen. We beginnen met een casestudy om het probleem te illustreren en gaan dan verder met mogelijke energielekken die zouden kunnen bijdragen aan jouw vermoeidheid. Daarna dragen we een aantal testen aan die je zelf kunt doen of die een arts kan laten uitvoeren om je probleem vast te stellen. Daarna gaan we in op een aantal veelbelovende remedies en sluiten we het hoofdstuk af met een persoonlijke uitdaging die is ontworpen om je energie binnen een week de juiste richting op te sturen.

Dit boek is vooral bedoeld om je bewust te maken van mogelijke oorzaken en oplossingen om weer meer energie te krijgen. Vaak wordt vermoeidheid omgeven door raadsels. De meeste mensen, zelfs artsen, hebben geen idee waar het vandaan komt of waarom iemand geen energie meer heeft.

Zoals je zult ontdekken, zijn er veel onderliggende oorzaken voor vermoeidheid. Misschien heb je darmproblemen, verborgen infecties, ben je blootgesteld aan giftige stoffen of heb je last van je bijnieren of hormonen omdat je de verkeerde dingen eet of slecht slaapt.

Er kunnen echte fysiologische redenen zijn waarom je moe bent en wij willen je een inkijkje geven in je vermoeidheid en je laten zien wat er allemaal in je lichaam gebeurt.

Functionele geneeskunde

Dit boek is bedoeld om je te begeleiden op je vermoeidheidsreis. Sommige mensen zullen meer hulp nodig hebben. Het is dan belangrijk om de juiste medische bondgenoot te vinden. Een huisarts kan wel of niet het juiste aanspreekpunt zijn.

Veel westerse artsen zijn opgeleid om een ziekte vast te stellen en de juiste medicatie, geneesmiddelen of behandeling voor te schrijven. Maar vermoeidheid uit zich niet zoals ziekten als kanker of diabetes. Er is geen medicijn of pil die vermoeidheid kan bestrijden.

Je zou eens kunnen overwegen iemand op te zoeken die is gespecialiseerd in integrale en/of functionele geneeskunde. De functionele geneeskunde is de laatste tien jaar flink gegroeid, omdat naar de hele persoon wordt gekeken en zo wordt geprobeerd de oorzaak van ziekten te vinden, in het bijzonder van chronische ziekten. Functionele zorg- en behandelplannen worden meestal aangepast aan de unieke behoeften van de patiënt.

Veel van de testen die we in dit boek bespreken, kunnen worden aangevraagd via een functioneel geneeskundige. Een gewone huisarts zal veel van de testen niet kunnen verschaffen.

Net zoals de redenen waarom je moe bent uiteenlopen, lopen de remedies ook uiteen. In dit boek bespreken we de beste behandelingen waarvan wetenschappelijk is bewezen dat ze je kunnen helpen je beter te voelen en meer energie te krijgen. Sommige lijken op het eerste gezicht een stap achteruit, maar je kunt ons vertrouwen.

Om meer energie te krijgen zul je wat dingen moeten corrigeren en aanpassen. Terwijl je daarmee bezig bent, zul je meer enthousiasme en helderheid in je leven ervaren. Het lukt je beter om je tijd in te delen en je zult merken dat dingen vaker meteen goed gaan.

Misschien zorgt je vermoeidheid er nu voor dat je dingen verkeerd leest, je sleutels kwijtraakt en elke week drie keer terug moet naar de supermarkt. Als je meer energie en helderheid van geest hebt, heb je je zaakjes beter voor elkaar en ben je feitelijk *beter in leven*. Dat is wat we steeds weer horen van mensen die de trance doorbreken en besluiten om iets aan hun vermoeidheid te doen. Pak je energiehuishouding aan en krijg weer energie!

We begrijpen dat je het liefst een dertigdagen- of eenentwintigstappenplan wilt krijgen om een einde te maken aan je vermoeidheid. Dat zouden wij ook wel willen. 'Doe gewoon X, Y en Z en je bent in een mum van tijd hersteld!' is een bekende uitspraak in de gezondheids- en wellnesswereld. Misschien werkt het bij sommige gezondheidsproblemen, maar niet bij vermoeidheid.

Jouw lichaam is uniek en jouw weg naar herstel en meer energie is dat ook. Wij kunnen, en zullen, je naar verschillende wegen begeleiden die je levenskracht kunnen terugbrengen, maar uiteindelijk moet je zelf ontdekken welke remedies, in welke combinatie en in welke volgorde, voor jou werken. Dit boek heeft een hoog experimenteel gehalte. Het herstellen van je energiehuishouding gaat echt met vallen en opstaan.

We willen je niet afschrikken of ontmoedigen. Integendeel. We willen je inspireren om je lot in eigen hand te nemen. We willen dat je je lichaam hervindt en ernaar leert te luisteren, zodat je begrijpt wat het nodig heeft en wanneer. Zoals dokter David Perlmutter, gecertificeerd neuroloog en lid van het American College of Nutrition ons vertelde: 'Met kleine stapjes kun je een heel eind komen in het scheppen van een patroon dat je vooruitbrengt, omdat je door steeds meer van deze ideeën toe te passen een veel beter, veel energieker leven krijgt.'[1]

We hebben dit boek zo geschreven dat elk hoofdstuk voortborduurt op het vorige. Maar als je wilt bladeren en hier en daar een stukje wilt lezen, kan dat ook. Het is jouw reis. Doe wat je wilt.

Probeer tijdens het lezen nieuwsgierig te blijven naar de oorzaken van jouw vermoeidheid. Blijf vastberaden om te herstellen en je levenskracht terug te krijgen. En blijf trots dat je deze stap hebt genomen om een einde te maken aan je vermoeidheid. Er zijn inspanning, geduld, kracht en moed voor nodig, maar de beloning is het zeker waard.

We weten dat je dit kunt.

Dus laten we die vermoeidheid aanpakken!

HOOFDSTUK 2

Eetpatronen en voeding

Katie nam haar gezondheid heel serieus. Het was belangrijk – ze was immers persoonlijk stylist en was er trots op dat ze er goed uitzag.

Ze was bij een diëtist geweest en had verschillende voedingsstrategieën geprobeerd in een poging gezond te leven. Ze volgde een vetarm dieet en hield haar calorie-inname nauwgezet bij; ze hield het rond de 1800 calorieën per dag, want ze was dertig en wilde afvallen zodat ze weer in maat 36 zou passen. Elke ochtend, middag en avond woog ze elke gram eten die naar binnen ging, nauwkeurig af volgens de richtlijnen die ze had gekregen.

Katie deed het helemaal goed.

Maar haar energiepeil bleef dalen terwijl haar gewicht toenam. Ze had als twintiger wel een beetje gejojood, maar de laatste jaren had ze haar gewicht zien toenemen met 3 kilo, toen 6 kilo, toen 9 kilo, toen 12 kilo. Niets wat ze deed, werkte en ze was doodop.

Katie begon haar zelfvertrouwen kwijt te raken. Ze had het altijd heerlijk gevonden haar cliënten te helpen bij het maken van duidelijke keuzes om er op hun best uit te zien en zich ook zo te voelen. Maar als zíj er niet goed uitzag of zich niet goed voelde, hoe kon ze dan beweren dat ze anderen kon helpen? Ze voelde zich verward en angstig, want ze had geen idee wat ze eraan kon doen.

HET PROBLEEM

We beginnen onze vermoeidheidsreis met eetpatronen en voeding omdat die de basis vormen voor onze levenskracht.

Energie kun je niet maken. Ze moet worden omgezet van de ene vorm in een andere. Daar hebben we voeding voor nodig. Ons lichaam zet wat we eten om in energie die onze cellen vervolgens kunnen gebruiken om onze hersenen actief te houden, ons hart te laten kloppen, onze armen en benen te laten bewegen en de miljoenen andere kleine en grote taken uit te voeren die ons in leven houden.

Kijk maar naar het woord *calorie*. Dat is een wetenschappelijke term voor een eenheid van energie. Het staat voor de hoeveelheid warmte die nodig is om de temperatuur van een gram water met een graad Celsius te verhogen. Voor de leek: het staat voor de hoeveelheid energie die je binnenkrijgt uit wat je consumeert.

Eten is onze brandstof om te leven, maar laten we wel eerlijk zijn. Hoe vaak per dag vraag je jezelf af: goh, wat zou ik moeten eten om mijn lichaam aan te drijven? Waarschijnlijk zelden tot nooit. Dat komt doordat we niet hebben geleerd voedsel te zien als brandstof of de leven gevende stof die het is.

Voor veel mensen is eten iets om bang voor te zijn. We zijn bang om te veel te eten of de verkeerde dingen te eten. We zijn zo druk met de nieuwste dieethypes en onze pogingen om er aantrekkelijk uit te blijven zien of gewicht te verliezen dat we verstrikt zijn geraakt in een verstoorde relatie met eten, en daardoor uiteindelijk ook met onszelf.

Eten is zo'n beladen, moeilijk deel van ons leven geworden dat we er geen energie meer van krijgen. Het trekt ons alleen maar verder omlaag in de donkere krochten van vermoeidheid.

Het is tijd om hier wat aan te doen en voedsel weer te gaan zien als wat het is: brandstof voor je lichaam, geest en hart, zodat je de energie hebt die nodig is om een groots leven te leiden.

Voedsel is van zo grote invloed op je energiepeil dat we er twee hoofdstukken aan wijden. In hoofdstuk 3 zullen we zien hoe voedselintoleranties en -allergieën en problemen met de spijsvertering en het immuunsysteem veel energie opeisen, en wat je kunt doen om dat te verhelpen.

Maar in dit hoofdstuk beginnen we met de basis. We gaan in op een aantal universele waarheden over eten. We behandelen ook een aantal van de basisprincipes van eetpatronen en voeding. Ons doel is om alle onzin en verwarring uit de weg te ruimen en je te helpen een voedingspatroon op te bouwen dat *bij jou past*.

We gaan kijken naar hoe je lichaam voedsel omzet in energie, naar de daarvoor benodigde brandstoffen als eiwitten, vetten en koolhydraten, hoe het 'juiste' dieet je energiepeil in de weg kan staan, welke mineralen en voedingsstoffen je nodig hebt en hoe je de connectie met de ware betekenis van voedsel en eten bent kwijtgeraakt.

Probeer tijdens het lezen nieuwsgierig te blijven en open te staan voor een andere kijk op je eetpatroon en voeding. Wees bereid om vooropgezette ideeën over voeding, zoals wat je moet eten, hoeveel en wanneer, los te laten. Voedsel is niet je vijand. Het is een van je belangrijkste bondgenoten op je weg naar het herstellen en in stand houden van je levenskracht.

Eten geeft je de energie die je nodig hebt om te leven. Wees er dus niet bang voor. Prijs het en geniet ervan. Het is echt een gift van de goden. Het geeft leven en houdt het leven in stand.

DE ENERGIELEKKEN

Energielek #1: je eet te veel koolhydraten

Simpel gezegd is voedsel opgevangen zonlicht dat in chemische verbindingen bij elkaar zit.

We weten dat dat waarschijnlijk verwarrend klinkt, dus laten we naar het begin der tijden gaan voor een snelle geschiedenisles. Het leven op de derde planeet vanaf de zon begon op wonderbaarlijke wijze met het schimmelrijk. Daarna ontstond het plantenrijk en dat kreeg het proces van fotosynthese onder de knie, wat inhoudt dat planten leerden hoe ze het licht van de zon konden opnemen en dat met water en gassen in de lucht konden combineren om glucose, een vorm van suiker, te maken. De planten gebruikten die suiker vervolgens om te blijven groeien. Ze voedden dus zichzelf.

Na een tijdje kwamen er ook zoogdieren en die begonnen de planten, met al dat opgevangen zonlicht en die energie, te eten. Daarna pasten andere zoogdieren zich zo aan dat ze andere dieren gingen eten die hun buikjes hadden volgegeten met planten. Toen kwamen wij, de homo sapiens, en wij begonnen planten en dieren te eten.

We vergaren onze energie door het vastgehouden zonlicht in twee stappen vrij te laten komen: via de *spijsvertering* en de *stofwisseling*.

Stap 1: het spijsverteringsproces breekt ons voedsel af tot zogenaamde microvoedingsstoffen en macrovoedingsstoffen. *Microvoedingsstoffen* zijn de vitaminen en mineralen als magnesium, ijzer, vitamine B_{12} en zoveel meer die ons lichaam in kleine doses nodig heeft om gezond te blijven en optimaal te kunnen functioneren. *Macrovoedingsstoffen* zijn de koolhydraten, eiwitten en vetten die ons lichaam in veel grotere hoeveelheden nodig heeft.

Stap 2: de stofwisseling. We gebruiken macrovoedingsstoffen om de brandstof op te wekken die onze cellen aandrijft. Zodra het voedsel dat we hebben gegeten is afgebroken, komt het terecht in onze dunne darm, waar de darmwand het werk doet. De macrovoedingsstoffen komen via de darmwand in de bloedbaan terecht. En eenmaal in de bloedbaan worden de macrovoedingsstoffen naar de biljoenen cellen in ons lichaam vervoerd.

In onze cellen worden de macrovoedingsstoffen opgevangen door de *mitochondria*. Die nemen de macrovoedingsstoffen op en via een ingewikkeld proces met zuurstof, chemische reacties en heel veel microvoedingsstoffen, zetten zij het voedsel dat we eten om in *adenosinetrifosfaat* (ATP).

ATP bevat de energie die alle biljoenen cellen in ons lichaam aandrijft.

Mitochondria spelen een hoofdrol in het vermoeidheidsverhaal en zijn onmisbaar voor het corrigeren van je energiehuishouding. Zoals evolutiedeskundige Lynn Margulis in haar alom geaccepteerde theorie uitlegde, leefden onze mitochondria miljarden jaren geleden buiten ons lichaam. De voorouders van onze cellen sloten toen een geweldige deal met de mitochondria. De mitochondria zouden in een symbiotische relatie in onze cellen gaan leven. In ruil voor kost en inwoning maakten de mitochondria energie aan voor onze cellen.

Dit leidde tot een ware stormloop in het leven. Voordat de mitochondria waren ingetrokken, haalden onze cellen maar zo'n 2 ATP-eenheden uit ons eten. Maar met hun nieuwe beste vrienden liep die energieproductie op tot ongeveer *18 ATP-eenheden.*

Hierdoor konden we snel groter, sneller, sterker en slimmer worden, tot we de complexe wezens waren die nu de aarde bevolken.

Om ATP te maken kunnen je mitochondria elk van de macrovoedingsstoffen die je binnenkrijgt gebruiken: eiwitten, vetten en koolhydraten. Maar niet alle macrovoedingsstoffen zijn hetzelfde. Je krijgt meer waar voor je geld als je lichaam op vet loopt dan wanneer het eiwitten gebruikt. Er zit simpelweg meer energie opgeslagen in vet. Vet bevat ongeveer 9 calorieën per gram tegenover de ongeveer 4 calorieën per gram in koolhydraten en eiwitten.[1]

Jammer genoeg voeden de meeste mensen in de westerse wereld hun lichaam niet met vet of eiwitten. We gebruiken liever *snelle koolhydraten*, de allerslechtste brandstofbron. Koolhydraten vormen een veelomvattende categorie. Ze omvatten alles van 'langzame koolhydraten' in dingen als biologische groenten en fruit, wilde graansoorten, bonen en zaden tot de niet zo geweldige 'snelle koolhydraten', die zitten in verrijkte witte bloem, witte pasta en zoetstoffen als fructoserijke glucosestroop.

Snelle koolhydraten zijn afkomstig uit voedsel dat we lekker vinden, maar niet zouden moeten eten, in elk geval niet in de hoeveelheden waarin we ze meestal consumeren. Ze zitten in dingen als o zo verleidelijke en o zo verslavende snacks, gefrituurde producten, muffins, donuts, gebak, witbrood, roomijs, zoutjes, koekjes, chips, snoep… moeten we nog doorgaan?

Niemand verwacht van je dat je een heilige bent die zich nooit eens lekker laat gaan. De meeste mensen – wij steken nu allebei onze hand op – hebben zich op enig moment wel zozeer laten gaan dat hun lichaam het niet aankon. Als we onszelf voornamelijk voeden met snelle koolhydraten, raken we uiteindelijk meer energie kwijt dan we aanmaken.

Als koolhydraten (snelle en langzame) worden verteerd, vallen ze uiteen in glucose, een soort suiker. Die glucose komt dan in de bloedbaan terecht, waardoor de bloedsuikerspiegel stijgt. Dit leidt tot een piek in het hormoon insuline. Insuline werkt als een boodschapper die op de voordeur van je cellen klopt en zegt: 'Hé, doe eens open. We hebben hier een pakketje suiker voor de mitochondria.' De cellen zetten de voordeur open en al die suiker gaat naar binnen.

Snelle koolhydraten worden zo genoemd omdat onze cellen de energie die van deze brandstofbron afkomstig is, snel opbranden. En dan hebben ze meer nodig. Het is alsof je aanmaakblokjes op vuur gooit. Je verteert en verbrandt snelle koolhydraten zo snel dat je een continue stroom nodig hebt om je vuur brandend te houden.

Dit is de hyper of hypo. Als al die suiker op is, voelen we ons moe en lusteloos tot we de volgende dosis krijgen. Dat hebben we allemaal wel meegemaakt. Vaak tijdens een gwone dag. Rond zeven uur 's morgens pak je een kop koffie, misschien een dubbele karamelmacchiato, en een muffin die je op weg naar je werk opeet. Je energie piekt, maar rond tien uur begin je je een beetje suf te voelen, misschien ook een beetje prikkelbaar. Mogelijk begin je te zweten, omdat je hartslag omhooggaat.

O jee. Je bloedsuikerspiegel daalt en je brein heeft het in de gaten, en het is niet best. Je brein is aan suiker verslaafd geraakt en heeft een volgende dosis nodig. Ja, 'verslaafd'. Dat is precies wat je brein is. Suiker spreekt hetzelfde centrum in je hersenen aan als cocaïne.[2]

Inderdaad ja, *cocaïne*. Om het trillen en zweten te stoppen heb je een nieuw shot nodig, dus je grijpt naar een andere snelle energieopper. Je bloedsuikerspiegel klimt weer omhoog. Je bent weer een paar uur veilig.

Dan is het lunchtijd en, man, wat heb je trek. Je voelt je ook een beetje bozig. Je buik uit zijn ongenoegen en je energiepeil neemt af. Je stevent op een hypo af, dus je pakt een volkorenboterham, een zakje chips, misschien een 'gezonde' frisdrank en bam! Als door een wonder gaan je bloedsuikerspiegel en energiepeil weer omhoog.

Rond een uur of drie krijg je het echt moeilijk. Je hangt over je bureau, doodmoe, je kunt amper je ogen openhouden. Goddank heb je een geheime voorraad M&M's in je la liggen, of misschien een glutenvrije reep vol suiker. Als het heel slecht met je gaat, komt nu dat energiedrankje tevoorschijn.

Je propt alles naar binnen en krijgt weer een beetje energie, waar je het tot het avondeten mee kunt redden. Dan staan er pasta met kalkoenreepjes, een gemengde salade met ranchdressing en een glas pinot noir op het menu. Als je om tien uur nog wakker bent (en dat ben je natuurlijk), krijg je weer een dipje en is die bak chocolade-ijs in de vriezer moeilijk te weerstaan, of misschien liever die bak glutenvrije, zuivelvrije, 'gezonde' suiker die toch ook voor de nodige kilo's zorgt.

Je hebt de hele dag in een achtbaan gezeten waardoor je bloedsuikerspiegel en energiepeil omhoogschoten en omlaagstortten, omhoogschoten en omlaagstortten, omhoogschoten en omlaagstortten. De rit alleen al heeft je ontzettend veel energie gekost, om maar te zwijgen van de druk die je je organen oplegt om alles steeds weer te verteren.

Als je jezelf voedt met snelle koolhydraten en de hele tijd blijft eten, kun je ook een punt bereiken waarop je cellen geen energie meer nodig hebben. Maar al die suiker uit die koolhydraten zit nog wel in je lichaam. Alle extra calorieën die je nu nog binnenkrijgt, vliegen voorbij de mitochondria en gaan rechtstreeks op de vetcellen af om een voorraadje voor mindere tijden aan te leggen. We hebben het over het vet dat je rond je middel, op je billen, bovenbenen en al die andere plaatsen waar je liever niet naar kijkt hebt zitten.

En als je jezelf jaar in, jaar uit voedt met snelle koolhydraten, raak je niet alleen uitgeput, maar loop je ook een groot risico op andere gezondheidsproblemen. Je zou diabetes type 2, hart- en vaatproblemen en een hoge bloeddruk kunnen ontwikkelen.

Energielek #2: je eet te weinig belangrijke voedingsstoffen

Je lichaam heeft een heleboel microvoedingsstoffen nodig om te kunnen functioneren. Dat zijn belangrijke voedingsstoffen en mineralen waarvan je kleinere hoeveelheden nodig hebt dan van macrovoedingsstoffen. Microvoedingsstoffen doen heel veel voor je lichaam. Ze helpen bij het verteren van macrovoedingsstoffen, zorgen ervoor dat je organen goed werken en geven je het gevoel dat je energiek en gezond bent.

Als je belangrijke vitaminen en mineralen tekortkomt, kan dat funest zijn voor je energiepeil. In het deel over remedies geven we een aantal tips om wat je tekortkomt aan te vullen. Maar laten we nu eens naar de waardevolste spelers in de wereld van de vitaminen en mineralen kijken.

Magnesium. Magnesium is de stof die zich aan ATP bindt en het zijn werk laat doen. Zonder voldoende magnesium kunnen de ruim driehonderd reacties in het lichaam waarvoor ATP nodig is niet in gang worden gezet en voel je je moe. Je hebt geen bloedonderzoek nodig om vast te stellen dat je een magnesiumtekort hebt. Als je last hebt van vermoeidheid, zenuwtrekken rond je oog, kramp, gedachten die maar door je hoofd blijven malen, hoofdpijn, slapeloosheid of rusteloze benen heb je meer magnesium nodig.

IJzer. Mitochondria hebben ook zuurstof nodig om ATP aan te maken. IJzer is onderdeel van de heem die hemoglobine wordt, dat verantwoordelijk is voor het transport van zuurstof van de longen naar elke cel in het lichaam. Zodra zowel zuurstof als ijzer in de cel aanwezig is, worden ze gebruikt in het daadwerkelijke proces om ATP te maken uit de energie in je voeding.

Zonder zuurstof kan er geen energie worden gemaakt. En zonder ijzer is er geen zuurstof in je cellen.

Is het dan vreemd dat het belangrijkste symptoom van een ijzertekort, oftewel bloedarmoede, vermoeidheid is? Stel je eens voor dat je langer dan een minuut je adem probeert in te houden. Hoe voel je je dan? Het is lastig om te functioneren zonder zuurstof, hè? Nou, dat vinden je cellen dus ook.

Je huisarts kan onderzoeken of je bloedarmoede hebt, dus als je je ijzergehalte niet weet en al langer dan je lief is last hebt van vermoeidheid, kan een complex probleem misschien eenvoudig worden opgelost. Het is de moeite waard om je te laten testen.

Vitamine B (met name B_{12}). Vitamine B_{12} is nodig voor het vormen van de rode bloedcellen die hemoglobine en zuurstof door het lichaam transporteren. Als je een vitamine B_{12}-tekort hebt, zijn je rode bloedcellen groter, misvormd en niet zo goed in staat om zuurstof in hemoglobine te vervoeren.

Iedereen kan een vitamine B_{12}-tekort krijgen, maar veganisten en vegetariërs lopen vooral risico. Vlees, gevogelte, schaaldieren, yoghurt, melk en eieren zijn goede bronnen van vitamine B_{12}. Een plantaardig eetpatroon kan geweldige voordelen hebben, maar als je daarvoor hebt gekozen, moet je wel je B_{12}-gehalte goed in de gaten houden, omdat er geen vitamine B_{12} in planten zit. In dat geval heb je mogelijk supplementen nodig.

Energielek #3: je probeert het 'juiste' dieet te volgen

Welk dieet is het 'juiste' dieet? Hoe kun je een keuze maken tussen paleo en keto? Ga je calorieën tellen? Moet je geen vlees meer eten en vegetariër worden? Moet je je aanmelden als levenslang lid van de veganistenclub? Of wat denk je van glutenvrij? Of misschien moet je gewoon met je blote handen op hertenjacht en jezelf op je borst slaan.

Wat als er niet zoiets bestaat als het perfecte, universele dieet dat vermoeidheid tegengaat en energie geeft? Wat als het perfecte dieet net zoiets is als het vinden van de perfecte partner?

Het dieet is niet perfect, maar het is wel perfect voor jou.

Dat is de opvatting van talloze deskundigen als Ari Whitten, een expert op het gebied van energie en vermoeidheid, die ons vertelde dat er geen standaard dieet is dat je kunt voorschrijven aan vermoeide patiënten. 'Binnen de voedingswereld heb je veel discussie, dogma's en kampen met mensen die zeggen: "O, iedereen moet veganist worden. Iedereen moet koolhydraatarm eten. Iedereen moet vetarm eten. Iedereen moet paleo of keto kiezen." Wetenschappelijk gezien is er niet een specifiek dieet dat het beste werkt bij vermoeidheid,' legde hij uit. 'Er is niet eens een specifiek verband tussen optimale verhoudingen van macrovoedingsstoffen die het slechtst of best zouden helpen voor mensen met vermoeidheidsklachten.'[3]

Toen we dat hoorden, voelden we allebei opluchting. Alsof we toestemming kregen om niet voor het paleo- of ketokamp te kiezen als we dat niet wilden – niet oneerbiedig bedoeld naar onze paleo- en ketobroeders en -zusters. Het zijn gewoon twee van de populairste diëten waarover nu in de gezondheidswereld wordt gesproken.

Het is moeilijk om je niet aan te sluiten bij wat 'hip' is of bij het nieuwste negentigdagendieet dat wordt aangeprezen door de sensatiepers en gegarandeerd helpt je energie weer op peil te krijgen en daarnaast ook nog 10 kilo af te vallen. We snappen dat je in de verleiding komt om bij die dieetrage aan te haken. We willen oplossingen zien. We willen ons beter voelen. We willen precies voorgeschoteld krijgen wat we moeten eten, wanneer we moeten eten en hoeveel we moeten eten.

Maar het zit zo: diëten komen en gaan. Tien jaar geleden waren het Atkins-dieet en South Beach-dieet in de mode. Zelfs voedsel dat ooit als slecht werd gezien, is nu weer welkom (hallo, eidooiers).

Diëten zijn persoonlijk. Je moet experimenteren om erachter te komen waarvan jij energie krijgt en waarvan juist niet. We kennen mensen die zweren bij een veganistisch eetpatroon. We kennen ook mensen die alle zuivel in de ban hebben gedaan en een beter leven hebben dan ooit tevoren. We kennen mensen die zichzelf geen beperkingen opleggen en met mate eten. We kennen ook mensen die ooit zwoeren bij vegetarisch eten, maar nu toch wat mager vlees aan hun eetpatroon hebben toegevoegd.

Als je kijkt naar wat voor de een wel werkt en wat voor de ander niet, zijn diëten zo verschillend dat het absurd zou zijn als wij je hier nu vertelden dat je 'enkel en alleen dit of dat' zou moeten eten. Bovendien kan het zo zijn dat wat vandaag voor je werkt, dat morgen niet doet. Je eetpatroon hangt ook nauw samen met hoeveel beweging je krijgt (zie hoofdstuk 4 voor meer over dit onderwerp). Hoe je slaapt speelt zelfs een rol in hoe je je eten verteert en omzet in je stofwisseling (zie hoofdstuk 5 voor meer informatie over slaap).

Je eetpatroon en voeding zijn voortdurend in ontwikkeling. Maar als je steeds weer overstapt op de nieuwste dieetrage, loop je het risico dat je je energie uitput in plaats van aanvult. Je loopt het risico dat je nooit echt te weten komt wat jíj moet eten en wanneer.

Toch is van het ene dieet overstappen op het andere, wanhopig proberen de wijsheden van het moment te volgen, wat veel van ons doen. Onze bedoelingen zijn goed. We willen ons goed voelen, meer energie hebben en misschien ook een beetje afvallen. Maar het ene na het andere dieet volgen is een weg naar uitputting.

Energielek #4: je eet niet genoeg *langzame* koolhydraten

Eerder in dit hoofdstuk hebben we het gehad over koolhydraten en lieten we het voorkomen alsof ze een schepping van de duivel waren. Nu spelen we voor zijn advocaat: *je moet toch koolhydraten binnenkrijgen.*

Niet alle koolhydraten worden op dezelfde manier gevormd en toch draaien alle hippe diëten van dit moment om caloriearm/vetrijk, vaak gecombineerd met een heleboel vasten. Anders dan wat veel mensen geloven is het caloriearme dieet niet nieuw; het wordt al meer dan honderd jaar gebruikt in de behandeling van epilepsie bij kinderen en werkt dan goed. Maar dat wil niet zeggen dat het voor iedereen goed is.

Hoewel veel van de basisprincipes van nieuwe diëten als keto en paleo goed zijn, vinden veel mensen het moeilijk om ze op te volgen, omdat ze erg gedisciplineerd met eten moeten omgaan. Er ligt veel nadruk op rood vlees en vette voeding om de afwezigheid van koolhydraten te compenseren. (Koolhydraten maken meestal trouwens maar 50 procent uit van de calorieën die we eten, dus ze vervangen door bacon en ghee is een slechte ruil.)

Als mensen aan een van de nieuwe, hippe diëten hierboven beginnen, eten ze vaak niet eens meer de minimale hoeveelheid koolhydraten. Het wordt alles of niets; ze zien alle granen, broden en pastasoorten als slecht terwijl we soms toch echt de koolhydraten uit zulke producten (vooral onbewerkte granen zijn goed) nodig hebben om ons energiepeil op te krikken.

Als je niet genoeg koolhydraten binnenkrijgt, kan dat invloed hebben op je nachtrust, de gezondheid van je darmstelsel en je energiepeil.

Energielek #5: je voelt geen dankbaarheid

Je maakt deel uit van de natuurlijke wereld. Je bent verbonden met alle levensvormen op deze planeet en zodoende gelden voor je lichaam dezelfde regels, en vrijheden, die voor al het leven gelden.

Al het leven moet eten. Al het leven moet wat het heeft geconsumeerd verwerken om de energie te genereren die nodig is om te herstellen, zich voort te planten, te blijven groeien, te overleven, *te leven*. Je bent geen plant die zonlicht kan opnemen en daarvan in combinatie met water en kooldioxide zijn eigen voeding kan maken.

Om je lichaam kracht te geven moet je de zonnepakketjes die in andere levende wezens worden opgeslagen te pakken krijgen. Om te leven moet je de levenskracht en energie van anderen consumeren. Geeft dat je een ongemakkelijk gevoel? Mooi zo. Dat is de bedoeling.

Voedsel is niet zomaar een abstract idee. Het is niet een lading calorieën die je kunt gebruiken. Het is niet iets wat je in de supermarkt haalt, mee naar huis neemt en klaarmaakt. Als je eet, consumeer je ander leven, de levenskracht van een ander wezen, omdat jouw leven om de een of andere reden als belangrijker wordt gezien. Voedsel is het offer dat je brengt op het altaar van het leven. Een andere levensvorm, zij het een kool, een appel, een koe, een varken, een vis, heeft het leven gelaten zodat jij kunt blijven leven.

Onze voorouders hadden veel rituelen omtrent de jacht en het nemen van een ander leven. Veel inheemse stammen overal op de wereld houden daar nog steeds aan vast. Maar wij zijn grotendeels vergeten welke gewijde overeenkomst we hebben met Moeder Aarde, God, of welke goddelijke naam je ook wilt gebruiken.

Als we naar voedsel zochten of jaagden en ergens mee thuiskwamen, vierden we dat. We waren dankbaar voor het dier of de plant die voor ons lag zodat wij, en onze families, in leven konden blijven. Alleen al die dankbaarheid gaf ons energie, versterkte de onzichtbare kracht in ons.

Maar nu zijn we doodsbenauwd voor eten. We zijn bang dat het ons dik zal maken, of een winderig of opgeblazen gevoel zal geven. We nemen vaak voor lief dat het er altijd gewoon is en we vergeten, bewust of onbewust, dat het zich ook ooit op de wereld voortbewoog, leefde, ademhaalde, at, onderdeel was van de natuur.

Als we deze band met ons eten uit het oog verliezen, verliezen we elke dag een beetje meer van onze energie.

Persoonlijke zoektocht (Nick)

Toen ik achter in de dertig was, wilde ik aan mijn gezondheid werken.

Eigenlijk wilde ik vooral een manier vinden om niet zo snel oud te worden. (Een midlifecrisis? Wie weet.) Dus ik begon aan een glutenvrij dieet. Ik at bergen vlees, groenten en af en toe een aardappel.

Ik zag al snel resultaat en ik voelde me geweldig.

Het dieet was ook gemakkelijk vol te houden. Glutenvrij eten werd mijn levenswijze.

Maar het kan een tijdje duren voor fysieke veranderingen in ons lichaam duidelijk worden en problemen zich openbaren. In de daaropvolgende twee of drie jaar merkte ik dat ik ernstige problemen had met mijn energiehuishouding. Ik snapte er niets van. Ik at goed, sliep goed, bewoog veel, mediteerde en ik dronk geen koffie. Waarom voelde ik me dan zo futloos?

Op een dag zou ik met mijn gezin een wandeltocht gaan maken, maar toen ik 's morgens wakker werd, was ik zo moe. Ik dacht: *ik wil vandaag een leuke vader zijn, ik wil ze niet teleurstellen.* Maar ik wist niet of ik het kon opbrengen.

In plaats van mijn vermoeidheid weg te wuiven of 'Sorry, jongens' te zeggen, richtte ik me op mijn lichaam. Ik stelde mezelf de vraag: *wat heb je op dit moment nodig?* Tot mijn verrassing verlangde mijn lichaam enorm naar een boterham. Mijn zoons aten heerlijk Portugees brood, dus ik besmeerde twee dikke sneeën met mayonaise, belegde ze met kaas en salami en zei: 'Ze kunnen de pot op.'

Toen ik halverwege de boterham was, schoot mijn energiepeil omhoog. Het was alsof ik een kop koffie had gedronken. Het was volkomen onlogisch en ging in tegen zo'n beetje elk dieet dat ik ken. Maar ik maakte die wandeltocht en voelde me geweldig, en we hadden allemaal een mooie dag.

Een week later sprak ik mijn maat Chris Kresser, die functioneel arts is, en ik vertelde hem over de boterham. Hij lachte en zei dat ongeveer de helft van zijn patiënten die last hebben van vermoeidheid, ook last hebben van wat hij *onbedoelde koolhydraatafname* noemde.

De diëten vliegen ons om de oren en veel ervan beperken de hoeveelheid koolhydraten. Maar 50 procent van de calorieën die we consumeren, moet uit koolhydraten bestaan. Glutenvrij betekent niet koolhydraatvrij. Sommige mensen hebben af en toe een snee brood nodig, of die nu glutenvrij is of niet.

TESTEN

Een arts zal waarschijnlijk het gehalte aan voedingsstoffen in je lichaam willen testen. Zo kom je te weten of je lichaam wel opneemt wat je nodig hebt. Dit zijn een paar testen die je arts zou kunnen aanbevelen.

Voedingstest

Het kan zijn dat je een tekort hebt aan vitaminen, aminozuren, vetzuren en mineralen. In plaats van zomaar een supplement te kiezen, kan een dergelijke test helpen om exact vast te stellen wat je lichaam nodig heeft om energieker te worden. Testen als ION en NutrEval zijn gericht op alle belangrijke voedingsstoffen.

Normale voedingsstoffentest

Zink, magnesium en ijzer zijn onmisbaar voor je energiepeil en kunnen worden gemeten met een diff-test (een differentiële telling van bloedcellen) en uitbreidingen daarvan. Om je ijzergehalte te controleren kan een functioneel arts een bloedtest laten doen die kijkt naar je rode bloedcellen (RBC), gemiddelde hemoglobineconcentratie (MCHC), hematocriet, ijzer, ferritine, ijzersaturatie en het totaal ijzerbindende vermogen (TIBC).

Je arts kan het vitamine B_{12}-gehalte testen door bloed af te nemen en naar het gemiddelde volume van rode bloedcellen (MCV) en de gemiddelde hemoglobineconcentratie (MCHC) te kijken. Als je MCV verhoogd is en je MCHC normaal, kun je last hebben van een vitamine B_{12}-tekort.

Je vitamine B_{12}-gehalte kan ook worden getest met *methylmalon-zuur*, of een MMA-test. Deze marker lijkt vitamine B_{12}-tekorten accurater vast te stellen dan de serum-B_{12}-test die de huisarts vaak gebruikt.

Acetyl-L-carnitine is een belangrijke voedingsstof waarvan je arts het gehalte zal willen meten met behulp van testen als ION of NutrEval. Er zal waarschijnlijk worden gekeken naar specifieke markers die *adipaten* en *suberaten* worden genoemd. Als het gehalte van een van deze of allebei verhoogd is, kun je een tekort hebben aan deze belangrijke voedingsstof.

DE ENERGIEREMEDIES

Energieremedie #1: verander van brandstofbron

In het cliché 'je bent wat je eet' schuilt zoveel waarheid. Bovendien loopt je lichaam op de brandstof die jij verschaft, dus de eerste stap bij het omkeren van vermoeidheid is jezelf de vraag stellen: welke brandstof gebruik ik vooral?

Voed je je lichaam met verse, onbewerkte, biologische groenten en fruit, granen en vezels? Eet je mager, zuiver, diervriendelijk gefokt, met gras gevoerd, biologisch vlees? Loop je op snelle of langzame koolhydraten?

Het is tijd om naar je eetpatroon te kijken en je bewuster te worden van welke brandstoffen je binnenkrijgt. We weten dat we niets nieuws zeggen met: 'Pas op met snelle koolhydraten.' De medische wereld roept al decennialang dat we onze inname van snelle koolhydraten en suiker moeten verlagen.

Maar ondanks alle informatie blijven veel mensen te veel snelle koolhydraten (ook suiker en onverzadigd vet) eten en te weinig langzame koolhydraten. Uit een onderzoek van de Amerikaanse overheid dat zestien jaar bestreek (van 1999 tot 2016) bleek dat Amerikanen 42 procent van hun dagelijkse energie-inname uit snelle koolhydraten halen.[4] Hetzelfde onderzoek liet zien dat Amerikanen meer dan 10 procent van hun energie uit verzadigde vetten halen – bijvoorbeeld uit vet rundvlees, varkensvlees, vetrijke zuivel en gefrituurd voedsel.[5] Wat langzame koolhydraten betreft, was de consumptie van Amerikanen met slechts 1 procent toegenomen.[6]

De meeste mensen weten wat ze moeten doen, maar hebben geen idee hóé. Laten we beginnen met onze zelfkritiek of schaamte over wat we eten uit ons hoofd te zetten. Zie wat je eet als je brandstof (want dat is het ook). Begin dan met de overstap naar een andere brandstofbron. Je hoeft niet van de ene op de andere dag een totale ommezwaai te maken. Verander gewoon steeds kleine dingen in je eetpatroon en de keuzes die je maakt.

Je moet je lichaam langzaam laten wennen aan minder snelle koolhydraten en meer langzame koolhydraten afkomstig uit magere eiwitten en gezonde vetten.

Hier volgt een aantal tips voor een soepele, gestage overgang.

Houd bij wat je eet

We willen dat je goed en eerlijk naar je eetpatroon kijkt en nagaat welke macrovoedingsstoffen je het meest eet. We zijn er allebei grote voorstanders van dat je bijhoudt wat je eet. Dat kun je met een app op je telefoon doen, maar ook ouderwets door pen en papier te pakken of een document aan te maken op je computer of tablet. En dan leg je vast wat je eet, wanneer je eet en hoeveel je gedurende de dag eet. Er zijn apps als Bitesnap (getbitesnap.com) waarbij je alleen maar een foto hoeft te maken van wat je eet; de app telt dan de calorieën en analyseert de voedingsstoffen in het eten.

Je zou ook kunnen opschrijven hoe je je na een maaltijd voelt. Noteer of je een winderig of opgeblazen gevoel hebt of na het eten buikpijn krijgt. Houd bij of je je energiek voelt (zoals zou moeten) of juist liever wilt slapen.

Houd dit een week vol, zodat je een realistisch beeld krijgt van je eetpatroon en de juiste balans van macrovoedingsstoffen kunt vaststellen. Dat zal je ook helpen bij de onderwerpen van hoofdstuk 3:

voedselintoleranties en -allergieën. Veel mensen hebben een voedselintolerantie en het bijhouden van hun eetpatroon kan helpen om vast te stellen welke voeding ze beter kunnen weglaten of beperken.

Haal je energie niet uit drankjes

Haal jij je energie uit drankjes en leef je op energiedrankjes en sapjes? Stop daar meteen mee. Bekijk het eens op deze manier. Je kunt een sinaasappel eten, dat is prima. Zeker, er zit suiker in, maar ook een heleboel vitaminen en vezels. Maar als je een glas sinaasappelsap drinkt, krijg je alleen geconcentreerde suiker zonder vezels binnen. Je lichaam zal meteen aan de slag gaan om de suiker om te zetten in ATP, maar kan de grote hoeveelheid in sapjes niet altijd aan waardoor een deel ervan hoogstwaarschijnlijk wordt omgezet in vet. Het leidt ook tot een enorme piek in je bloedsuikerspiegel, waardoor de achtbaanrit begint. Eet dus een sinaasappel, laat het sap staan.

En alsjeblieft, blijf in vredesnaam van die frappuccino's af. Een karamelfrappuccino van 340 gram bevat *38 gram suiker die grotendeels afkomstig is uit glucose-fructosestroop*. Dat moet je jezelf gewoon niet aandoen.

Als iets – wat dan ook – glucose-fructosestroop (HFCS) bevat, moet je maken dat je wegkomt. HFCS verhoogt de darmdoorlaatbaarheid en tast de lever aan, wat leidt tot insulineresistentie, waardoor je weer diabetes type 2 en allerlei andere nare neveneffecten kunt krijgen die verwoestend kunnen zijn voor je energiepeil en je lichaam.

Stabiliseer je bloedsuikerspiegel

Dit is niet iets wat van de ene op de andere dag zal lukken, maar minder snelle en meer langzame koolhydraten eten, in combinatie met magere eiwitten en gezonde vetten, kan veel doen voor je energiepeil en helpt je lichaam te wennen aan andere brandstofbronnen.

Hoe kom je van de snelle koolhydraten af die ervoor kunnen zorgen dat je bloedsuikerspiegel omhoogschiet? Je kunt deze vier stappen proberen:

Stap 1: eet elke drie uur een combinatie van de macrovoedingsstoffen – wat eiwitten, vet en langzame koolhydraten.

Stap 2: de hoeveelheid eiwitten moet in je handpalm passen. Dat kunnen een paar eieren zijn (inclusief dooiers) of 110 tot 120 gram mager vlees.

Stap 3: je moet een paar eetlepels vet binnenkrijgen. Dat kan in de vorm van kokosolie, boter, noten, zaden of een halve avocado zijn.

Stap 4: voeg er wat goede langzame koolhydraten aan toe, zoals een handvol verse of bevroren blauwe bessen of andere groenten of fruit.

Probeer dit een week en houd je energiepeil bij. Registreer hoe je je in de loop van de dag voelt.

Als je echt een leuk persoonlijk experiment wilt doen, moet je een glucosemeter kopen bij de drogist en je bloedsuikerspiegel meten voor en na het eten van bepaalde voeding. Dat kan een echte openbaring zijn en je ertoe aanzetten om voor meer langzame koolhydraten en andere gezonde opties te kiezen.

Energieremedie #2: ga voor voedingsstoffen

De eerste stap is dat je uitzoekt wat de optimale gehaltes van voedingsstoffen zijn, zodat je weet wat je nodig hebt en wat voor voedsel of supplementen je aan je eetpatroon zou kunnen toevoegen. Idealiter laat je je begeleiden door een medicus, zoals een functioneel arts, die je kan helpen met de juiste dosering van supplementen voor jouw lichaam. Dat is veel beter, en veiliger, dan naar de natuurvoedingswinkel rennen, het eerste het beste supplement kopen en pillen gaan slikken.

We noemen hier een aantal van de beste voedingsstoffen voor meer energie, waar veel artsen naar zullen kijken. Het minste wat je kunt doen, is ervoor zorgen dat je een uitgebalanceerd en gevarieerd eetpatroon hebt dat meer voedingsstoffen bevat.

Dit zijn enkele van de voedingsstoffen die deel moeten uitmaken van je eetpatroon.

Magnesium

Als je een laag magnesiumgehalte hebt, kun je beginnen meer voedsel te eten dat veel magnesium bevat, zoals bonen, bladgroenten, noten, zaden en vlees. Je moet er wel voor zorgen dat er in je maag genoeg zuren en enzymen aanwezig zijn om dit te verteren. Als het magnesiumgehalte niet snel genoeg toeneemt, kun je een supplement gebruiken.

Er zijn verschillende opties voor magnesiumsupplementen:

1. Magnesiumcitraat zorgt voor een regelmatige stoelgang.
2. Magnesiumglycinaat is meer geschikt voor mensen met gevoelige darmen of die snel last hebben van diarree (in dat geval moet je geen magnesiumcitraat nemen, afgesproken?).
3. Magnesiumthreonaat helpt als je door je lage magnesiumgehalte last hebt van licht geheugenverlies of concentratieproblemen.

IJzer

Voorbeelden van voedsel dat veel ijzer bevat zijn spinazie, peulvruchten (die je goed moet laten weken), pompoenpitten, rood vlees, quinoa, broccoli, pure chocolade, kalkoen, schaaldieren, lever en orgaanvlees. Maar ook hier moet je lichaam het goed kunnen verteren voor je er echt iets aan hebt.

Als je supplementen moet gebruiken, moet je goed bekijken hoeveel je nodig hebt. Een hoge dosis ijzer kan giftig zijn, dus vraag advies aan een arts. IJzer uit voeding wordt gemakkelijker opgenomen door het lichaam, maar als je maagproblemen hebt, kun je ijzersupplementen proberen.[7]

Vitamine B_{12}

Veel ijzerrijke voeding is ook rijk aan vitamine B_{12}, zoals vlees, met name orgaanvlees, en veel soorten vis (maar kijk uit voor kwik en andere verontreinigende stoffen). Edelgist is een goed alternatief, maar veganisten of vegetariërs zullen ook een supplement moeten gebruiken.

Acetyl-L-carnitine

Gezonde vetten kunnen een goede bron van energie zijn voor je lichaam. Vet bevat negen calorieën per gram, terwijl koolhydraten en eiwitten er vier bevatten. Maar deze calorieën uit vet kunnen alleen worden benut als ze op de juiste manier worden verteerd en naar je mitochondria worden vervoerd.

Om het vet bij de mitochondria te krijgen is er een speciaal transporteiwit nodig in de vorm van *L-carnitine*. Zoals de naam impliceert, is carnitine een belangrijk bestanddeel hiervan. Als je lichaam arm is aan een specifieke vorm van carnitine, *acetyl-L-carnitine* genaamd, haal je niet zoveel energie uit vet als zou kunnen en blijf je je moe voelen.

Omdat acetyl-L-carnitine en lysine (dat het lichaam gebruikt om carnitine aan te maken) vooral in vlees zit, lopen veganisten en vegetariërs een risico op tekorten. Om ervoor te zorgen dat je lichaam er voldoende van aanmaakt, heb je voldoende vitamine C nodig,[8] maar ook andere voedingsstoffen, zoals vitamine B_{12}, ijzer, vitamine B_6 en niacine. Als je echt een voedingssupplement nodig hebt, zou je acetyl-L-carnitine kunnen overwegen, maar raadpleeg eerst je arts voor de dosering. Je kunt je vitamine C-gehalte ook op natuurlijke wijze een oppepper geven met broccoli, spruiten, bloemkool, groene en rode paprika, spinazie, kool, andere bladgroenten, zoete en witte aardappels, tomaten, pompoen, sinaasappels, aardbeien en grapefruit.

Co-enzym Q10

Co-enzym Q10 (CoQ10) is de énige voedingsstof in iets wat de *elektronentransportketen* wordt genoemd. Dit is de laatste stap in de productie van de meerderheid van het ATP van een cel. Als het CoQ10-gehalte laag is, kan dat de energieproductie beperken.

CoQ10 zit in veel van de al genoemde voeding: orgaanvlees, vette vis, fruit, groenten, peulvruchten en zaden. Zonder dierenharten en lever is het lastig om het CoQ10-gehalte alleen door middel van de voeding te laten stijgen. In veel gevallen kunnen supplementen goed werken.

Energieremedie #3: vind je perfecte dieet

Er is altijd wel iemand die helemaal weg is van het nieuwste hippe dieet en alle voordelen. Er zit een kern van waarheid in die verhalen, maar je moet zelf vaststellen welke voeding werkt voor jouw lichaam. Soms is dat een kwestie van uitproberen. Als je een hip dieet wilt uitproberen, moet je dat zeker doen. Maar pas wel op.

Net als bij brandstofbronnen is het bij een nieuw dieet van belang dat je bijhoudt hoe je je voelt, hoe je energieniveau is en welke andere effecten er zijn. Gedraag je als een wetenschapper en leg je observaties vast. Daar heb je echt wat aan. Het is een goede manier om inzicht te krijgen in wat je eet en hoe je je door die voeding voelt. Er bestaat echt geen dieet dat voor iedereen werkt, dus je moet erachter zien te komen wat voor jou de juiste keuze is.

We weten dat je wordt gebombardeerd met allerlei diëten, dus we geven hier een korte beschrijving van enkele van de populaire rages van nu. Je kunt zelf bepalen welke je wilt proberen, of niet. Onthoud dat het niet hóéft. Dat je vriend Sam voor paleo heeft gekozen, wil niet zeggen dat jij dat ook moet doen. Het is echt niet verkeerd om afstand te nemen van de massa en te luisteren naar je eigen innerlijke stem die je vertelt wat je moet eten en welk dieet het beste bij je past.

Hier is inderdaad moed voor nodig, maar je komt zo wel een stap dichter bij het oplossen van je vermoeidheidsprobleem.

Paleo

Het paleodieet klinkt ons volkomen logisch in de oren. Eten zoals we deden in de tijd van de jager-verzamelaars? Voedsel dat ons immuunsysteem herkent? Voedsel op basis waarvan ons spijsverteringsstelsel is gevormd? Klinkt goed!

Het probleem met paleo is niet direct het eetpatroon. Het is dat sommige mensen zich alleen op het jágersdeel van het jagen en verzamelen richten. Inderdaad, onze voorouders jaagden met hun blote handen en een speer op dieren. Maar weet je wat ze nog meer deden? Ze verzamelden. Ze aten groenten en noten en vruchten en vezels. Holbewoners aten niet alleen maar vlees, want het was eigenlijk best gevaarlijk om aan vlees te komen.

Weet je wat ze nog meer niet aten? Boter. Geen enkel ander dier op deze planeet consumeert de moedermelk van andere dieren, laat staan dat ze het vet eruit halen en dat vet overal op smeren. (Dat je het weet.)

Als je het paleodieet wilt volgen, moet je ook écht paleo gaan eten. Eet vlees, maar met mate en beschouw het als iets waardevols, iets wat veel moeite heeft gekost om eraan te komen. En zorg ervoor dat je flinke hoeveelheden fruit, groente en noten binnenkrijgt, want daar konden onze jager-verzamelaarvoorouders veel gemakkelijker aan komen.

Ten slotte moet je niet alleen paleo eten, maar paleo léven. Dat betekent niet dat je op jacht moet, maar je kunt gaan joggen, rennen alsof je een dier moet vangen dat sneller loopt dan jij, en gewichtheffen, alsof je emmers water vanaf de rivier moet dragen. En drink dan ook veel van dat water.

Keto

Ketose is het proces waarbij ons lichaam in plaats van koolhydraten en suikers vet als brandstof gaat gebruiken. Het ketodieet moet ervoor zorgen dat het lichaam dit proces vasthoudt. Het is de afgelopen jaren enorm populair geworden. Het dieet bevat veel vetten, een matige hoeveelheid eiwitten, weinig koolhydraten en geen suiker.

Voor bepaalde mensen kunnen ketodiëten fantastisch zijn. Onderzoek laat zien dat het ketodieet diabetes kan omkeren waardoor mensen geen insuline meer hoeven te gebruiken.[9] Als je geen hoge bloedsuikerpieken hebt, hoeft je alvleesklier niet voortdurend insuline af te scheiden om insulineschommelingen te voorkomen. Het ketodieet kan ook voordelen hebben voor sommige mensen die last hebben van migraine,[10] en het kan helpen aanvallen te verminderen bij epilepsiepatiënten die niet goed reageren op medicijnen.[11] Deskundigen hebben ook ontdekt dat de hersenen beter functioneren als ze door vet worden aangedreven in plaats van door koolhydraten. 'Als je de hersenen voedt met vet zullen ze beter werken,' vertelde dokter Perlmutter ons. 'Je zult over het algemeen het gevoel hebben dat je energieker bent als je minder suiker consumeert, terwijl dat volgens veel mensen de beste energiebron is.'[12]

Maar er is ook een keerzijde. Sommige mensen voelen zich slechter als ze het ketodieet volgen. Als je gewend bent aan een koolhydraatrijk eetpatroon, duurt het even voor je lichaam zich heeft aangepast. We horen veel verhalen over 'ketogriep'. Die treedt op als je lichaam ontwenningsverschijnselen krijgt omdat het geen suiker meer binnenkrijgt. Je kunt je hier echt ziek van voelen.

Er is ook een moment dat de suikerminnende bacteriën en schimmels in de darmen niet meer genoeg voeding krijgen en 'uitsterven', waardoor je je koortsig en flink beroerd kunt voelen. Daar moet je even doorheen.

Het ketodieet en andere koolhydraatarme diëten geven door het beperken van koolhydraten ook een kans op slapeloosheid en vermoeidheid. Bovendien zitten vetten tegenwoordig vol chemicaliën. Door je vetinname met het ketodieet te verhogen, bestaat de kans dat je onbedoeld de hoeveelheid chemicaliën in je lichaam vergroot. Als je veel vet eet, eet je ook veel pesticiden, herbiciden en verbrande plasticresten. Hallo, kanker. Hallo, vermoeidheid.

Dat gezegd hebbend, kan het ketodieet prima werken als je lichaam er goed mee kan omgaan. Je lichaam moet de juiste enzymen bevatten om de voeding in de stofwisseling te kunnen omzetten en in de cellen te krijgen, zodat de mitochondria hun werk kunnen doen. Als je lichaam het vet niet op de juiste manier kan verteren en omzetten, staat je veel ellende te wachten. Denk aan een zachtere, stinkende stoelgang die vanuit het niets kan opkomen en ervoor zorgt dat je naar het dichtstbijzijnde toilet moet rennen. Niet fijn.

Wij zullen je niet voorschrijven of je wel of niet met het ketodieet moet beginnen. Weeg voor jezelf de voor- en nadelen af. Als je besluit het ketodieet te proberen, kun je, als je budget het toelaat, het beste voor biologisch, met gras gevoed, diervriendelijk gefokt vlees gaan.

Calorieën tellen

Sommige voedingsdeskundigen vinden dat we beperkingen wat betreft calorieën overboord moeten gooien. Andere vinden het een goed idee om calorieën te tellen. Wat is nu het beste? Wel of niet tellen?

De logica achter 'calorieën die erin gaan tegenover calorieën die eruit gaan' is op zich niet verkeerd, maar geeft niet het hele beeld weer. Als je je calorieën telt, maar niet kijkt naar waar de calorieën uit bestaan, zul je ernstig in de problemen komen.

Laten we zeggen dat je 1500 calorieën mag eten. Je eet als ontbijt een donut en drinkt een koffie verkeerd; dat zijn 300 calorieën. Je eet als lunch een van die verpakte 'gezonde' repen; dat zijn 200 calorie-en. 's Avonds eet je biefstuk met garnering en drink je twee glazen wijn; dat zijn 1000 calorieën. Dat is precies de juiste hoeveelheid, maar toch heb je de plank volledig misgeslagen wat betreft vezels, kalium, magnesium, vitamine B, vitamine A, K en C – je lichaam heeft niet zoveel voedingsstoffen binnengekregen. Je hebt wat eiwitten en wat suiker geconsumeerd, maar meer ook niet.

Als je calorieën wilt tellen, moet je er wel voor zorgen dat je de juiste voedingsstoffen binnenkrijgt.

Vasten

Als je door de geschiedenisboeken bladert, zie je dat er altijd een vorm van vasten is geweest. Boeddhisten, taoïsten, sikhs, christenen, joden, moslims – zo'n beetje iedereen kende de voordelen van vasten en verwerkte dit gebruik in zijn rituelen. Als je naar de populairste blogs over gezondheid en voeding kijkt, zie je dat nu ook nog volop over vasten wordt gepraat.

Er zijn verschillende soorten vastendiëten en een aantal daarvan is absoluut beter dan andere.

1. Tijdgebonden eten. Bij dit dieet geef je jezelf een tijdspanne waarin je eet. De meesten van ons doen dat altijd al; we eten over het algemeen niet tussen acht uur 's avonds en zes uur 's morgens. We noemen het vasten als we de tijdspanne iets groter maken, zeg van zes uur 's avonds tot zes uur 's morgens. Dan gaat het om een periode van twaalf uur. Sommige mensen vasten wel veertien of zestien uur.

2. Intermitterend vasten. Bij dit dieet vast je een bepaalde periode. Het kan zijn dat je op maandag niet eet. Of dat je eens per maand drie dagen vast. Het belangrijkst is dat je tussendoor pauzes neemt en dat je geen heel lange periodes vast.

3. Watervasten. Bij dit vastendieet leef je alleen op water of lichte bouillon, of eet of drink je helemaal niet, en houd je dat voor langere tijd vol – het gemiddelde is tien dagen. Dit is een ingrijpende vorm van vasten die volgens veel deskundigen alleen onder medische begeleiding moet worden gedaan.

Al die eeuwen hebben mensen over de hele wereld het bij het juiste eind gehad: vasten heeft voordelen. Onderzoek laat zien dat het de stofwisseling, bloedsuikerspiegel, geestelijke gezondheid en concentratie kan verbeteren. Vasten is ook een soort voorjaarsschoonmaak voor je lichaam. Het brengt *autofagie* op gang, een soort cellulaire schoonmaak. Celmateriaal dat niet meer goed werkt, wordt opgeruimd, inclusief gemuteerde cellen die later in kanker kunnen veranderen.

Vasten doet ook hetzelfde met je mitochondria en brengt een proces op gang dat *mitofagie* wordt genoemd en waarbij mitochondria worden gerepareerd of gerecycled, zodat er nieuwe, sterkere mitochondria worden gevormd.

Alsof dit allemaal nog niet genoeg is, kan vasten ook helpen je metabolische flexibiliteit te herstellen. Met een flexibele stofwisseling kunnen we gemakkelijker switchen tussen de verschillende brandstofbronnen. Het kan bij sommige mensen zelfs helpen om een lichte ketose op te wekken, waardoor je lichaam vet als brandstof gaat verbranden in plaats van de suiker uit koolhydraten.

Dit zijn mooie effecten, maar er is een keerzijde. Vasten is niet geschikt voor iedereen. Als je last hebt van angsten, een hormonale disbalans door bijvoorbeeld schildklierproblemen, slaapproblemen of problemen met je limbische systeem (het limbische systeem reguleert je emoties, herinneringen en stimulering/opwinding), kun je beter niet vasten. Het kan dan tot grote verwarring leiden en sterke emoties naar boven halen. Als je toch wilt doorzetten en de draken onder ogen wilt zien, moet je er op zijn minst voor zorgen dat je een goed team artsen en therapeuten om je heen verzamelt.

Ook is het zo dat als je het grootste deel van je leven veel koolhydraten en suikers hebt geconsumeerd, je niet de metabolische flexibiliteit zult hebben die nodig is om direct over te schakelen op het verbranden van vet. En als je energiepeil al zo laag is dat je jezelf nauwelijks uit bed kunt slepen, kun je het helemaal vergeten. Vermoeidheid en vasten zijn als mosterd en pindakaas; ze gaan niet samen. Je lichaam is veel te zwaar belast en uitgeput om het aan te kunnen. Vasten zal je alleen maar nog vermoeider maken.

Als je energie weer terug is, kun je gaan experimenteren met vasten. Begin dan wel klein. Recent onderzoek laat zien dat de gemiddelde westerling ongeveer tien keer per dag eet, verdeeld over een tijdspanne van veertien tot vijftien uur.[13] Dat is zo'n beetje de hele tijd dat je wakker bent.

Als dit klinkt als een dag uit jouw leven, pas dan op met vasten. Je zult de gewoonte langzaam moeten opbouwen om eraan te wennen. Experimenteer met langere tussenpozen tussen maaltijden. Als de tijdspanne waarbinnen je eet veertien tot zestien uur is, maak hem dan geleidelijk korter. Probeer binnen slechts tien tot twaalf uur te eten. Stel je ontbijt uit, zodat je tussen negen uur 's morgens en zeven uur 's avonds kunt eten. Doe dat een aantal weken lang enkele keren per week en maak de tijdspannen dan weer korter. Eet vervolgens tussen tien en zeven, en daarna tussen elf en zeven uur.

Een afgebakende tijdspanne waarbinnen je onbeperkt calorieën kunt eten en alle voedingsstoffen binnenkrijgt, levert je bijna alle voordelen van vasten op, zonder al te veel nadelen.

Als je lichaam eraan gewend raakt, kun je de tijdspanne tijdelijk verder verkleinen en enkele dagen per week binnen een periode van zes of zeven uur eten. Uiteindelijk kun je dit opbouwen tot een vastenperiode van vierentwintig of zesendertig uur. Als je daarnaartoe wilt, kun je het beste een arts raadplegen en goed opletten hoe je lichaam reageert op het vasten.

Als je vasten in je dagelijkse regime brengt, moet je ervoor zorgen dat je mate van activiteit er ook goed op is afgestemd. Probeer geen marathon te lopen terwijl je vast en zie het ook niet als iets voor de lange termijn. Vasten is een geweldig hulpmiddel om af en toe in te zetten om meer energie te krijgen en gewicht kwijt te raken.

Energieremedie #4: krijg een gezonde relatie met goede koolhydraten

Niet alle koolhydraten zijn slecht. Pompoen, wortels, sperziebonen, zoete aardappels, bataten, fruit (niet geperst, en in het bijzonder bessen) en courgette zijn allemaal koolhydraten. Die moet je eten.

Met tarwe moet je wel oppassen. Dat iets een label 'volkoren' heeft en bruin is in plaats van wit, wil niet zeggen dat het goed voor je is. Misschien heb je wel 'verrijkt meel' op de ingrediëntenlijst zien staan. Dat betekent dat de voedingsstoffen eruít zijn gehaald.

Kies liever voor 100 procent onbewerkte meergranen en vezelrijke broden. Zelfs dan zul je nog een beetje moeten oppassen vanwege het gluten. Het vermijden van gluten is nog zoiets dat vaak wordt gezien als een modegril.

Ook is het zo dat een deel van het spijsverteringsproces plaatsvindt in de galblaas en alvleesklier. De galblaas scheidt gal af en de alvleesklier enzymen, en beide hebben we nodig om onze energie op peil te houden. De galblaas en alvleesklier weten dat ze aan de slag moeten als ze een signaal ontvangen van het hormoon cholecystokinine (CCK). Zonder CCK krijgen we niets voor elkaar.

Gluten remt de afscheiding van CCK. Dit leidt tot een afname van de enzymfunctie en een toename van onverteerd voedsel in het spijsverteringskanaal. Deze verstoring in het proces kan resulteren in een voedingsstoffentekort, infecties in het spijsverteringskanaal en meer schade aan de darmwand. Wat is het belangrijkste symptoom van voedingsstoffentekorten en darmontstekingen? Vermoeidheid! En dit kan iederéén overkomen, niet alleen mensen met coeliakie of een overgevoeligheid voor gluten.

Er is iets te zeggen voor het schrappen van gluten uit het eetpatroon, maar we geven toe dat het erg lastig kan zijn. En soms hebben we verdorie gewoon een boterham nodig. Het geheim zit in matigheid. Inderdaad, het is simpel. Er is niets spannends aan, maar er zit veel waarheid in. Als je tarweproducten wilt eten, zoals pasta en brood, doe dat dan met mate. Het hoeft niet elke dag de basis van je maaltijd te vormen. Let op hoeveel je eet en zie hoe je lichaam reageert. Voor sommige mensen is matigheid al te veel, dus experimenteer wat en kijk hoe je je voelt als je helemaal geen tarweproducten eet. Een aantal van de functionele medici die wij hebben gesproken, zeggen dat ruim 50 procent van hun patiënten zich energieker en in het algemeen beter voelt als ze gluten uit hun eetpatroon schrappen.

Wees niet bang voor koolhydraten. Zorg er gewoon voor dat het góéde koolhydraten zijn. Hieronder noemen we een aantal glutenvrije koolhydraten waarvan je niets te vrezen hebt:

* Gegarandeerd glutenvrije onbewerkte havervlokken of havermout
* Bladgroenten als sla, rucola, boerenkool en spinazie
* Kruisbloemige groenten als broccoli, spruiten en kool

- Zilvervliesrijst, quinoa en boekweit
- Fruit, waaronder bananen, sinaasappels, appels, peren en, in het bijzonder, bessen
- Zetmeelrijke groenten als maïs, zoete aardappels, bataten, pompoen, sperziebonen en wortels

Opties met gluten zijn:

- Ontbijtgranen met havervlokken, *all-bran*, muesli en haver-mout (let er wel op dat ze niet overmatig zijn gezoet)
- Meergranenbrood van 100 procent onbewerkte tarwesoorten
- Granen als gerst, rogge en farro

Energieremedie #5: zie eten als iets heiligs

Eten is heilig. Het is waar je je energie uit hebt gehaald, haalt en zal halen zolang je leeft. Een schepsel – al is het maar een levende, ademende plant – offert elke dag zijn leven voor jou op, bij elke maaltijd. Laten we dankbaar zijn voor hetgeen dat ons voedt met zijn levenskracht.

Laten we eten weer gaan zien als iets heiligs, het waarderen en hulde brengen. We willen niet zeggen dat je voor elke maaltijd een dankgebed moet opzeggen, maar als je daar zin in hebt, moet je dat vooral doen. Maar door weer dankbaar voor je eten te zijn, geef je opnieuw vorm aan je relatie met de aarde.

Wat we bedoelen is dat je moet begrijpen waar je eten vandaan komt en wat het voor je doet, wat het voor je voorouders heeft gedaan en wat het doel ervan is in jouw leven. Voedsel is niet iets wat je zomaar kunt bestempelen als noodzakelijk zonder er verder bij stil te staan.

Laten we eten niet meer labelen als een eiwit, een vet, een koolhydraat. Laten we stoppen met het rationaliseren en losmaken van ons voedsel en de productieketen. De meesten van ons hoeven ons eten niet meer zelf te doden, maar iemand heeft dat toch gedaan.

Laat ons dankbaar zijn voor het dier of de plant die is gestorven zodat wij kunnen leven. Laten we voor elke maaltijd onze dankbaarheid tonen, of dat nu in een stil dankgebed is of door het hardop te zeggen.

Als je nog een stap verder wilt gaan, kun je nadenken over de betekenis van jóúw leven. Wat doe je met het leven dat je is gegeven? Hoe verbruik je de energie die je consumeert? Waarom denk je dat jij het meer verdient om te leven dan een ander?

We geven toe dat dit best lastige vragen zijn. Maar als je je energiepeil wilt herstellen, is het belangrijk om zelfonderzoek te doen, na te denken over de betekenis van je leven en hoe je je energie verbruikt. We hebben een heel hoofdstuk aan deze vragen en hun betekenis gewijd (hoofdstuk 9). Je hoeft nu niets met die vragen te doen. Een bereidheid om ze te stellen en na te denken over de antwoorden is voor nu genoeg.

Dit zijn allemaal manieren om eten weer als iets heiligs te zien. Probeer het eens een week, en je zult versteld staan van de kleine energieboost die je krijgt. Het kost je niets, maar je wordt ervoor beloond.

SUCCESVERHAAL

Het duurde lang voor Katie het besefte, maar ze kreeg eigenlijk heel slechte adviezen van haar diëtist en sportinstructeur.

Het was niet zo dat wat ze zeiden slecht of verkeerd was, het was gewoon niet goed voor háár. Katies lichaam reageerde anders op het tellen van calorieën dan dat van de meeste andere cliënten van haar diëtist. Ze had voortdurend behoefte aan vet en zoetigheid, omdat ze steeds het gevoel had dat ze iets tekortkwam; en dus at ze het. Katie had niet eens door waar ze mee bezig was. Ze dacht: *ik blijf keurig onder het vastgelegde aantal calorieën, dus het is goed!*

Maar dat was het niet. Een donut ter vervanging van een salade is behoorlijk ongezond. Geen wonder dat ze zo moe was.

Dit is waardoor Katie besefte wat er aan de hand was: wanneer ze als stylist met haar cliënten bezig is, benadrukt ze altijd wat hun een goed gevóél geeft. Katie kan wel vinden dat Rebecca er fantastisch uitziet op tien centimeter hoge hakken, maar als Rebecca bang is dat ze zal vallen, voelt ze zich niet zeker van zichzelf en zullen de hakken dus niet de gewenste uitwerking hebben.

Katie weet dat; dat is waarom ze zo'n goede stylist is. Maar ze paste het niet toe op zichzelf. Net zoals haar cliënten zelf het beste weten welke kleding voor hen zal werken, weet Katie waardoor ze zich goed voelt.

Ze stopte met het tellen van calorieën en at alleen nog maar dingen waarvan ze zich goed ging voelen. Dat betekende dat ze het kortstondige geluksgevoel van vet en suiker in de ban deed en zich richtte op voeding die haar een licht en energiek gevoel gaf, zoals quinoa en cashewnoten, of boerenkoolchips als ze zin had in een snack. Ze besteedde minder aandacht aan de hoeveelheden, waardoor ze niet het gevoel had dat ze tekortkwam – en uiteindelijk vlogen de kilo's eraf. Ze zag er geweldig uit en zo voelde ze zich ook.

PERSOONLIJKE UITDAGING

Eet een week lang elke ochtend een goed ontbijt; iets wat je energie geeft en leidt tot een directe, positieve verandering. We hebben het dan over langzame koolhydraten en eiwitten, dus het kan zoeteaardappelpuree met een ei zijn, of een Polizzi-favoriet: havermout met noten, hennepzaad, rozijnen, kaneel en een beetje lokale honing.

HOOFDSTUK 3

Het darmstelsel en het immuunsysteem

Michael is een succesvol ondernemer. Zijn webdesignbedrijf heeft een jaarlijkse omzet van vijf miljoen dollar en hij heeft twintig man personeel in dienst. Hij houdt van zijn werk, maar ongeveer twee jaar geleden begonnen zijn productiviteit en motivatie minder te worden. Hij werd wat zwaarder en merkte dat hij vaak last van zijn buik had. Hij had veel last van een opgeblazen gevoel, winderigheid en constipatie. En toen begon hij zich ziek te voelen, alsof hij een flinke verkoudheid had. Dat was raar, want Michael was nooit ziek.

Michael bezocht vijf artsen en een therapeut om de oorzaak van zijn vermoeidheid te achterhalen. Hij wilde ontzettend graag weer lekker in zijn vel zitten. Het was niet alleen het bedrijf dat eronder leed; zijn vrouw stond op het punt te bevallen van hun eerste kind en hij wilde niet eens denken aan de vermoeidheid die dat zou opleveren.

De ene arts zei dat hij een vitamine D-tekort had, dus Michael kreeg een supplement. Een andere arts zei dat hij glutenvrij moest gaan eten en weer een andere raadde een eiwitrijk, caloriearm dieet aan met veel rood vlees en bacon. Daarna stapte Michael over op meer groente, mager vlees, vers fruit en wat granen.

Geen enkel dieet maakte verschil. Michael bleef zich futloos voelen, bleef zwaarder worden, bleef last van zijn buik houden en zijn immuunsysteem werkte niet goed. In zes maanden tijd had hij twee keer een gemene buikgriep gehad, had hij last gehad van bronchitis en was hij af en aan verkouden geweest.

Hij kon niet meer. Zijn lichaam liet hem in de steek en geen van de deskundigen leek te weten hoe ze hem konden helpen. Michael wist niet meer wat hij moest doen en welke dokter hij nog kon raadplegen, en hij was bang.

HET PROBLEEM

Je kunt de gezondste en puurste voeding op aarde eten, maar als je het voedsel niet kunt verteren en je darmen ontstoken zijn, is het een verloren zaak.

Dat is ontmoedigend, maar waar. Miljoenen mensen doen hun best om suiker en bewerkte producten te laten staan en vooral biologisch, onbewerkt voedsel te eten. Ze hebben een redelijk uitgebalanceerd eetpatroon vol gezonde macrovoedingsstoffen en krijgen alle vitaminen en mineralen binnen. Maar toch krijgen ze niet meer energie. Ze voelen zich slecht en hebben geen idee waarom.

Ze gaan naar hun huisarts, maar die heeft ook geen oplossing. De meeste westerse artsen zullen dit gevoel zelfs wegwuiven als een standaard bloedonderzoek geen afwijkingen laat zien; een aanmatigende en gevaarlijke realiteit waar veel van ons ervaring mee hebben.

Je kunt zomaar aan jezelf gaan twijfelen, hè? Je denkt: *wat maakt het uit dat ik buikpijn heb na het eten?* Wat is het probleem als ik ineens naar het toilet moet rennen? Wat geeft het als ik drie dagen niet heb gepoept; ik heb zo vaak last van constipatie? Wat is er mis mee als ik na de lunch even moet gaan liggen voor een dutje?

We behandelen vreemde en onverklaarbare maag- en darmproblemen als iets wat niet veel voorstelt – maar dat doet het wel.

Ons lichaam communiceert voortdurend met ons door ons subtiele signalen te sturen. Maag- en darmproblemen zijn signalen die ons laten weten dat er iets mis is. We zijn alleen veel te goed geworden in het negeren en wegwuiven van die signalen.

Onze cultuur leert ons niet te luisteren naar de wijsheid van ons lichaam. Het idee om elk deel van onszelf met onze zintuigen te onderzoeken wordt zelfs botweg ontmoedigd door veel grote religies op de wereld. (Als producten van de islam en het katholicisme weten wij er alles van.)

Maar je kunt het wel.

Om te beginnen moet je leren de subtiele signalen die je lichaam als reactie op je leefstijlkeuzes afgeeft, te herkennen, helemaal als het gaat om wat je eet en drinkt.

Voedsel en dranken moeten je het gevoel geven energiek, gelukkig en gemotiveerd te zijn, omdat je wat je zojuist hebt geconsumeerd hebt omgezet in energie. Als je dat gevoel niet krijgt na een maaltijd, heb je een probleem. Je moet vragen gaan stellen en aandacht besteden aan wat je eet, welk gevoel het je geeft, en zo nodig dingen aanpassen.

Jij kent je lichaam beter dan wie ook (inclusief wij!). Jij weet welk voedsel je lichaam goeddoet en wat het juist kwaad doet.

Wij willen je leren aandacht te besteden aan dit aangeboren instinct, om terug te gaan naar je kern en te ontdekken welk voedsel het beste is voor jou en je energiepeil. We willen dat je je lichaam gaat vertrouwen en gaat leven naar wat het je vertelt.

We snappen echt wel dat dat moeilijk is. Als alles wat je in je mond stopt je maag van streek lijkt te maken, is het lastig om te horen wat hij nodig heeft.

Als je lichaam voedsel niet kan verteren en benutten zoals het zou moeten, komt dat in de meeste gevallen door een ontsteking in de darmen of doordat je immuunsysteem niet goed werkt. Als je op het punt komt dat Michael had bereikt, staan je ingewanden in feite in brand en helpt níéts meer. Wij kunnen helpen om de brand te blussen. We kijken samen naar een aantal van de mogelijke oorzaken, zoals een disbalans in de darmbacteriën, te weinig maagzuur, voedselintolerantie of een voedselallergie, lekkende darmen of problemen met je mitochondria.

Lees alles en houd de moed erin. Maag- en darmproblemen kunnen frustrerend zijn en tijd kosten, maar je kunt ze oplossen en daarna zul je je veel beter voelen en meer energie hebben. Ga ervoor en heb geduld. Een maaltijd moet een traktatie zijn, geen straf.

DE ENERGIELEKKEN

Energielek #1: je microbioom is aangetast

Je kunt het niet zien, maar je lichaam huisvest een complete beschaving van biljoenen organismen: goede bacteriën, schimmels en virussen. Er zijn tien van deze bacteriën op elke cel in je lichaam,[1] en de meeste ervan leven in je darmen in het zogenaamde *microbioom*.

Dit zijn de goodguys. Je hebt ze nodig om te kunnen overleven, en zij hebben jou ook nodig. Deze goede bacteriën helpen je je voedsel te verteren, je immuunsysteem af te stellen en ze produceren belangrijke vitaminen als vitamine B (thiamine, riboflavine en biotine), aminozuren als tryptofaan en fenylalanine (nodig voor een stabiele geestelijke gezondheid) en vitamine K, wat je nodig hebt om het bloed te doen stollen.[2]

Deze goede bacteriën bestrijden ook de slechte bacteriën, die auto-immuunziekten en andere aandoeningen kunnen veroorzaken.

Als de bacteriën in je darmen goed in balans zijn, is je microbioom gezond en bruis je van de energie. Maar als je darmbacteriën uit balans raken, breekt de hel los. Iedereen heeft wel wat slechte bacteriën in zijn microbioom, maar pas als de goede bacteriën in de minderheid zijn, nemen de badguys het over en grijpen ze de macht.

Als dat gebeurt, kunnen de goede bacteriën hun werk niet meer doen, zoals het verteren van je voedsel, ondersteunen van je immuunsysteem en je lichaam gezond en blij houden. En dan? Dan voel je je leeg en moe.

Hoe hebben die slechte bacteriën de macht kunnen grijpen?

Ons verhaal begint miljoenen jaren geleden, toen onze goede

bacteriën zich gelijktijdig met ons begonnen te ontwikkelen. Toen onze voorouders nog rondtrokken, aten ze vooral vezelrijke groenten; denk aan knoestige wortels die hun best moesten doen om door aarde en mineralen heen te groeien. Onze voorouders rukten zo'n wortel uit de grond, veegden er wat van de aarde af en begonnen te kauwen. Ze kregen de bacteriën uit de aarde en veel voedingsstoffen en vezels uit de wortel binnen.

Een deel van die vezels konden ze niet verteren, dus die kregen de goede bacteriën als een soort offergave. De goede bacteriën aten de vezels, werden sterker en vermenigvuldigden zich. Op hun beurt hielpen ze de oude homo sapiens zijn eten te verteren, meer vitaminen aan te maken en slechte bacteriën die ze per ongeluk binnenkregen te verdrijven.

In die tijd, lang geleden, aten onze voorouders ongeveer 100 gram vezels per dag.[3] Tegenwoordig eten de meeste mensen *tussen 10 en 15 gram*.[4] Vrouwen tot vijftig jaar zouden 25 gram vezels per dag moeten eten en vrouwen ouder dan vijftig 21 gram.[5] Voor mannen tot vijftig jaar zou die hoeveelheid 38 gram moeten zijn, en voor mannen boven de vijftig daalt het tot 30 gram.[6]

Het voedsel dat we eten is ook lang niet meer zo goed of gezond. Als planten geen moeite meer hoeven te doen om te overleven, worden ze zwak. Een bosbes die aan een verwaarloosde struik tegen een berghelling groeit, zal veel voedzamer zijn dan zijn grote, plompe neef uit de kas.

Wat maakt het verschil? De bosbessenstruik tegen de berghelling is bezocht door een massa insecten, heeft minder water gehad en moest koude, strenge winters zien te overleven. De beste, meest voedingsstoffenrijke bosbessen aan die struik moesten voor zichzelf zorgen en zijn daardoor veerkrachtiger en sterker geworden. Als je die bosbessen eet, krijg je een sterkere levenskracht, betere energie en betere voedingsstoffen binnen.

Maar de moderne landbouw heeft de aarde en planten uitgeput en alle insecten uitgeroeid. Daardoor zijn de planten lui geworden.

De planten van nu hebben minder voedingswaarde dan slechts één generatie geleden.

Daarbovenop komt nog de drastische toename van het gebruik van antibiotica. Artsen schrijven antibiotica voor alsof het snoepjes zijn, soms zelfs voor ziekten waarbij ze totaal geen nut hebben. Deze antibiotica doden de goede bacteriën in de darmen – en maken de slechte bacteriën sterker.

Ook als je deze medicijnen op een verantwoordelijke manier gebruikt, is de realiteit dat je helaas nog steeds antibiotica binnenkrijgt via niet-biologisch vlees. Koeien, varkens en kippen krijgen allemaal volgens vast gebruik antibiotica en andere gifstoffen toegediend. Het idee hierachter is om de opbrengst te vergroten door dieren te fokken die kunnen overleven in samengepakte, ongezonde omstandigheden.

Tel daarbij het tekort aan maagzuur op en je weet dat er onverteerde voedselresten achterblijven in het darmstelsel. Raad eens welke bacteriën zich tegoed doen aan dat rottende eten. Inderdaad, de slechte bacteriën.

Dit alles bij elkaar zorgt ervoor dat onze goede bacteriën zwakker worden en zich niet langer vermenigvuldigen. Daardoor kunnen ze geen voedsel meer afbreken, vitaminen aanmaken en de slechteriken verdrijven.

Om het nog erger te maken – o ja, het kan nog erger – heb je je zonder het te weten volgepropt met slechte bacteriën. Vezelrijke eetpatronen hebben grotendeels plaatsgemaakt voor suikerrijke eetpatronen. En welke bacteriën zouden daar het beste op gedijen?

Je hebt het goed geraden: slechte bacteriën.

In veel eten en drinken zit verborgen suiker. Die energiedrankjes die je misschien wel drinkt om de dag door te komen? Die kunnen wel tussen de 26 en 83,5 gram suiker per blikje bevatten!

Je hebt zonder het te weten de vijand geholpen. De slechte bacteriën zijn sterker geworden. Ze hebben hun troepen vermenigvuldigd. Ze zijn je microbioom binnengedrongen. Ze hebben je darmstelsel overgenomen, de goodguys verslagen en bedwongen en wakkeren nu overal in je lichaam vuurtjes aan.

Als de slechte bacteriën de goede in aantal overtreffen, kun je uitbraken krijgen van parasieten en gistachtige schimmels als candida. Je kunt vreselijk veel last krijgen van indigestie, gasvorming, een opgeblazen gevoel, diarree of constipatie. Je kunt zelfs last krijgen van geestelijke oververmoeidheid en stemmingswisselingen.

En je energiepeil daalt naar een dieptepunt, omdat de goodguys er niet meer zijn om je voeding om te zetten in leven gevende vitaminen en mineralen.

Energielek #2: je immuunsysteem is verwikkeld in een oorlog zonder einde

Je immuunsysteem is je bescherming tegen indringers van buitenaf. Zie het als je leger dat speciaal is uitgerust om je lichaam te beschermen tegen slechte bacteriën, virussen, onverteerde voedseldeeltjes en alles wat opduikt waar het niet thuishoort. Ongeveer 70 procent van dat immuunsysteem leeft in je darmstelsel, waar het het darmgeassocieerde lymfoïde weefsel wordt genoemd.

Als je darmen niet goed functioneren, doet je immuunsysteem dat ook niet. En dat is slecht nieuws voor jou en je energiepeil.

Je immuunsysteem en de goede bacteriën staan aan dezelfde kant. Ze communiceren over en weer met elkaar. De goede bacteriën zitten in de darmwand, wat in feite een soort buis is die van je mond naar je anus loopt. (We weten dat dat een fraai beeld is. Graag gedaan.)

Die buis is als het vagevuur. Het is een tussenstation tussen wat wordt gezien als binnen en buiten je lichaam. Dat je een hap eten hebt doorgeslikt, wil nog niet zeggen dat die echt in je lichaam zit. Hij moet eerst door de darmwand heen komen. Ergens tussen de dunne en dikke darm breken de goede bacteriën, maagzuren en enzymen het voedsel af tot vitaminen, mineralen en macrovoedingsstoffen.

Zodra het voedsel is afgebroken tot moleculen die klein genoeg zijn, kan het door de darmwand heen; dan zit het in je lichaam en kan het via je bloedbaan naar al je organen, spieren en weefsels worden vervoerd. Alles wat niet wordt afgebroken, poep je uit.

Terwijl dit spijsverteringsproces plaatsvindt, houdt je immuunsysteem de wacht en stelt het steeds de vraag: 'Is dit voedsel een vriend of vijand?'

Als het een vriend is, wordt het rustig doorgelaten naar de bloedbaan. Als het een vijand is, breekt er een oorlog uit.

Een deel van je vermoeidheid wordt veroorzaakt door al het slechte eten dat je immuunsysteem niet herkent. Je gooit Cheetos met zonnegeel FCF naar binnen of drinkt energiedrankjes vol briljantblauw FCF en je immuunsysteem reageert met: 'Wat is dit nu weer? Dit is geen voedsel. Maak het kapot!'

Als de slechte bacteriën, virussen, schimmels en parasieten talrijker zijn dan de goodguys – of buiten de darmwand en in de bloedbaan terechtkomen – schakelt je immuunsysteem over in de hoogste versnelling en zet het de aanval in om zijn terrein te verdedigen.

Om de dreiging uit te schakelen stuurt je immuunsysteem er eerst verkennercellen, zogenaamde *macrofagen*, op uit om de indringer op te sporen. Als ze hem hebben gevonden, schakelen de verkenners de vijand uit. Vervolgens roepen ze de soldaatcellen erbij, de killercellen of *T-cellen*, om voorgoed met hem af te rekenen.

Soms blijkt het lastig om de indringer te vinden. Je lichaam is best groot. Je immuunsysteem schakelt dan versterking in: de zogenaamde *B-cellen* die *antistoffen* aanmaken die zich aan de indringer hechten en hem zo markeren, waarop je T-cellen erop af kunnen gaan om hem af te voeren.

Dit is een oorlog om je gezondheid en welzijn en die wordt elke minuut van elk uur van elke dag, je hele leven lang, uitgevochten. Je immuunsysteem doet precies waarvoor het bedoeld is. Maar al die oorlogvoering veroorzaakt ontstekingen, en als dat inflammatievuurtje continu woedt omdat je immuunsysteem altijd in opperste staat van paraatheid is, zul je last krijgen van vervelende bijwerkingen, zoals een opgeblazen gevoel, indigestie, brandend maagzuur, diarree en constipatie. Je kunt ook last krijgen van geestelijke oververmoeidheid, geheugenverlies, slapeloosheid en nog meer vermoeidheid.

Je voelt je beroerd omdat de slechte bacteriën je darmen hebben gekoloniseerd en je voelt je beroerd omdat je lichaam probeert de slechteriken te verdrijven. Het is als kickboksen met een gebroken been.

Dit is een heel slechte situatie. De wetenschap begint in te zien dat inflammatie de gemeenschappelijke factor is in bijna alle moderne aandoeningen: diabetes, hartaandoeningen, obesitas, schildklierproblemen, de ziekte van Crohn, pijnlijke gewrichten, huidproblemen als eczeem en zelfs kanker.

Als je immuunsysteem je constant moet verdedigen tegen ongezonde voeding, slechte bacteriën en virussen, raakt het al snel overbelast en begint het te haperen. De meeste functionele medici die wij hebben gesproken, geloven dat auto-immuunziekten in de darmen beginnen, en dan heb je het over aandoeningen als gewrichtsreuma, lupus, prikkelbaredarmsyndroom, psoriasis, de ziekte van Hashimoto en meer. Je immuunsysteem is niet meer in staat vriend van vijand te onderscheiden.

Je immuunsysteem kan zelfs al van slag raken als je schijnbaar gezonde voeding eet. 'Als iemand gewoonlijk fastfood eet en elke dag dezelfde dingen kiest, of elke dag dezelfde salade met dezelfde vier groenten eet omdat hij de andere niet lekker vindt, en er weinig variatie in planten is, dan nemen de diversiteit van het microbioom en de voedseltolerantie af,' vertelde dokter Datis Kharrazian, een aan de Harvard Medical School opgeleide, bekroonde klinisch onderzoeker en universitair docent en wereldberoemd functioneel medicus. 'Hoewel de persoon denkt dat hij gezond eet, krijgt hij last van systemische inflammatie en dat kan de energiestofwisseling verstoren waardoor hij vermoeid raakt.'[7]

Er woedt in je lichaam een chaotische oorlog tussen het voedsel dat je eet en je immuunsysteem, en dat heb je vaak niet eens in de gaten. Je weet alleen maar dat je vreselijk moe bent en je beroerd voelt.

Energielek #3: je maagzuur is verdwenen

Je stofwisseling begint in je darmen. Als je darmgezondheid niet in orde is, maakt het niet uit wat je eet of drinkt: je kunt de microvoedingsstoffen of de macrovoedingsstoffen niet opnemen.

Geen voedingsstoffen, geen energie.

Dit is de trieste toestand waarin veel mensen zich bevinden. Ze eten, maar kunnen hun voedsel niet verteren omdat ze niet genoeg maagzuur hebben. Om je voedsel te kunnen verteren, met name eiwitten, heb je veel zoutzuur nodig. Zoutzuur (laten we het vanaf nu *maagzuur* noemen) speelt een belangrijke rol bij de afbraak van je voedsel in kleine moleculen die je mitochondria kunnen gebruiken om ATP aan te maken.

Helaas produceren veel westerlingen niet genoeg maagzuur om hun voedsel goed te kunnen afbreken. Chronische stress, te snel eten, te veel suiker of vitaminetekorten – met name van zink of vitamine B – zijn enkele oorzaken van een tekort aan maagzuur. Als je niet genoeg maagzuur hebt, kan je lichaam die gegrilde kip of T-bonesteak niet afbreken.

Als je niet genoeg maagzuur aanmaakt en je voedsel niet kunt verteren, blijft het gewoon in je darmen hangen, waar het begint te rotten. Er worden vervelende zure nevenproducten aangemaakt die kunnen zorgen voor gastro-oesofageale reflux (refluxziekte), wat de oorzaak is van reflux, indigestie en andere problemen.

Je voelt je echt niet lekker als dit gebeurt en daarom ga je naar de huisarts. En hoe lost die het op? Hij geeft je protonpompremmers of andere maagzuurremmers die, inderdaad, de zuren neutraliseren en ervoor zorgen dat je je een tijdje beter voelt, maar die er uiteindelijk alleen maar voor zorgen dat het grotere probleem erger wordt.

De maagzuurremmers die je arts heeft voorgeschreven, brengen je pH-waarde binnen enkele weken op 5,0, wat zo'n beetje overeenkomt (technisch gezien iets minder) met tafelazijn. Het enige wat het doet, is je eiwitrijke voedsel marineren, in plaats van het te verteren. De zuurgraad in de maag zou tussen de 1,7 en 1,9 moeten liggen; dit komt meer in de buurt van accuzuur. Dat is ontzettend zuur, maar je maagbekleding bevat een speciale beschermende stof die voorkomt dat ze oplost.

Voor de aanmaak van maagzuur is in de eerste plaats heel veel energie (ATP) nodig. Het is zelfs een van de meest energieafhankelijke reacties in het lichaam. Als je moe bent, heb je waarschijnlijk niet genoeg ATP en als je niet genoeg ATP hebt, heb je ook niet genoeg maagzuur om je voedsel af te breken, zodat je meer ATP kunt aanmaken.

En zo kom je in een vreselijke vicieuze cirkel die uitmondt in vermoeidheid.

Als je niet het maagzuur hebt dat nodig is om je voedsel af te breken en de energie die je nodig hebt op te wekken, heb je een probleem. En het onverteerde voedsel dat in je darmen achterblijft, zal al snel voor herrie en razernij in je hele lichaam zorgen.

Energielek #4: je strijdt tegen onverteerde voedselmoleculen en lekkende darmen

Deze immuunreactie en al die inflammatie die we zojuist hebben beschreven, treden niet alleen maar op als we slecht voedsel eten. Het kan ook gebeuren met gezond eten. Als je niet genoeg maagzuur of enzymen hebt om je voedsel af te breken of als je niet de goede bacteriën in de darmen hebt om te helpen bij de spijsvertering, kan je immuunsysteem élk voedsel als vijand gaan zien.

Welkom in de wereld van voedselovergevoeligheden en -allergieën. *Voedselovergevoeligheden* en *voedselintoleranties* kunnen optreden wanneer je je voedsel niet kunt verteren. Ze veroorzaken vaak winderigheid, een opgeblazen gevoel, diarree en andere maag-darmproblemen. Voedselallergieën zijn net iets anders en treden op wanneer je immuunsysteem te heftig reageert. Ze kunnen levensbedreigend zijn. Ingrediënten die vaak tot allergische reacties leiden zijn pinda's, koemelk, soja, schaaldieren of tarwe.

Het is geen geheim dat gluten, zuivel, granen, soja en peulvruchten over het algemeen voor de meeste ontstekingsreacties zorgen. Je darmen kunnen deze voeding gewoon minder goed verteren. Maar wat veel mensen zich niet realiseren, is dat ze het gezondste voedsel van de wereld kunnen eten – mager vlees en heel veel groenten – en dat hun immuunsysteem toch in de verdediging kan gaan. Dat was ook een deel van Michaels probleem. Hij at gezonde dingen als kalkoen en kip en genoeg verse groenten, maar hij kon ze niet verteren, waardoor zijn immuunsysteem in opperste staat van paraatheid was.

We kunnen nog één laag toevoegen aan dit ingewikkelde web van ellende: lekkende darmen.

Als je niet genoeg maagzuur hebt om je voedsel goed te verteren, kan de bekleding van je darmwand slechter worden en kunnen er gaten ontstaan. Als er gaten in je darmwand zitten, kunnen slechte bacteriën, gifstoffen en onverteerde voedseldeeltjes zich erdoorheen wringen en in je bloedbaan terechtkomen.

Stel dat je tijdens de ochtendvergadering een Krispy Kreme-donut hebt gegeten. Je lichaam kan die niet helemaal afbreken, dus er blijft een glutenmolecuul achter dat door een gat in je darmwand heen drijft en zo in je bloedbaan terechtkomt.

Het hoort daar niet, dus je immuunsysteem reageert direct. Zoals we eerder hebben beschreven, bestaat een deel van de verdediging eruit dat er antistoffen worden aangemaakt die zich aan de indringer hechten, zodat je killercellen die kunnen aanvallen en uitschakelen.

In theorie klinkt dat goed. Maar het probleem is dat je lichaam nu leert om die glutenmolecuul als vijand te zien. Elke keer als je nu gluten eet, gaat je lichaam in de aanval en als je lichaam in de aanval gaat, ontstaat er een ontsteking. Je kunt last krijgen van een opgeblazen gevoel, winderigheid, darmproblemen, indigestie, misselijkheid of buikpijn. Je bent waarschijnlijk ook ontzettend moe als gevolg van de snelle daling van je bloedsuikerspiegel. We hebben het hier over een donut, maar het kan gebeuren met álles wat je eet. Heb je een hardgekookt ei gegeten dat niet helemaal is verteerd en door je darmwand heen is gedreven? O jee, je immuunsysteem komt meteen in actie om het te vernietigen. Hetzelfde gebeurt met zuivel, soja, maïs, eieren, noten – welk vergif je maar binnenkrijgt. Dit zijn ingrediënten die regelmatig een reactie uitlokken.

Als je hier last van hebt, heb je waarschijnlijk geen idee wat er aan de hand is. Het is niet zo dat we de gaten in onze darmwand kunnen zien.

En, dat moeten we er ook bij zeggen, hoewel lekkende darmen een bewezen lichamelijk probleem is en ziekten kan veroorzaken, erkent de moderne geneeskunde het probleem niet als zodanig.

Je vraagt je waarschijnlijk af of je allergisch zou kunnen zijn voor de dingen die je eet. Die kans is aanwezig. Niet allergisch als in 'je hebt een EpiPen nodig omdat je anders in een anafylactische shock kunt raken en kunt doodgaan', maar meer als in 'ik word helemaal gek van die muggenbult'.

Als je bijvoorbeeld een biefstuk eet en daarna last krijgt van winderigheid, is dat een teken: dat kun je beter niet eten. Je hebt waarschijnlijk last van een voedselintolerantie omdat je je eten niet goed verteert.

Maar als je een hap van een garnaal neemt en je gezicht begint op te zwellen, ben je waarschijnlijk allergisch en moet je garnalen uit je eetpatroon bannen. Zo is Nick dol op kaas. Het is een van zijn favoriete etenswaren, maar hij krijgt er ernstige bijwerkingen van, zoals een aanval van koud zweet en zwellingen in zijn gezicht. Blijkbaar heeft hij een zuivelallergie. Hij heeft het jaren weggewuifd en weinig aandacht geschonken aan het zweten en de zwellingen. Hij dacht zelfs dat het iets was waar iedereen last van had.

Toen hij zuivel uit zijn eetpatroon had geschrapt, had hij geen last meer van die rare bijwerkingen. Hij mist de kaas wel, maar hij voelt zich na het eten veel beter. Hij heeft meer energie en heeft niet meer van die gekke reacties. Voedselallergieën kunnen ernstige, levensbedreigende gevolgen hebben, dus daar moet je niet mee spotten.

Je darmen vormen de frontlinie in het omzetten van voedsel in energie. Als je dingen eet waar je immuunsysteem op reageert, heb je een probleem. Je haalt namelijk geen energie uit je voedsel, maar verbruikt het kleine beetje energie dat je nog overhebt om dat wat je zojuist hebt gegeten aan te vallen.

Laten we eens naar twee scenario's kijken. In het eerste scenario heb je lekkende darmen. Onverteerde voedselmoleculen drijven door je darmwand heen om de strijd aan te gaan met je immuunsysteem. In het tweede scenario heb je niet genoeg goede bacteriën, maagzuur of enzymen om je voedsel af te breken, waardoor het in je darmstelsel blijft hangen en de strijd aangaat met je immuunsysteem (en ook nog de populatie slechte bacteriën laat groeien).

Beide scenario's leiden tot vermoeidheid.

Energielek #5: je mitochondriakrijgers kunnen het niet aan

In het vorige hoofdstuk hebben we verteld dat er mitochondria in je cellen leven die energie (ATP) aanmaken. Ze hebben ook nog een andere taak, namelijk je cellen beschermen tegen dreigingen. Maar ze kunnen maar één taak tegelijk uitvoeren.

Je mitochondria leven ook geen geïsoleerd leven in je cellen. De moderne wetenschap komt steeds meer te weten over de complexe communicatie die plaatsvindt tussen onze goede darmbacteriën én onze mitochondria. Het blijkt dat ze voortdurend met elkaar in gesprek zijn om elkaar te laten weten dat alles in de omgeving oké is of dat er een slechterik rondhangt.

Als er wat slechte bacteriën in de darmen rondhangen of een verdwaald onverteerd voedseldeeltje buiten de darmwand drijft, vertellen de goede bacteriën de mitochondria dat ze in actie moeten komen en je cellen tegen de indringer moeten beschermen. Als je darmstelsel in veiligheid is, laten de goede bacteriën de mitochondria weten dat ze zich kunnen terugtrekken en de energieproductie weer kunnen oppakken.

Dit is het verhaal van bacteriën en mitochondria. Het speelt zich op de achtergrond af en niemand begrijpt het helemaal, maar we weten wel dat het van grote invloed is op ons energiepeil.

Als je goede darmbacteriën je mitochondria opdracht geven de energieproductie te staken en zich op te maken om te verdedigen, verwisselen ze de rol van energieproducenten voor die van verdedigers van het cellenrijk. 'Hoe meer je mitochondria reageren op die signalen dat er gevaar dreigt, hoe vaker ze de energiemodus uitschakelen en overgaan op een gevaar- of verdedigingsmodus,' zegt Ari Whitten. 'Vermoeidheid is een probleem dat ontstaat doordat de mitochondria te vaak overschakelen naar de verdedigingsmodus en hun energiemodus uitschakelen.'[8]

Onderdeel van het vermoeidheidsprobleem is dat je mitochondria veel te vaak in opperste staat van paraatheid moeten zijn en daardoor niet genoeg energie kunnen produceren. Onze mitochondria en goede bacteriën trekken al miljoenen jaren met elkaar op en in feite zijn wij alleen maar de domme gastheer die ertussenin zit. De communicatie tussen de twee, de genetische informatie die wordt uitgewisseld, en de daaruit voortvloeiende energieproductie zijn de onderwerpen van een fantastisch onderzoek dat nu plaatsvindt. Het is spannend en baanbrekend.

We ontdekken elke dag nieuwe dingen, maar de moraal van het verhaal dat we tot dusverre kunnen begrijpen is dit: eet echte voeding en voed je microbioom. Als je dat doet, zullen je goede darmbacteriën je mitochondria laten weten dat alles in orde is en ze vertellen: 'Blijf energie produceren voor dit wezen; dat is een goede keuze.'

Persoonlijke zoektocht (Pedram)

Ik had al jaren donkere kringen onder mijn ogen. Ik dacht dat het iets genetisch uit het Midden-Oosten was, aangezien mijn ouders uit Iran komen. Maar blijkbaar is het zo dat elke keer dat ik zuivel eet of alcohol drink of iets anders doe waardoor mijn immuunsysteem van slag raakt, mijn bloedvaten zich verwijden, het bloed zich onder mijn ogen ophoopt en er donkere kringen ontstaan.

Dat is geen ramp, toch? Ik bedoel, ik kom soms wel op tv, maar als ik donkere kringen heb, werken ze die weg met make-up – waardoor ik me enorm mannelijk voel. Maar ik heb geen bloedingen en lig ook niet kronkelend op de vloer. Het stelt weinig voor.

Soms denk ik: wat kan mij het schelen. Het is een immuniteitsding, dus ik heb het zelf in de hand. Ik heb kinderen en soms doe ik dingen die ik beter niet kan doen omdat het gemakkelijker en eenvoudiger is. Soms vraag ik met Thanksgiving niet wat er in de pompoentaart zit of neem ik gewoon dat glas rode wijn. Ik moet er later voor boeten, maar omdat het weinig voorstelt is dat een luxe die ik me kan permitteren.

Maar nu komt het: als ik die dingen te vaak eet of te vaak te veel alcohol drink, heb ik last van meer dan alleen maar donkere kringen. De symptomen verergeren en ik kom op het punt dat ik of een maand moet slapen en mijn immuunsysteem op orde moet krijgen, of kronkelend op de vloer beland met fikse maag- en darmklachten. Als ik dat punt bereik, raak ik een hele tijd geen pompoentaart meer aan.

Het draait om keuzes maken en aandacht besteden aan wat je eet en hoe je je daarna voelt.

TESTEN

Het eerste wat je nodig hebt om je darmproblemen op te lossen is meer informatie. Er bestaan allerlei testen die functionele medici gebruiken om de mysteries van je darmstelsel te ontrafelen. De testen en het jargon kunnen verwarrend zijn, dus we zullen precies uitleggen hoe enkele van de populairste onderzoeken werken. Gebruik deze informatie om gerichte vragen te stellen en voor jezelf de juiste beslissing te nemen.

Aminozuur-enzymtest

Mogelijk heb je een laag gehalte aan aminozuren, en dan met name aan histidine, een aminozuur dat nodig is om maagzuur aan te maken. Aminozuur- en mineraalinsufficiënties zijn aanwijzingen dat je mogelijk te weinig maagzuur aanmaakt, aangezien maagzuur wordt gebruikt om deze voedingsstoffen uit je voedsel op te nemen. Je kunt pancreaselastase proberen, een test die uitwijst of je alvleesklier enzymen afscheidt (je kunt je huisarts hiernaar vragen).

Lipase-galtest

Als er vet in je stoelgang zit, heb je waarschijnlijk een tekort aan lipase of gal, of beide. Een analyse van steatocriet, of fecaal vet, meet het vetgehalte in je stoelgang.

Voedselovergevoeligheid

Een voedselovergevoeligheidstest laat zien welke voedingsmiddelen je lichaam voeden en welke tot ontstekingen leiden.

Organische zuren

Op basis van een urinemonster kunnen medici achterhalen hoe je fysiologie functioneert. Ze kunnen zien hoe goed je mitochondria vetten, koolhydraten en eiwitten omzetten in ATP. Ze kunnen ook zien of je een vitamine B-tekort hebt of dat er bacteriële of schimmelproblemen in het darmstelsel zijn.

Stoelgangtest

Deze test laat zien hoe goed je de vetten en eiwitten uit je voeding verteert. Hij laat zien of slechte bacteriën in de meerderheid zijn of dat parasieten je immuunsysteem in de weg zitten.

Spijsverteringzelftest

Hoe weet je of je je voedsel niet goed verteert? Hieronder staan drie eenvoudige vragen die helpen vast te stellen met welke macrovoedingsstoffen je spijsvertering mogelijk moeite heeft.

Eiwitten: heb je een zwaar gevoel in je lichaam, alsof voedsel op dezelfde plaats blijft, met name na het consumeren van een van onderstaande ingrediënten?

a. Noten
b. Vlees
c. Andere eiwitbronnen

Als eiwitten als een blok in de darmen blijven zitten, kan dat erop duiden dat je niet genoeg van het zuur hebt dat nodig is om ze te verteren.

Koolhydraten: heb je na het eten last van een van onderstaande problemen?

a. Winderigheid
b. Misselijkheid
c. Oprispingen
d. Een opgeblazen gevoel
e. Slijmerige, zachte ontlasting

Als je hierboven één of meer keren ja hebt geantwoord, kun je moeite hebben met het verteren van koolhydraten.

Vetten: merk je bij het toiletbezoek een van onderstaande dingen op?

a. Drijvende ontlasting
b. Lichter gekleurde ontlasting
c. Vies stinkende ontlasting (Ja, poep stinkt altijd, maar soms meer dan anders.)

Als je een van bovenstaande punten met ja hebt beantwoord, kan dat betekenen dat je moeite hebt met het verteren van vet.

DE ENERGIEREMEDIES

Energieremedie #1: breng de goede bacteriën terug

Eenvoud is het toverwoord als het aankomt op het terugbrengen van goede bacteriën. Er is geen eenmalige oplossing, maar hieronder volgen wat aanpassingen voor je eetpatroon om de troepen te versterken.

Eet meer vezels

Je goede bacteriën zijn gek op alles wat vezelrijk en suikerarm is. Dan hebben we het over onbewerkte granen, bladgroenten, quinoa, al die goede complexe koolhydraten die we in hoofdstuk 2 hebben genoemd. Kies bij voorkeur ook biologische producten, die minder pesticiden en meer goede bacteriën bevatten.

Beperk simpele koolhydraten en suiker

Als je het nog niet hebt gedaan, moet je echt gaan minderen met simpele koolhydraten zoals die in witbrood, bagels, snacks en zelfs van die verpakte glutenvrije repen zitten. Dat zijn de dingen waar slechte bacteriën en schimmels gek op zijn.

Eet probiotica en prebiotica

Wil je je populatie goede bacteriën een flinke boost geven? Zorg dan voor meer *probiotica* – voedsel dat goede bacteriën bevat – in je eetpatroon. Ontwikkel een innige relatie met gefermenteerde voeding als kimchi, zuurkool, kombucha, appelazijn, miso, tempé of yoghurt – niet met suikerrijke producten.

Probiotica zijn niet het magische tovermiddel. Ze zijn goed, maar vormen niet het hele verhaal. Je moet deze probiotica namelijk ondersteunen met *prebiotica*. Dit zijn gespecialiseerde plantaardige vezels die de goede darmbacteriën ondersteunen. Prebiotica haal je uit verschillende complexe koolhydraten, zoals bananen, knoflook, uien, sperziebonen, bessen, wortelgroenten en bladgroenten.

Als je van beide voldoende binnenkrijgt, zullen de goede bacteriën zich gaan vermenigvuldigen en de slechteriken overweldigen.

Zorg voor een gevarieerd eetpatroon met biologische producten en dierlijke eiwitten uit diervriendelijk gefokt vlees

'Hoe meer diversiteit je hebt in het microbioom, hoe minder je reageert op eiwitten uit voedsel en op de omgeving,' vertelde dokter Datis Kharrazian.[9]

Als je zo iemand bent die dezelfde dingen eet bij het ontbijt, de lunch en de avondmaaltijd, is het tijd om daar verandering in te brengen. Je wilt diversiteit in je microbioom, dus je moet divers eten. Je bent een interessante persoon. Eet interessante voeding.

En zorg vooral voor veel onbewerkte, ongeraffineerde voeding die je lichaam voedt en je energiepeil verhoogt. Kies biologische producten als je bankrekening dat toelaat. Die zijn niet alleen vrij van chemicaliën en pesticiden die schadelijk kunnen zijn voor jou en de microben in je darmen, maar bevatten ook aantoonbaar meer vitaminen en mineralen dan niet-biologische producten. En ze zijn ook beter voor het milieu.

Kies zo mogelijk voor vlees van met gras gevoed, diervriendelijk gefokt vlees. Wat de dieren eten, is wat wij eten. Kies verstandig.

Energieremedie #2: kies voor een ontstekingsremmend eetpatroon

Eten kan in je voordeel of nadeel werken. Bepaalde voeding, zoals gluten, granen, suiker, gist, zuivel en soja, kan bij veel mensen een ontstekingsreactie veroorzaken. Als je dag in, dag uit last hebt van ontstoken darmen, moet je ze tot rust brengen.

Veel mensen hebben genezing en hernieuwde energie gevonden in een ontstekingsremmend eliminatiedieet. Dat is precies wat het zegt te zijn, en het is niets nieuws. Je bant zeer inflammatoire voeding uit je eetpatroon zodat je darmen de kans krijgen om te herstellen. Voor veel mensen betekent dat dat ze gluten, zuivel, granen, soja en suiker moeten elimineren – inderdaad, allemaal tegelijk.

Als je de ontstekingen in je darmen onder controle krijgt, gaan al je organen beter functioneren. Je goede bacteriën beginnen zich te vermenigvuldigen en worden sterker. Je voelt je scherp en energiek.

Sommige mensen vallen zelfs af. Huidaandoeningen, zoals acne, eczeem en psoriasis, kunnen ook verbeteren. Andere mensen melden dat vreemde pijntjes, bijvoorbeeld achter het oor, of een bult op de rug samen met de inflammatie verdwijnen.

Het dieet is eenvoudig, maar vereist wel discipline. Je moet deze voeding *ten minste vier weken* volledig uit je menu schrappen. Daarna breng je elke drie dagen een product terug in je eetpatroon en houd je bij hoe je lichaam erop reageert. Het is belangrijk om naar je lichaam te luisteren. Het zal niet tegen je liegen. Als je iets eet en je lichaam reageert erop met gasvorming, indigestie of een vreemde steek in je zij, dan weet je dat dat komt door het opnieuw geïntroduceerde product.

Als je een maand te lang vindt, kun je dit proberen: leef als een holenmens. Eet alleen natuurlijke producten, groenten, fruit en mager vlees. Geen bewerkte voeding. Geen suiker. En gooi de granen overboord. Houd dit twee weken vol. Als je je dan beter voelt, weet je dat je lichaam op een voedingsmiddel reageert.

Net als bij het eliminatiedieet kun je de etenswaren elke paar dagen een voor een terug in je eetpatroon brengen en dan bekijken hoe je erop reageert. Als je geen problemen blijkt te hebben met soja, is dat mooi. Maar als je darmen niet blij worden van gluten, weet je wat je te doen staat.

Je kunt ontzettend veel informatie verkrijgen zonder veel geld uit te geven aan testen. Dit is iets wat je zelf kunt doen, in je eigen huis; het enige wat je ervoor moet doen, is je maaltijden plannen en je bevindingen bijhouden.

Het eliminatiedieet is een fantastische manier om te leren luisteren naar je lichaam en de boodschappen te begrijpen. Je lichaam communiceert voortdurend met je en zal je vertellen welke voeding het nodig heeft, hoeveel het nodig heeft en wanneer. Je kunt dit dieet zien als de resetknop die je in staat stelt de voeding die je kunt eten te herontdekken zonder last te krijgen van ontstekingen. Je kunt het daarna langzaam uitbreiden.

Misschien ontdek je dat zuivel, en dan met name melk of kaas van koeien, niet goed valt. Maar geitenkaas kun je misschien prima hebben. Je kunt zomaar worden verrast. Als je je goede bacteriën hebt opgeschroefd, kun je misschien zelfs genieten van een afwisselender eetpatroon – en af en toe uit de band springen.

Energieremedie #3: zorg dat het maagzuur gaat stromen

Als je weinig maagzuur hebt, wordt eten pijnlijk – letterlijk. Daar moeten we iets aan doen, dus hier volgt een aantal tips om de aanmaak van maagzuur te bevorderen.

Laat de maagzuurtabletten liggen

Onderzoek laat zien dat maagzuurtabletten de kans op voedselallergieën kunnen vergroten[10] en dat iemand die deze medicatie gebruikt twee keer zoveel kans heeft ook anti-allergiemedicijnen voorgeschreven te krijgen.[11] Dat geeft aan dat er een verband zou kunnen bestaan tussen het gebruik van maagzuurtabletten en een toename van immuunreacties.

Conclusie: als je maagzuurtabletten gebruikt, bespreek dan met je arts of je ermee kunt stoppen. Geen protonpompremmers meer, geen omeprazol meer – zelfs geen vrij verkrijgbare maagzuurtabletten meer. Houd er wel rekening mee dat je na het stopzetten van deze medicatie een tijdelijke terugval kunt hebben waardoor je je de eerste vier tot zeven dagen beroerd kunt voelen. Als dat zo is, kun je het beste gewoon wat eten. Goede, onbewerkte voeding is het beste, maar de gedachte is dat je het zuur iets anders te doen geeft dan jou opvreten.

Eet langzaam en kauw goed

Langzaam eten en goed kauwen is iets wat je als kind van je moeder moest doen zodat je niet in je eten zou stikken. Maar nu blijkt dat het kauwen van ons voedsel de aanmaak van maagzuur activeert. Als je rustig eet in plaats van alles als een stofzuiger naar binnen te werken, krijgen je hersenen een seintje dat ze je spijsverteringsorganen kunnen vertellen wat voor macrovoedingsstoffen er moeten worden afgebroken.

Kauwen is ontzettend belangrijk. Als je macromoleculen niet fijnmaalt tot microstukjes, kun je nooit de piepkleine deeltjes maken die je nodig hebt om ATP aan te maken. Als je je eten heel goed kauwt, vergroot je het oppervlak van het voedsel en hebben je enzymen en maagzuur meer om mee aan de slag te gaan. Onderzoek uit 2009 gaf aan dat vijfentwintig keer op amandelen kauwen tegenover tien keer de hoeveelheid energie die het voor de proefpersoon oplevert, aanzienlijk vergroot.[12]

Ontspan

Als we ontspannen zijn, neemt de productie van maagzuur toe. Maar hoe kunnen we ontspannen terwijl we eten? Schakel om te beginnen je telefoon uit. Zet hem op de vliegtuigstand en leg hem in een andere kamer. Zorg ervoor dat er op de achtergrond geen nieuws aan de gang is. Zet de televisie, radio of die podcast uit. Luister naar rustgevende muziek of eet tijdens je lunchpauze buiten of in het bedrijfsrestaurant. Eet in elk geval niet aan je bureau achter je computer.

Besteed aandacht aan wat je eet. Denk erover na. Hoe smaakt het? Wat is de textuur? Kijk naar wat er op je bord ligt. Haal een paar keer diep adem voordat je een hap neemt. Ruik je eten. Al deze schijnbaar kleine stapjes activeren je parasympatische zenuwstelsel – dit is je ontspannen toestand.

Eet meer bittere smaken

Een maaltijd begint met smaak. Er zijn vijf smaken waarmee we aan de slag kunnen: zout, umami, zoet, zuur… en bitter. Voor de eerste vier hebben we één reeks smaakpapillen, maar voor bitter zijn er zesentwintig verschillende soorten smaakpapillen.

Waarom is dat zo? Omdat bitter smakend voedsel als alkaloïden en terpenen *dodelijk* kan zijn. Je lichaam moet weten of je iets giftigs eet en heeft daarom een heleboel sensoren om daarachter te komen.

Natuurlijk zijn niet alle bittere dingen giftig. Koffie, pure chocolade, bittere groenten, wortelgroenten enzovoort zijn lekker, maar hun bittere smaak geeft je spijsverteringsstelsel een seintje dat het moet oppassen voor het geval ze toch giftig blijken te zijn. Dat gebeurt op een efficiënte, gezonde manier. Dit is geen spijsverteringsstelsel dat van slag is; het is een spijsverteringsstelsel dat werkt zoals het hoort.

Energieremedie #4: herstel je darmwand

Het voeden van de goede darmbacteriën en het volgen van het eliminatiedieet kunnen veel mensen helpen om snel meer energie te krijgen. Maar als je lekkende darmen hebt, maakt het niet uit wat je eet; alles kan je immuunsysteem prikkelen en tot ontstekingen leiden. Als dat voor jou het geval is, moet je eerst de darmwand herstellen. Je hebt er alleen de juiste voedingsstoffen voor nodig, en dan kunnen de gaten in de darmwand dichtgaan.

Butyraat is een soort vetzuur dat je darmen helpt. Het reguleert de groei van de cellen die de bekleding van de darmwand vormen. Als je genoeg butyraat binnenkrijgt, is je darmwand over het algemeen minder doorlaatbaar en minder vatbaar voor ontstekingen. Je kunt meer butyraat binnenkrijgen door meer vezels te eten. Het zit ook in boter en volvette producten (mits je die producten kunt verdragen).

Glutamine is een aminozuur dat de cellen in je darmwand kunnen gebruiken voor herstel. Je haalt glutamine uit dierlijke eiwitten, maar ook uit kool en bonen. Het is ook verkrijgbaar als supplement. Door je glutamine-inname te vergroten zal je darmwand herstellen. Mooi meegenomen is dat glutamine een voorloper is voor bepaalde neurotransmitters die de suikerbehoefte aanwakkeren; zonder suiker krijgen de slechte bacteriën in je darmen niet genoeg voeding.

Energieremedie #5: help de mitofagie op gang

Wil je de communicatie tussen je goede bacteriën en je mitochondria verbeteren? Eet dan meer granaatappels, het fruit van de goden. Granaatappels (maar ook druiven, pecannoten, walnoten en de meeste bessen) bevatten ellaginezuur, een krachtige antioxidant. Ellaginezuur alleen kan ontstekingen tegengaan, maar als je goede bacteriën ellaginezuur afbreken, verandert het in de verbinding *urolithine A*.

Urolithine A is een van de sterkste promotoren van mitofagie. Dat is het proces waarin mitochondria die uitgeput zijn en niet zoveel energie produceren of de cel niet zo goed verdedigen, worden gerepareerd. Als de schade aan de mitochondria te groot is, worden ze opgeruimd om plaats te maken voor nieuwe, krachtige mitochondria.

Dit is een natuurlijk proces dat noodzakelijk is om je mitochondria optimaal te laten presteren.

Extra energieremedie: laat de beenderbouillon je smaken

Beenderbouillon staat weer volop in de schijnwerpers. Als je maag- en darmproblemen hebt, kan beenderbouillon wonderen verrichten voor het herstel van je maag. 'Beenderbouillon biedt je een overvloed aan voedingsstoffen en zorgt tegelijkertijd voor ontgifting,' verklaarde dokter Kellyann Petrucci, een gecertificeerd natuurgenezer, voedingsdeskundige en bouillonexpert uit New York.[13]

Dr. Petrucci legde uit dat beenderbouillon weinig calorieën en koolhydraten bevat, maar toch ontzettend voedzaam is. Dat komt voor een deel doordat er in beenderbouillon *collageen* zit. Collageen is de lijm die je lichaam bij elkaar houdt en je een goed gevoel geeft. Ongeveer 33 procent van je lichaam bestaat uit collageen. Het is het meest voorkomende eiwit in je lichaam.

Beenderbouillon is ook een fantastische bron van eiwitten die je aminozuren kan aanvullen, waardoor je voedsel beter kunt verteren. De Chinese geneeskunde gebruikt beenderbouillon al duizenden jaren voor een gezonde spijsvertering en bloedtoevoer. Door twee kopjes beenderbouillon aan je eetpatroon toe te voegen, bijvoorbeeld voor je ontbijt en misschien tijdens je middagdip, kun je een groot verschil maken voor je gezondheid en energiepeil.

Beenderbouillon kun je kant-en-klaar in de winkel kopen, maar is net zo gemakkelijk zelf te maken. Begin met ongeveer een kilo botten (kip, rund, wat dan ook). Giet er drieënhalve liter water bij en dan nog twee eetlepels appelazijn (door de azijn komen de voedingsstoffen in de botten makkelijker vrij).

Als je wilt, kun je groenten als bleekselderij, wortel, ui en knoflook en verschillende kruiden en specerijen toevoegen, waardoor de bouillon nog beter voor je wordt. Breng alles aan de kook en laat het dan een hele tijd zachtjes pruttelen.

Wat bedoelen we met een hele tijd? Vierentwintig uur voor kippenbotten en achtenveertig uur voor runderbotten. Als er viezigheid komt bovendrijven, schep je dat eraf en laat je de bouillon verder trekken.

OPLOSSING

Michael kwam uiteindelijk terecht bij een functioneel arts die hem liet testen op voedselovergevoeligheden. En ziedaar, die waren er. Hij kreeg te horen dat zijn darmstelsel ontstoken was en dat zijn lichaam het meeste voedsel dat hij at niet kon verwerken.

Hij had ook een aantal tekorten aan voedingsstoffen (niet verrassend, aangezien hij het voedsel dat hij at niet helemaal kon verteren). Een traditionele arts had hem al een vitamine D-supplement voorgeschreven, maar zijn functioneel arts vond het beter dat hij voor de bron zou gaan: zonneschijn.

Mensen die vet niet goed verteren, kunnen moeilijk vitamine D opnemen. Het lichaam heeft vet nodig om de vitamine te kunnen verwerken, maar Michael kon niet tegen de voedingsmiddelen die hem daarbij moesten helpen. Aan de andere kant is het lichaam ontworpen om vitamine D op te nemen van de zon; dat is hoe onze voorouders aan hun doses kwamen. Michael kreeg het advies om zich 's morgens en 's middags ten minste dertig minuten bloot te stellen aan natuurlijk zonlicht – zonder zonnebrandcrème, omdat de uv-stralen al het goeds bevatten. Michael moest wel oppassen, want huidkanker is ook geen pretje, maar dit was een effectieve en natuurlijke manier om zijn lichaam van de benodigde voedingsstoffen te voorzien. (Kijk eens naar de dminder-app. Die is gratis en geeft aan hoeveel zon je in jouw regio nodig hebt om een goede dosis vitamine D te krijgen zonder te verbranden.)

Zijn functioneel arts stelde ook samen met hem een ontstekingsremmend voedingsplan op voor zijn lichaam. Hij begon met het elimineren van de producten waarvoor hij overgevoelig was en verving die door bladgroenten, fruit, noten en vette vis. Hij kreeg ook ontstekingsremmende supplementen die zijn lichaam gemakkelijk kon opnemen, zoals alfa-liponzuur, curcumine en visolie.

In slechts vier weken tijd nam Michaels energiepeil een hoge vlucht. En toen zijn vitamine D-gehalte werd gecontroleerd, bleek dat voor het eerst in vijf jaar flink hoog te zijn.

Klinkt dat allemaal erg ingewikkeld? Dat was het niet. Er was discipline voor nodig, maar na twee jaar van chronische vermoeidheid wilde Michael er alles aan doen om zijn darmstelsel weer goed te laten functioneren.

PERSOONLIJKE UITDAGING

Eet een week lang geen suiker. Noteer na elke dag hoe je je voelt. Heb je last van winderigheid? Hoe is je stoelgang? Voel je je moe? Heb je een opgeblazen gevoel? Heb je het gevoel dat je meer energie hebt?

Eén week, geen suiker – je kunt het!

HOOFDSTUK 4

Sport en beweging

Amy was vijfenzestig jaar oud. Ze dacht dat ze best actief was; ze werkte in haar tuin en wandelde met haar hond. Soms maakte ze korte wandeltochten met haar kleindochter.

Maar toen hoorde ze haar vriendinnen van haar leeskring praten over hoe weinig beweging ze kregen. Ze hadden het over hun gewicht. Het ging niet specifiek over Amy, zo waren haar vriendinnen niet, maar ze voelde zich wel onbehaaglijk. Mary Ann klaagde over haar gewicht en zei dat ze meer moest sporten, maar Amy wist dat Mary Ann drie keer per week een poweryogales volgde en ze zag er fantastisch uit.

Amy nipte van haar wijn en voelde hoe haar bovenarmen flubberden. Ze voelde haar dijen zich uitspreiden op de stoelzitting. 'Misschien ga ik morgen met je mee naar yoga,' zei ze tegen Mary Ann.

Amy ging mee naar de les en aanvankelijk voelde het heerlijk. Maar de les ging maar door... en Amy was inmiddels best moe. Ze werd draaierig en wilde uitrusten, maar ze wilde niet als enige in de les opgeven. Hoe gênant zou dat zijn ten opzichte van Mary Ann.

Haar gezicht kleurde rood en ze snakte naar adem, maar ze zette door. Er waren een paar bewegingen die ze niet kon maken, en ze viel om. En de volgende dag had ze zoveel spierpijn dat ze nauwelijks kon lopen.

Ze durfde het niet nog eens aan. Dus toen Mary Ann vroeg of ze meeging naar de volgende les, zei ze dat ze het druk had. Uiteindelijk vroeg Mary Ann het niet meer.

Amy wilde afvallen. Ze wist dat ze meer zou moeten bewegen. Maar ze wist niet waar ze moest beginnen. Ze voelde zich een mislukkeling.

HET PROBLEEM

Voor veel mensen is sporten een kwelling. Maar zo hoeft het niet te zijn. In dit hoofdstuk willen we je de boost geven die je nodig hebt om over je vertwijfeling heen te stappen.

Dit hoofdstuk draait om het veranderen van je relatie met sport en beweging, want, laten we eerlijk zijn, die relatie is waarschijnlijk niet al te best. Daarom kijken we naar enkele van de psychologische en fysieke energielekken die je plezier in het leven bederven.

We gaan je niet vertellen hóé je moet bewegen. We willen je inspireren, zodat je beweging in je leven wílt opnemen en het gaat zien als een van de leukste en zelfs verslavendste manieren om je levenskracht te hernieuwen – want dat is precies wat het is.

Sport en beweging spelen voor ons allebei een grote rol in ons leven en hoe we in de wereld staan. Het is wat ons de energie geeft om ons gezin te onderhouden, onze bedrijven te runnen, films te maken, boeken te schrijven en de duizenden andere dingen te doen die het leven de moeite waard maken.

Het is ook een van de belangrijkste middelen die we hebben om stress onder controle te houden. Als onze voorouders stress ervoeren, leidde dat er meestal toe dat ze in beweging kwamen. Er zat een wild dier of iemand van een andere stam achter hen aan. Ze moesten zich omdraaien en vechten of juist blijven rennen. Die vecht-of-vluchtreactie ging gepaard met een fysieke ontlading.

Als we dan naar deze tijd kijken, zien we dat de meeste stress van binnenuit komt. We maken ons zorgen om de kinderen, over geld, over de regering, over de klimaatverandering, over het aanstaande gesprek met onze baas.

Het gevolg is een 'zit-en-piekerreactie'.

Het is nu des te belangrijker om bewust te gaan bewegen. Beweging kan stress tegengaan. 'Als we fysiek in beweging komen, ervaren we bijna de voordelen van de bestverkopende farmaceutische medicijnen zonder de bijwerkingen,' zei dokter Heidi Hanna, een deskundige op het gebied van stressbeheersing en mentale gezondheid en prestaties.[1]

Je door de wereld bewegen hoort bij het leven. Als je niet beweegt, ben je een dood dier. Inderdaad, een dier. We weten dat we onszelf niet graag als dieren zien, maar als we onszelf eraan herinneren dat we deel uitmaken van het dierenrijk, herinneren we ons misschien de zin van het leven en onze band met Moeder Natuur en kunnen we er iets van leren.

Het fantastische van sport en beweging is dat iedereen het kan doen. Zelfs als je wordt beperkt door handicaps of blessures, zelfs als je extreem overgewicht hebt, zelfs als je zo moe bent dat vijf minuten lopen al te veel lijkt, is er wel íéts wat je kunt doen.

Zorg ervoor dat je nieuwsgierig in het leven staat en voel je sterk genoeg om de controle weer op te eisen.

DE ENERGIELEKKEN

Energielek #1: je hebt een vals verhaal voor waar aangenomen

Weet je nog dat we het hebben gehad over onze defecte wereld en hoe je maar doorgaat? Nou, blijf vooral doorgaan, want we gaan alle toxiciteit die je rondom sport, beweging en je zelfbeeld opgedrongen hebt gekregen, ontkrachten.

Hollywood, de reclamewereld, tijdschriften en de media hebben je allemaal geleerd dat hoe je eruitziet belangrijker is dan hoe je je voelt. De meeste mensen weten dat ze moeten bewegen, maar geven het bij voorbaat al op vanwege het culturele *shaming* en al het andere dat ze dagelijks over zich heen krijgen. Ze denken: *waarom zou ik moeite doen?*

Dat snappen we. Je leeft onder een constante culturele druk om in een vooraf vastgestelde definitie van schoonheid, fitheid en gezondheid te passen. Je richt je blik op gezondheids- en wellnessexperts en je ziet mannen en vrouwen met weelderige lokken, strakke lijven en niet meer dan 5 procent lichaamsvet. En ook al lijkt het enorm ver verwijderd van waar jij je bevindt, je wilt toch weten wat hun geheimen zijn.

Wij zullen je hun geheim verklappen. Wij wonen al die grote gezondheids- en wellnessconferenties bij. Wij kennen veel mensen binnen het vakgebied. Wij kunnen achter de schermen kijken, en weet je wat?

Veel van de mensen die jij verheerlijkt, zijn spiritueel dood. Veel van de mensen die een schijnbaar perfect, gezond leven leiden, zijn verwikkeld in hun eigen gezondheidscrisis en voelen zich net zo moe en opgebrand als jij.

Wij zien die mensen zonder alle make-up en Botox, zonder de geretoucheerde, digitaal bewerkte foto's die op Instagram staan. Veel van deze mensen leiden een verrot leven.

Een van de grootste geheimen van de wereld van gezondheidsgoeroes is het grootschalige gebruik van testosteron, door zowel mannen als vrouwen. Mensen gebruiken testosteronlotion. (Ja, dat bestaat.)

Doet iedereen dat? Nee. Er zijn ook fantastische mensen die geweldig werk doen, de beste inzichten en adviezen bieden en mensen helpen om hun grootste problemen op te lossen. Dat zijn de mensen die je in dit boek en in onze documentaires tegenkomt.

'Neem wat je nodig hebt en laat de rest voor wat het is,' is een passend advies, dus als een van de tips of inzichten je niet aanspreekt of voor jou niet werkt, is het prima om er niets mee te doen. Alleen hebben veel van ons dat niet zo geleerd. We hebben niet geleerd om bij onzelf op zoek te gaan naar de oplossingen en ook niet om zelf te ontdekken wat ons eigen lichaam nodig heeft. In plaats daarvan hebben we geleerd om onszelf te vergelijken met onrealistische, onhaalbare beelden.

Het verhaal dat je leeft, kan een van je grootste energielekken zijn, iets wat al je pit en vitaliteit neerhaalt. Wij willen dat er een einde komt aan die waanzin. Wij willen dat je het verhaal dat je onbewust hebt geleefd loslaat.

Energielek #2: je hebt te veel opslag en te weinig verbranding

Je lichaam is gemaakt om energie te produceren én verbranden.

Voor sommige mensen verbrandt het lang niet genoeg energie en dat leidt ertoe dat ze zich moe voelen. Het kan ook tot extra kilo's leiden. Dit is een cultureel probleem. We hebben in de westerse wereld te veel start-stoptijd. We rennen naar onze auto zodat we een uur in het verkeer kunnen zitten. We hollen de trap naar ons werk op omdat we aan de late kant zijn, om vervolgens de hele dag zonder beweging aan ons bureau te zitten.

Misschien gaan we een uurtje naar de sportschool. We trekken aanvaardbare sportkleding aan en doen aanvaardbare sportbewegingen, zoals een stukje rennen op de loopband of een aantal *bicep curls*. We gaan een beetje zweten, voeren wat calorieën in op ons device en dat is het. We haasten ons naar huis, maar alleen om te eten en languit op de bank te bingewatchen met onze geliefde. Dan gaan we naar bed, spoelen we alles van ons af en herhalen we het de volgende dag.

Dat is wat sport en beweging inhouden in onze moderne wereld.

Het is niet zo dat een uurtje per dag op een loopband staan slecht is. Complimenten dat je naar de sportschool gaat terwijl er duizend-en-een andere verantwoordelijkheden en dingen zijn die je aandacht vragen.

Het probleem is alleen dat een uur waarschijnlijk niet genoeg is.

We zijn dieren die zijn geëvolueerd rond constante beweging op een driedimensionaal vlak. We waren ooit jagers en verzamelaars die heuvels beklommen, over keien klauterden en door kabbelende riviertjes waadden op zoek naar eten en onderdak. Toen we overstapten op de landbouw, waren we dagen bezig met velden omploegen, groenten oogsten, schapen en vee verzorgen, omheiningen bouwen, houthakken en veel meer.

We waren constant in beweging en als de zon onderging, stortten we in omdat we echt moe waren en onze pijnlijke spieren moesten laten rusten.

Maar nu is alles anders. Onze arbeidsbesparende apparaten hebben ons beroofd van ons geboorterecht: constante beweging.

Hamsters hebben hun looprad, mensen hebben de aarde als hun speelplaats. Om van dit vermoeidheidsprobleem af te komen moet je gaan bewegen en daarna moet je regelmatige beweging in je dagen inbouwen door je omgeving te hacken. Dat is de succesformule.

Energielek #3: je gebruikt je spieren niet genoeg

Onderzoekers in Finland hebben een beroemde studie uitgevoerd[2] waarbij ze identieke tweelingen lieten deelnemen aan verschillende trainingsprogramma's. De een trainde voor een marathon, de ander deed aan hoge intensiteit intervaltraining (HIIT) – sprinten, springen en spieren opbouwen. De onderzoekers moesten het experiment stopzetten omdat de gezondheid van de marathonlopers achteruitging terwijl de andere tweeling alleen maar gespierder werd.

De boodschap: stop met vijf keer per week naar dezelfde spinningles gaan of aan dezelfde groezelige apparaten hangen. Alleen cardiotraining werkt niet. Zeker, het is een belangrijk onderdeel van de combinatie van sport en beweging en het is absoluut de bedoeling dat je hartslag omhooggaat. Maar als je echt dat slanke, sterke lijf dat energie produceert én verbrandt wilt krijgen, moet je je richten op de opbouw van mager spierweefsel.

Spierweefsel bevat de hoogste concentratie mitochondria. Zoals je vast nog weet, zijn mitochondria je energieproducenten, dus als je groots wilt leven en daar genoeg energie voor wilt hebben, moet je spierweefsel opbouwen. Op die manier kun je meer energie gaan produceren.

Om je energie op peil te houden en ervoor te zorgen dat je je gezond voelt, moeten je mitochondria kunnen omgaan met de stressoren van het leven en de zogenaamde *homeostase* in stand houden. Homeostase is in feite je vermogen om voor stabiliteit te zorgen ondanks veranderingen in je omgeving; dus of het buiten nu nul of dertig graden is, je lichaamstemperatuur moet gelijk blijven.

Er zijn allerlei dingen die je mitochondria moeten doorstaan om de homeostase in stand te houden: het weer, fysieke activiteit en andere stressoren, waaronder ook mentale en emotionele stress. Het vermogen van je mitochondria om hiermee om te gaan is de reden waarom Ari Whitten praat over de *mitochondriale reservecapaciteit*.[3] Kort gezegd, herstellingsvermogen.

'Hoe groter en sterker je mitochondria en hoe meer je ervan hebt, hoe beter je bestand bent tegen de stress van het leven,' legde Ari uit. 'Maar als je mitochondria zijn gekrompen, verschrompeld en zwak en kwetsbaar zijn geworden, wordt het voor stressoren als slechte voeding, slaapgebrek, gifstoffen in de omgeving en psychologische stress gemakkelijker om het systeem te overstelpen en over de reservecapaciteit van de mitochondria heen te gaan. Op dat moment worden de mitochondria buitenspel gezet. Je begint vermoeid te raken. Er beginnen allerlei andere symptomen op te treden.'[4]

Door mager spierweefsel op te bouwen maak je de mitochondria groter en sterker en beter in staat om om te gaan met welke stressoren dan ook.

Mager spierweefsel heeft nog een ander groot voordeel: *mitochondriale biogenese.* 'Je lichaam kan op die manier meer mitochondria maken,' vertelde Ari.[5] Je krijgt niet alleen grotere en sterkere mitochondria, je krijgt ook een stuk meer van die jongens.

Om het magere spierweefsel te krijgen dat je nodig hebt moet je je lichaam blootstellen aan stress.

Dat klinkt in strijd met wat vaak wordt gezegd. Stress zou juist slecht zijn, en in veel situaties is het dat ook. Een snelle geschiedenisles: het woord dat we voor *stress* gebruiken werd in de jaren vijftig van de vorige eeuw bedacht door ene Hans Selye en hij benoemde twee varianten. De *stress* waar we direct aan denken, waarbij we door ellende worden overstelpt, en *eustress*, wat we nu *hormetische stress* noemen, wat een positieve stressreactie is.

Krachttraining is een heel duidelijk voorbeeld. Als je op de juiste manier traint – met gewichten die zwaar zijn, maar niet te zwaar – beschadig je in feite je spieren. (Lees verder. We beloven dat het goed is.) Het gewicht is niet genoeg om voor echte schade te zorgen, maar er ontstaat wel een relatief lichte, beheersbare vorm van schade. Dit kan zich de volgende dag uiten als spierpijn.

Je lichaam herstelt die lichte schade nu door nieuwe, sterkere spiervezels aan te maken en het bestaande spierweefsel te herstellen. Ken je het gezegde 'geen lusten zonder lasten'? Nou, dat is hier wel van toepassing.

Voor onze voorouders hoorden hormetische stressoren bij het leven. We hebben het dan over de stressoren van rennen, springen, jagen en hun lichaam gebruiken om te overleven. Maar wij zijn gewend geraakt aan de geneugten van het leven, onze calorierijke voeding, onze behaaglijk warme huizen en het gemak van ons bestaan. Onze moderne leefstijl heeft omgevingen gecreëerd waarin we niet meer aan fysieke stress worden blootgesteld.

We moeten het vrijwillig in ons leven brengen, en sporten is een van de beste manieren om dat te doen. Blootstelling aan hoge en lage temperaturen, vasten, ademhalingsoefeningen en het eten van bepaalde kruiden kunnen ook een goede, of hormetische, stressreactie opwekken.

Voor de meeste mensen is sporten de weg van de meeste weerstand en iets waarmee ze al bekend zijn. De kunst is om voor precies *de juiste hoeveelheid stress* te zorgen.

Van te veel raakt je lichaam overweldigd. Van te weinig raakt je lichaam niet in vervoering. Hierin moet je het juiste balanspunt zien te vinden, het punt van 'wat je niet doodt, maakt je sterker'.

Voor de duidelijkheid, we hebben het over spieren, niet over gewrichten. Als je vasthoudt aan het motto 'zonder lasten geen lusten' terwijl je knie zeer doet, leidt dat alleen tot een bezoek aan een orthopeed. Je spieren raken vermoeid en verzwakt – ze moeten net een beetje pijn gaan doen. Maar gewrichten zijn niet gemaakt voor die vorm van stress; een stekende pijn in je knie of schouders is geen vermoeidheid, maar een blessure.

Maar als je elke dag sport zodat je benen steeds een beetje sterker worden, is er sprake van epigenetische expressie. Een epigenetische expressie kan zijn dat je genen herkennen dat je niet iemand bent die alleen maar de hele tijd stilzit en dus je lichaam het seintje geven van: 'Hé, dit dier doet het. Het gaat niet dood, het groeit en het wordt alleen maar sterker, dus we kunnen maar beter metéén spierweefsel gaan opbouwen.'

Je maakt spierweefsel kapot op het punt waar je de balans bereikt. Terwijl je lichaam herstelt en het spierweefsel groeit, pas jij je aan tot een groter, slimmer, sterker dier met meer energie om te benutten.

Energielek #4: je weet niet meer hoe je moet bewegen

Veel van ons hebben geen idee hoe ze hun lichaam in beweging moeten krijgen. De westerse cultuur heeft dat grotendeels uit ons geslagen. Vanaf jonge leeftijd wordt ons geleerd om stil te zitten, rustig te zijn, niet te friemelen en te stoppen met rennen, springen, dansen, spelen… eigenlijk alles. En daar betalen we nu de prijs voor.

Beweging is alles waarvoor je als mens, als deel van het dierenrijk, bent geboren. Bewegen is natuurlijk, maar het is vaak niet iets wat wordt geprezen of aangemoedigd.

Velen van ons leven tegenwoordig in een cultuur waarin het moeilijk is om onze roedel te verlaten en in te gaan tegen wat we geleerd hebben van onze familie, opleidingsinstituten, de samenleving of zelfs de grote religieuze instituten die de onderzijde van ons lichaam hebben gestigmatiseerd. Je weet wel, het deel van seks en zo. Vanaf jonge leeftijd hebben veel van ons geleerd zich te bedekken, dingen te onderdrukken en ons lichaam niet op een 'provocerende' manier te bewegen, laat staan te erkennen dat het bestaat.

Hierdoor is het alsof we niet de toestemming hebben om ons lichaam te laten aanvoelen zoals het zou moeten aanvoelen en het te laten bewegen zoals het zou moeten bewegen, tenzij het volgens de 'geaccepteerde' richtlijnen is. Zo hebben wij geen van beiden als kind geleerd om onze heupen en billen te bewegen. Tot we gingen studeren en in de wereld van gezondheid en welzijn gingen werken, bewogen we als robots. We hadden geen idee wat zich allemaal onder onze nek afspeelde, en dat geldt tegenwoordig voor de meeste mensen.

Als je niet je volledige mobiliteit gebruikt, raak je haar kwijt. En als dat weg is, raak je manieren om je energiepeil te herstellen kwijt. Als je de kracht van het leven wilt ervaren, moet je je losmaken van die culturele lessen en terughalen hoe het is om in je lichaam te bewegen.

Opnieuw leren bewegen kan je leven veranderen. Pedram heeft ooit gewerkt met een neuroloog in San Diego die kinderen met leer- en gedragsstoornissen behandelt.

Ze vroeg de kinderen om op de grond te gaan zitten en te laten zien hoe ze konden rondkruipen. Dat konden ze dus niet. Ze waren al in een babybouncer gezet voordat ze konden leren de homp vlees die ze waren, over de vloer voort te bewegen. Ze hadden die cruciale stap in de ontwikkeling gemist en daardoor een cognitieve stoornis ontwikkeld; hun hersenen werkten niet goed en hun energiepeil leek nergens op.

Nu wordt het echt gek. De neuroloog vroeg de moeders om bij hun kinderen op de grond te gaan zitten en hun te leren hoe ze moesten kruipen. Terwijl de kinderen het kruipen onder de knie begonnen te krijgen, zei een van de moeders ineens: 'Hé, mijn migraine is weg.' Een andere moeder merkte op: 'Hé, mijn schouder doet geen pijn meer.'

De moeders hadden geen medicijnen nodig. Ze hadden geen operatie nodig. Ze moesten zich alleen herinneren hoe ze hun lichaam moesten bewegen.

Dat geldt niet alleen voor mensen die niet bewegen. Het is net zo belangrijk voor mensen die lichamelijk actief zijn. Als je iemand bent die dag in, dag uit dezelfde work-out doet, is de kans groot dat de frustratie snel toeneemt.

Energielek #5: je ziet sporten als einddoel

Sommige mensen sporten omdat ze zich schamen voor hun lichaam. Ze schamen zich voor hoe ze eruitzien, hoe ze zich voelen en wat andere mensen ervan zullen zeggen. Het maakt niet eens uit welk getal de weegschaal aangeeft. Je kunt overgewicht hebben, een paar kilootjes te veel, op een stabiel gewicht zitten of misschien een beetje willen aankomen – het gaat allemaal om schaamte.

We stellen onszelf doelen als een strak lijf in drie of vier maanden, of tien kilo kwijtraken binnen twee maanden. Dan gaan we aan de slag, werken we ons zes dagen in de week in het zweet om ons doel maar te halen, en soms lukt dat ook. We bouwen die spieren op, raken die kilo's kwijt en we voelen ons alsof we de berg hebben bedwongen. Maar wat gebeurt er als we ons doel hebben gehaald? Als we onszelf geen nieuw doel stellen, is het gemakkelijk om te vervallen in de oude, ongezonde patronen, en dat is wat de meesten van ons helaas overkomt. We realiseren ons dat we uitgeput raken van al dat sporten, dat het tempo en de intensiteit niet vol te houden zijn.

Veel van ons zien sporten als iets wat moet, als een taak die we op onze to-dolijst voor die dag moeten afvinken. We doen het even snel tussendoor, want we hebben geen zin om in de sportschool te staan, op het fietspad te rijden, de zumbales bij te wonen, zware gewichten te tillen of op de loopband thuis te rennen.

Het probleem is niet het sporten en bewegen; het is je houding. Het is de manier waarop je sporten en bewegen als onderdeel van je leven ziet. De mensen die de gezondste relatie met sport en beweging hebben, doen het omdat ze ervan geníéten. Het is iets waar ze (meestal) naar uitkijken. Het is fijn. Het is leuk, en ze voelen zich tijdens en na hun work-outs geweldig.

Ze zien sporten en bewegen als reis, niet als een einddoel.

Als je het bekijkt als een reis en als iets om van te genieten, voelt sporten helemaal niet als vermoeiend en saai. Het wordt een avontuur dat je kunt sturen en op elk willekeurig moment kunt veranderen.

Energielek #6: je traint te hard en loopt blessures op

We hebben eerder al uitgelegd dat sporten een van de beste bewuste stressoren is om je lichaam aan bloot te stellen. Je vraagt je lichaam om een doel te bereiken, je hart sneller te laten kloppen en sterker te worden.

Maar er is een addertje onder het gras: als je je lichaam blootstelt aan die stress, moet je wel genoeg energie op voorraad hebben om dat aan te kunnen. Anders eis je te veel van je lichaam en kun je oververmoeid raken.

We zien mensen die dag in, dag uit tekeergaan bij crossfitlessen en zich afvragen waarom ze zo moe zijn. Een deel van het antwoord zit in het feit dat ze op een lege batterij lopen. Het andere deel zit erin dat ze hun lichaam niet de tijd gunnen om te herstellen en de spierdichtheid op te bouwen die ze nodig hebben.

Om magere spiermassa op te bouwen en te profiteren van alle geweldige voordelen van sterkere en meer mitochondria heeft je lichaam enige mate van inflammatie nodig. Inderdaad, in het vorige hoofdstuk hebben we uitgelegd hoe inflammatie je lichaam een loer kan draaien. Maar als je op een gezonde manier sport, is het juist iets goeds.

Maar het blijft alleen maar goed als je de inflammatie tot rust laat komen. Dan laat je de spiervezels die zijn gescheurd herstellen en sterker worden dan ervoor. Maar als je je zes dagen in de week in het zweet werkt, neemt de inflammatie steeds verder toe.

Als je voortdurend last hebt van ontstekingen, neemt de kans op blessures en vermoeidheid toe. 'Als de inflammatie niet tot rust kan komen, als de crossfitter na een work-out de volgende ochtend terugkomt en dat zes dagen achter elkaar herhaalt, is dat een voorbeeld van waar de inflammatie toeneemt,' vertelde Ben Greenfield, fitnessauteur en personal trainer van professionele sporters uit verschillende Amerikaanse competities. 'Dat zijn de gevallen waarbij collageen en elastine afnemen en er littekenweefsel ontstaat rond, bijvoorbeeld, een enkelgewricht, dat immobiel en pijnlijk wordt. Dat is een situatie waarin het lichaam feitelijk uitgeput raakt door alle pogingen om de inflammatie die dag in, dag uit optreedt, te herstellen. Met uitputting bedoel ik een verlies van creatine, een verlies van ATP, een verlies van glucose, een verlies van vetzuren, een verlies van endogene lichaamseigen antioxidanten die verantwoordelijk zijn voor het onderdrukken van die chronische inflammatie.'[6]

Soms raak je overtraind omdat je te snel te veel wilt doen en je lichaam dat niet aankan. We leven in een cultuur waarin veel mensen niet hard willen werken om de kost te verdienen; we willen gewoon vanzelf rijk worden. Of we worden 's morgens wakker en besluiten om de een of andere reden – misschien een belangrijk moment in ons leven of door fatshaming – dat vandaag de dag is dat we eindelijk eens iets gaan doen aan onze conditie.

We gaan naar een bootcamp of rennen vijf kilometer en rekken onze hamstrings op. Daarna zijn we zes maanden uit de running en komen we twintig kilo aan.

Inzien dat je meer moet bewegen en conditietraining terug in je leefstijl moet brengen is fantastisch, en iedereen die dat doet, verdient een schouderklopje. En het is verstandig om het rustig aan te doen, langzaam op te bouwen en niet meer van jezelf te eisen dan je aankunt, helemaal als beweging allang geen deel meer uitmaakt van je leven. Er bestaat niet zoiets als een sluiproute naar een sixpack, sterke biceps of een strakke kont.

Persoonlijke zoektocht (Nick)

Ongeveer een jaar geleden had ik last van hevige pijn in mijn onderrug. Mijn tweede kind, Rowan, was anderhalf en ik liep vaak rond met hem op mijn heup. En je weet hoe die dingen gaan: de pijn neemt toe en je merkt het niet eens. Tot ik me realiseerde dat ik een stuk of vijf potten tijgerbalsem in huis had die bijna allemaal halfleeg waren. Dat was niet goed.

Op een avond zorgde ik voor de kinderen omdat mijn vrouw Michelle een avondje uit was. We hielden een dansfeestje en er begon een salsanummer. De jongens deden hun ding en ik begon mijn heupen mee te bewegen op de muziek. Ik hield me in, maar merkte dat als ik met mijn heupen en billen draaide (zoals dat hoort als je enigszins overtuigend wilt salsadansen) ik een deel van mijn onderrug kon oprekken waar ik eerder niet bij kon, zelfs niet met yoga. Tijdens het salsadansen sturen je billen je lichaam aan, in plaats van je hersenen, en activeer je delen van je lichaam die je normaal gesproken niet gebruikt. De overdreven bewegingen zorgden ervoor dat mijn bekken loskwam.

Dus ik zette nog wat salsanummers op en binnen tien tot twintig minuten was mijn pijn verdwenen.

Onthulling: we dansen wat af in huize Polizzi. Het is nuttig en het is leuk.

TESTEN

De in hoofdstuk 2 en 3 genoemde testen die je door je functioneel arts kunt laten doen, kunnen hier ook worden ingezet. Sporten vereist energie. Energie vereist goed functionerende mitochondria. Mitochondria vereisen voedingsstoffen en een evenwichtig microbioom. Een arts zou een test kunnen afnemen om het gehalte te meten van enkele van de volgende voedingsstoffen:

Aminozuren

Het aminozuurgehalte speelt een rol bij de opbouw van magere spiermassa. Je kunt geen nieuw weefsel aanmaken als een van de bouwstenen in de vorm van een aminozuur ontbreekt. Vraag je arts te kijken naar je vertakte keten aminozuren/BCCA's (leucine, isoleucine en valine), maar ook naar glutaminezuur, glutamine, tryptofaan en arginine. Als je van een van deze aminozuren een tekort hebt, voelt sporten als een worsteling.

Magnesium

Het mineraal magnesium is de grootste energieleverancier en daarom onmisbaar voor sporters. De magnesiumconcentratie in rode bloedcellen geeft een beeld van je magnesiumgehalte, maar kan niet met 100 procent zekerheid duidelijk maken wat je magnesiumbehoefte van dat moment is. Het innemen van een supplement of magnesiumrijke producten als bladgroenten, noten, zaden en bonen kan belangrijk zijn als je sport. Als je tijdens het sporten zweet, moet je ook zorgen voor producten die rijk zijn aan kalium, zoals avocado, kiwi, kokoswater, bonen en zoete aardappels.

Vitamine B

Als je spierweefsel beschadigt en nieuwer, sterker weefsel aanmaakt, gebruik je enzymen die B-vitaminen nodig hebben om hun taak goed uit te voeren. Met name vitamine B_6 speelt hierbij een belangrijke rol. Je arts kan het gehalte kynureenzuur en xanthureenzuur meten om te kijken wat de stand van zaken is en of het nodig kan zijn een supplement te gebruiken.

DE ENERGIEREMEDIES

Energieremedie #1: kies voor een nieuw verhaal

Je bent zo gehersenspoeld dat je gelooft dat het getal op de weegschaal, je kledingmaat of spieromvang, hoe je eruitziet of wat andere mensen je over je uiterlijk vertellen de allerbelangrijkste meeteenheden zijn. Dat zijn ze niet. Ze komen van buitenaf. Jij bent heel veel meer. We willen dat je alle sociale en culturele bullshit van je af laat glijden. *Wat maakt het uit hoe je eruitziet?* Wat ertoe doet, is wat zich afspeelt ín je lichaam. Wat ertoe doet, is hoe je je vóélt. Waar jij je mee bezig zou moeten houden, is vet verbranden, je cellen sterker maken, veel energie hebben en je geweldig voelen. De meest innemende, aantrekkelijke en interessante mensen zijn de mensen die zich met zoveel energie, levenskracht en elegantie door het leven bewegen dat je je in hun aanwezigheid wel springlevend moet voelen.

Sport en beweging helpen je innerlijke transformaties te bereiken. Ze helpen je van binnenuit, zodat je energie uitstraalt en het goede leven leidt; een leven dat lang, gelukkig en gezond is.

Het is misschien niet gemakkelijk om voor een nieuw verhaal te kiezen en de onzinverhalen die je altijd hebt gehoord, los te laten. Afstand nemen kan moeite, tijd en oefening vergen. Maar het is het absoluut waard. Als je alle bullshit die je altijd hebt geloofd loslaat, zul je echte vrijheid ervaren en je verbonden voelen met de waardevolste speler: jij. Als je het punt bereikt dat je lekker in je vel zit, als je volop vet verbrandt en je energiepeil door het dak gaat, zul je merken dat je afvalt, een mooie kont en buik krijgt en een gezonde, stralende huid hebt.

Concentreer je op hoe je in de wereld staat en leer te bewegen met de lichtheid van het universum. Dan neem je afstand van het culturele, energieslurpende verhaal en boor je in plaats daarvan de oneindige energie van de kosmos aan.

Energieremedie #2 en #3: bouw mager spierweefsel op

Als je een slanke, sterke machine wilt worden die energie produceert en energie verbrandt, zul je je *basaalmetabolisme* (BMR) omhoog moeten krijgen. We hebben het hier over calorieën verbranden in rust, dus terwijl je slaapt, tv-kijkt of achter je bureau zit.

Het mooie is dat je je BMR zelf kunt berekenen. De Harris-Benedict-vergelijking helpt je om een inschatting te maken van je basaalmetabolisme. De vergelijking gaat uit van variabelen als lengte, gewicht, leeftijd en geslacht en is nauwkeuriger dan een inschatting maken van je caloriebehoefte enkel op basis van lichaamsgewicht. Het werkt zo:

Vrouwen: BMR = 655 + (9,56 x gewicht in kg) + (1,85 x lengte in cm) – (4,7 x leeftijd in jaren)

Mannen: BMR = 66 + (13,75 x gewicht in kg) + (5 x lengte in cm) – (6,8 x leeftijd in jaren)

Om je BMR omhoog te krijgen moet je je *actieve metabolisme* opstuwen. Dat zijn calorieën die je verbrandt door lichamelijke activiteit, dus joggen, yoga, wandelen enzovoort. Je weet wel, wanneer je actief bent.

Het mooie is dat wanneer je actieve metabolisme lekker hoog is, je metabolisme in rust ook hoger is. Dus zelfs wanneer je dan zit te chillen, verbrandt je lichaam meer calorieën.

Als je deze cijfers omhoog hebt gekregen, schakel je als het ware de motor in en laat je je lichaam weten: 'Zeg, dit dier is springlevend en verbruikt calorieën, dus de lunch die ze net heeft gegeten, moet je verbranden als energie. Waag het niet hem op te slaan als vet.'

Door *magere spiermassa* op te bouwen verhoog je je BMR. In mager spierweefsel bevindt zich de hoogste concentratie mitochondria en je hebt een heleboel hardwerkende mitochondria nodig om je stofwisseling op een optimaal niveau te houden. 'Hoe meer spiermassa je hebt, hoe meer vermogen je hebt om energie op te wekken,' zei dokter Stephanie Estima. 'Als je naar energie en stofwisseling kijkt, is het zo dat hoe meer spierweefsel je hebt, hoe efficiënter je glucose kunt afbreken.'[7]

Waarschijnlijk ben je nu niets waard. Je mitochondria zijn vast zwak, dus je moet rustig beginnen, steeds een stapje verder gaan en je spierweefsel opbouwen. We verwachten niet dat je vandaag meteen aan een zwaar trainingsprogramma begint. Maar je verdient het om te weten waar je naartoe werkt en hoe de evenwichtige manier van sporten en bewegen die je op een dag zult ervaren, eruitziet.

We willen niet dat je als een hersenloze zombie bent die in een langzaam tot matig tempo zijn ding doet op de crosstrainer of loopband. Uithoudingsvermogen is belangrijk, maar als je dag in, dag uit dezelfde cardio-oefeningen doet, daag je je spieren niet uit het balanspunt te bereiken waar we het eerder over hebben gehad. Schrijf de cardiotraining niet helemaal af, maar gebruik haar verstandig als onderdeel van een uitgebalanceerde work-out.

Het leven draait om balans. Probeer daar bij het sporten ook naar te streven. Streef elke week naar een combinatie van:

1. **Cardio.** Dit is over een langere tijd of grotere afstand een gestaag tempo aanhouden om uithoudingsvermogen op te bouwen, of korte sprintjes trekken om je hartslag omhoog te krijgen.

2. **Krachttraining.** Dit is het tillen van zwaardere gewichten met minder herhalingen.

3. **Weerstandtraining.** Dit is het opbouwen van spierweefsel door je eigen lichaamsgewicht te gebruiken of het tillen van lichtere gewichten met meer herhalingen.

4. **Rust en herstel.** Je lichaam kan herstellen van inflammatie als je jezelf een dag of twee rust gunt of een paar dagen alleen lichte hersteloefeningen doet, zoals yoga, wandelen, zwemmen, tai chi of qi gong.

Vul je week met een combinatie van dingen die je leuk vindt. Als je van hardlopen houdt, ga je één dag een flinke afstand lopen, doe je de volgende dag wat krachttraining, kies je voor yoga, tai chi of qi gong en doe je er nog een of twee HIIT-sessies bij.

HIIT-trainingen zijn de afgelopen jaren erg populair geworden en kunnen een goede manier zijn om spierweefsel op te bouwen. Het is cardio en vetverbranding in één zware oefening. Het is perfect voor iemand die maar twintig minuten heeft om te sporten. In een HIIT-training geef je gedurende vijftig of dertig seconden alles, en rust je daarna drie minuten uit. Herhaal dat drie keer en je hebt een oervorm van bewegen geactiveerd.

Je kunt HIIT doen op een loopband, crosstrainer, roeimachine, spinningfiets of buiten op een atletiekbaan of in een park. Je kunt bijvoorbeeld doen alsof je een hert bent en dertig seconden rennen alsof er een jaguar achter je aan zit. Stop dan, hijg uit, schud alles los en laat de adrenaline drie minuten stromen. Sprint dan opnieuw dertig seconden, rust drie minuten uit en kom bij, en herhaal dit nog twee keer. Dan ben je klaar. Als dertig seconden te lang is, geen probleem; begin met tien of vijftien seconden en als je vijf minuten moet uitrusten, gewoon doen! Als drie rondes te veel is, kun je beginnen met een of twee. Dan kun je na verloop van tijd de lengte van je sprint of het aantal rondes geleidelijk opbouwen en/of de tijd tussen rusten en sprinten afbouwen.

En als sprinten te veel van het goede is, kun je in een stevig tempo lopen of net een stukje harder fietsen. Waar het vooral om gaat, is dat je het tempo afwisselt zodat je hartslag omhooggaat en je spieren aan het werk moeten.

Onthoud, het is geen wedstrijd. Er is geen 'juiste' manier om dit te doen. We weten dat je in het begin soms teleurgesteld in jezelf kunt zijn omdat je 'niet sneller of sterker' bent of het 'lang genoeg volhoudt'. We zitten allemaal in hetzelfde schuitje, ongeacht hoeveel energie we hebben of hoe fit we zijn. Het enige wat telt, is dat je bezig bent, je lichaam in beweging brengt, alles eruit haalt wat erin zit, en stap voor stap steeds verder komt. Een langzame, gestage ontwikkeling zal een enorm verschil betekenen voor je energiepeil.

Een laatste opmerking over HIIT-trainingen: het is niet de bedoeling dat je ze elke dag doet – twee, misschien drie keer in de week is echt het maximum.

Als het allemaal 'gemakkelijk' begint te voelen (we weten dat sporten nooit gemakkelijk is, maar als het niet meer als een fysieke uitdaging voelt, is het tijd om de intensiteit te verhogen), doe je meer herhalingen, ga je een minuut of twee langer door, vergroot je de helling of snelheid, voeg je wat meer gewicht toe of gooi je de workout om. Je streeft naar spierpijn.

Mik op het balanspunt en je zit goed.

Energieremedie #4: leer opnieuw bewegen

We kunnen er allemaal baat bij hebben dat we onze oerinstincten en -bewegingen hervinden. Het klinkt misschien mal, maar alleen al over de vloer rondkruipen kan een verschil maken – vertel je geliefde wel waar je mee bezig bent, zodat die niet denkt dat je je verstand hebt verloren.

Je kunt ook beginnen door aandacht te besteden aan de normale manieren waarop je elke dag beweegt. De volgende keer dat je in de tuin werkt of iets staat te timmeren, moet je eens opletten hoe je lichaam functioneert. We weten allemaal dat we moeten 'tillen vanuit de benen, niet vanuit de rug', maar wat betekent dat? Gebruik je je romp? Houd je je ruggengraat recht? Gebruik je je spieren of je gewrichten om de klus te klaren?

Mensen die heel erg stijf zijn kunnen baat hebben bij een bezoek aan een fysiotherapeut. Dat kan een enorm verschil maken. Fysiotherapeuten kunnen je bewegingen en rekoefeningen aanleren en je helpen een programma op te stellen om delen van je lichaam die dat nodig hebben, sterker en soepeler te maken.

Verder is de Feldenkrais-methode een goed programma dat erop gericht is je te helpen herinneren hoe je moet bewegen door je mee terug te nemen naar enkele van de eerste bewegingen die je op deze planeet hebt gemaakt.

Maar het hoeft allemaal niet zo wetenschappelijk. Kijk ook eens naar lessen die zijn gericht op matige beweging, rekken en soepelheid. Yoga en pilates zijn heel goed om mee te beginnen. Als je geen van beide eerder hebt gedaan, moet je eens op zoek gaan naar beginnerslessen bij jou in de buurt. (Opmerking: we zeiden beginner. Start niet meteen in een groep voor gevorderden. Gun je lichaam de kans om te leren.)

En ga op dansles! Mannen, we hebben het ook tegen jullie. Als je denkt dat dansen wat hoofdschudden-als-een-gast-tijdens-een-concert is, of een voorzichtige swingbeweging, ben je er nog láng niet. Dansen is een geweldige work-out, maar nog belangrijker is dat je je lichaam laat bewegen op manieren die anders zijn dan de bewegingen die we normaal gesproken durven te maken. Swing, salsa, hip-hop – wat je maar leuk vindt, ga ervoor! (En we kunnen je vertellen dat je geliefde je dankbaar zal zijn.)

Energieremedie #5: doe het omdat je het leuk vindt

Als je sporten als een leefstijl en een reis gaat zien in plaats van als enkel een manier om een doel te bereiken, zal alles anders worden. Kijk maar naar de Tarahumara, een inheems volk dat leeft in Chihuahua, Mexico. Ze leven om te rennen en ze rennen om te leven. Ze staan erom bekend dat ze marathons van driehonderd kilometer en meer lopen. Voor hen is hardlopen onderdeel van een diepe eerbied en waardering voor het leven. Als ze hardlopen, kan dat evengoed voor de rest van hun leven zijn.

Het is alsof ze hardlopen vanuit een liefde voor hardlopen, vanuit het plezier dat ze eraan beleven. Het is hun manier om zichzelf te verbinden met de aarde, met de harmonie van het leven en met de levenskracht die erin ligt opgeslagen. Ze halen energie uit die ervaringen.

Ze zijn niet de enigen. Kijk maar naar kinderen. Die zijn voortdurend in beweging en verbranden waarschijnlijk ladingen calorieën zonder erover na te denken of er hun best voor te doen. Ze maken gewoon plezier. Wij moeten onszelf eraan herinneren dat we ook plezier moeten maken. Bewegen kan plezierig zijn en je kunt plezier halen uit beweging.

Het leven is al zwaar genoeg. Waarom zou je sport en beweging dan ook zwaar maken? Maak het liever gemakkelijk. Als je maar vijfenveertig minuten hebt om te sporten, kies dan iets wat jij wílt doen en wat je leuk vindt, niet iets wat een fitnesstijdschrift je voorschrijft. Nick kan tien tot twaalf kilometer hardlopen en zich terwijl hij bezig is goed voelen, maar hij geniet er niet van en het kost hem twee dagen om ervan te herstellen. Hij vindt het wel heerlijk om gewichten te tillen in de sportzaal en intensieve work-outs te doen. Pedram houdt van basketballen, wandeltochten maken en qi gong beoefenen. Voor jou is het misschien yoga, of zwemmen, of judo, of fietsen, of dansen, of bergbeklimmen, of wandelen, of trefbal, of hardlopen. De lijst van activiteiten en manieren om te bewegen is eindeloos.

Misschien weet je niet welke sporten en manieren van bewegen je leuk vindt. Dat kan. Het betekent dat je het moet ontdekken. Je hoeft ook geen gestructureerde work-out te hebben; je moet gewoon bewegen, mager spierweefsel opbouwen en meer plezier in je leven brengen. Begin een spontaan dansfeestje in de keuken, speel tikkertje met je kinderen of ga na het avondeten een stuk wandelen.

Als je weer begint te genieten, zul je merken dat je je een stuk lichter voelt en dat het universum door je heen stroomt. Je krijgt het gevoel dat je weer energie hebt – en dat is ook zo.

Je hoeft het ook niet alleen te doen. Sporten met een vriend of vriendin kan het extra leuk maken, maar geeft je ook een stok achter de deur. Wat je ook denkt of vreest of altijd hebt geleerd, je bent nooit te oud of te veel uit vorm om met plezier te kunnen sporten. Misschien moet je de tijd nemen, rustig beginnen en weer wat kracht, doorzettingsvermogen, soepelheid en uithoudingsvermogen opbouwen, maar weet: dit is een reis, je hebt de tijd.

Energieremedie #6: kom jezelf tegemoet

Laten we eerlijk zijn. Je bent moe, dus je hebt helemaal geen zin in een ambitieus sportprogramma. Elke keer dat je een van je goede voornemens niet nakomt of opgeeft tijdens een work-out, is het alsof je aan jezelf bewijst dat je geen woord kunt houden en dat je een mislukkeling bent.

Het eerste punt op de agenda: *stop met die onzin.*

Je hebt niet het mitochondriale vermogen om dergelijke zware oefeningen te doen. Je hebt misschien niet eens zin om te sporten en in beweging te komen. En de vreselijke gedachten in je hoofd leiden tot een negatieve spiraal die het gebrek aan beweging versterkt, waardoor je nog minder energie en motivatie krijgt. Je moet ergens beginnen, en daar moet je jezelf tegemoetkomen.

Dat is geen schande. Echt, er is enorm veel moed voor nodig om die stap te zetten.

Als er in Pedrams kliniek patiënten kwamen die volledig uitgeput waren, was de remedie simpel: wandelen. Serieus. Dat is alles wat die mensen om te beginnen moesten doen: vijftien minuten wandelen per dag, een week lang, en dan spraken ze elkaar weer.

Als die patiënt dan terugkwam en zei: 'Man, dat was niet vol te houden,' dan bracht hij het terug naar vijf minuten per dag en een beetje rekken en strekken.

Jezelf tegemoetkomen kan betekenen dat je elke dag vijf minuten aan qi gong doet en tien minuten wandelt en dat honderd dagen volhoudt. Als er niet meer in zit, is dat prima. Jouw kans komt nog wel en je wordt vanzelf sterker. Na honderd dagen kun je het misschien uitbreiden tot tien minuten qi gong, twintig minuten wandelen en een aantal muursquats.

Je komt er door steeds een stapje vooruit te zetten, maar je moet beginnen op wat *voor jou* het juiste niveau is, ook al betekent dat dat je vandaag twee passen meer zet dan gisteren. Je moet zo sporten dat je een beetje moe bent en het gevoel hebt dat je je hebt ingespannen, maar je moet binnen twintig tot dertig minuten hersteld zijn. Als je een uur later nog steeds kapot bent, heb je te veel gedaan.

Breid je routine elke week met 10 procent uit. Als dat toch te veel blijkt, doe je weer een stapje terug. Luister naar je lichaam.

Deze aanpak geeft je zelfvertrouwen. Kleine stapjes zetten en dat op een voorspelbare en gedisciplineerde manier doen draagt enorm bij aan de ontwikkeling van een gezonde mindset en een gezonde relatie met sport, beweging en je lichaam.

Onthoud dat zeggen dat je vijfenveertig minuten gaat sporten, niet per se inhoudt dat je dat ook moet doen. Als je niet genoeg puf hebt en je lichaam schreeuwt dat je moet stoppen, luister dan. Als je na twee oefeningen al kapot bent, is dat gewoon zo.

Andersom geldt precies hetzelfde. Als je lekker met een work-out bezig bent en je je geweldig voelt, kun je gerust langer doorgaan.

Je lichaam weet wat het nodig heeft. Geef het aandacht. Luister ernaar. Leer de kleinste signalen kennen en wij garanderen je dat je je een stuk beter, gelukkiger en vitaler zult gaan voelen. Dit is een levenswijze. Sport en beweging moeten onderdeel worden van je dagelijks leven, net als het drinken van water.

OPLOSSING

Goed, Amy had dus veel moeite met poweryoga. Weet je wat? Yoga is niet voor iedereen geschikt.

Het duurde even voor Amy de oplossing had gevonden, en toen het zover was, had ze het niet eens door. Ze merkte op een dag gewoon dat ze zich beter voelde en uiteindelijk merkte ze ook dat ze tevredener was met haar lichaam.

Hoe kwam dat zo?

Amy's hond was te dik en moest van de dierenarts grotere stukken gaan lopen. Ze bedacht dat ze allebei wel wat extra beweging konden gebruiken, dus ze maakte hun wandelingen dertig minuten langer. In het begin was het zwaar; zij en haar hond kwamen allebei hijgend thuis en wilden dan alleen maar gaan liggen en slapen. Ze zette door en het duurde niet lang voor ze merkte dat ze aan het einde van de wandeling meer energie hadden in plaats van minder. Ze begonnen zelfs stukjes te rennen, gewoon voor de lol.

Ze ging ook meer wandeltochten maken met haar kleindochter. Het was een ritueel waar ze allebei enorm van genoten, maar na een tijdje begon altijd hetzelfde rondje van anderhalve kilometer te vervelen. Ze werden avontuurlijker en liepen drie kilometer, en toen zes. Vervolgens gingen ze elke twee weken, in plaats van eens per maand.

De dames van de leeskring merkten de verandering op; niet alleen door hoe ze eruitzag, maar ook door Amy's energie – door wie ze was. Ze lachte meer en stond te popelen om dingen te ondernemen. En op een dag ging ze opnieuw met Mary Ann mee naar de yogales, gewoon voor de lol. De les was nog steeds lang en vermoeiend, maar nu rustte ze uit wanneer dat nodig was en paste een oefening aan als haar lichaam er niet klaar voor was. En aan het einde van de les voelde ze zich fantastisch.

PERSOONLIJKE UITDAGING

Ga deze week eens iets doen wat je altijd al hebt willen doen. Een vechtsport? Yoga? Bergbeklimmen? Dansen? Surfen? Langlaufen? Fietsen? Alles is toegestaan. Houd wel rekening met je bekwaamheid en conditie. Doe rustig aan en laat je lichaam het tempo bepalen. Als je je moet inschrijven voor een beginnerscursus of proefles, of als je met een instructeur aan de slag moet, doe dat dan. Het doel is om bewegen leuk te maken en jij bepaalt zelf hoe je dat doet.

HOOFDSTUK 5

Slaap en herstel

Brian wist precies wanneer zijn slaapproblemen waren begonnen. Hij had alleen geen idee hoe hij ze moest oplossen.

Het was allemaal begonnen toen hij een nieuwe functie kreeg binnen zijn bedrijf. Hij was begin veertig en had een baan aanvaard die beter betaalde, maar waarbij hij meer mensen onder zich kreeg en meer verantwoordelijkheden had.

Brian had vanaf het begin al het gevoel dat er te weinig uren in de dag zaten om al het werk gedaan te krijgen. Nadat hij en zijn vrouw om halfacht de kinderen naar bed hadden gebracht, klapte hij zijn laptop open en werkte hij nog zeker tot tien uur door, soms tot halfelf.

Op het moment dat hij het welletjes vond, was hij niet moe. Hij moest dan loskomen van zijn werk en ontspannen. Zijn vrouw ging meestal eerder naar bed dan hij en om dan maar dicht bij haar te zijn, kroop hij ook in bed en zette hij de televisie aan, met het geluid zacht zodat zij kon slapen.

Rond middernacht zette hij de televisie uit. Maar dan lag hij wakker naar het plafond te staren. Zijn lichaam voelde vermoeid, maar hij kon de slaap niet vatten. Er gingen allerlei gedachten door zijn hoofd over wat er die dag was gebeurd en wat er de volgende dag zou komen.

Terwijl hij zo lag, herinnerde hij zich soms dat hij nog een e-mail moest beantwoorden. Dan draaide hij zich om, pakte zijn telefoon van het nachtkastje en tikte snel een antwoord. Als het om iets ingewikkelders ging, zocht hij zijn bureau weer op en werd het veel later.

Meestal viel hij pas om een of twee uur in slaap. Als zijn wekker om halfzes afging, kon hij moeilijk uit bed komen. Zijn werkdagen werden nog zwaarder, maar daarvoor was er koffie. Hij dronk het 's morgens, 's middags en soms ook na het avondeten om op de been te blijven.

Brian had zijn vrouw beloofd dat dit iets tijdelijks was. Hij moest gewoon zijn draai vinden in de nieuwe functie en als alles eenmaal goed liep, zou hij het rustiger aan gaan doen.

Dat was vijf jaar geleden.

Brian werkt inmiddels met een bedrijfscoach om beter met zijn tijd om te gaan en heeft op het werk een aantal grenzen gesteld, maar slapen is nog altijd een probleem. Het lukt hem niet om voor middernacht in slaap te vallen, en als hij eenmaal slaapt, ligt hij alleen maar te woelen.

Hij weet dat dit niet gezond is; hij weet alleen niet hoe hij zijn zinkende schip weer op het droge moet krijgen.

HET PROBLEEM

'Slaap wordt niet genoeg erkend als iets wat een grote rol speelt in onze energiehuishouding,' vertelde dokter David Perlmutter ons.[1]

Slaap zorgt ervoor dat je een energievoorraad opbouwt. Jammer genoeg is bij veel van ons die voorraad uitgeput. Terwijl we slapen, vullen we de energie die we die dag hebben verbrand weer aan. Als we niet slapen, vullen we niets aan.

Net als met sporten weten we dat we het nodig hebben, maar is er iets wat ons ervan weerhoudt de nachtrust te krijgen die we zo hard nodig hebben. We hebben het niet over legitieme redenen die ons uit onze slaap kunnen houden, zoals een kind dat midden in de nacht wakker wordt met buikgriep of omdat het eng heeft gedroomd; daar hebben we allebei genoeg ervaring mee.

We hebben het over die opeenvolging van slapeloze nachten waarin je maar ligt te draaien en woelen, waarin je de slaap niet kunt vatten of steeds weer wakker wordt. Dat is wat je nachtrust verwoest en daar moet je iets aan doen. Nachtrust is zo belangrijk voor je energiepeil dat het een van de eerste dingen, en misschien hét eerste, is waar een functioneel arts naar kijkt als een patiënt zich bij hem aandient.

Voor de meeste mensen is het niet zo dat ze niet willen slapen; het probleem is dat ze het niet kunnen. En als ze al slapen, is het geen *rustgevende slaap*. In dit hoofdstuk willen we duidelijk maken wáárom je misschien geen goede nachtrust hebt. Aan het einde van het hoofdstuk geven we een aantal mogelijke remedies om je slaapproblemen op te lossen.

We zeggen 'mogelijk' omdat deze problemen oplossen lastig kan zijn. Net zoals voor veel in dit boek geldt, is je weg naar een betere nachtrust uniek voor jou.

Er is geen formule die voor iedereen werkt, en dat wordt nergens zo duidelijk als in dit hoofdstuk. Soms zijn kleine aanpassingen in de slaapkamer, zoals verduisterende gordijnen en koelere lucht, al genoeg. Soms is er niets meer nodig dan mediteren, een dagboek bijhouden of een uurtje lezen voor het slapengaan. En soms maakt een uur eerder gaan slapen en dat een aantal nachten achter elkaar doen het verschil.

Maar als je al een enorm slaaptekort hebt opgebouwd, als je al maanden of jaren geen goede nachtrust meer hebt gehad, zal het drinken van kavathee, diep ademhalen of het uitschakelen van alle elektronische apparaten niet helpen. Die dingen maken wel deel uit van de oplossing, maar voor complexere gevallen is er een meervoudige aanpak nodig.

'Soms los je slaapproblemen op door ervoor te zorgen dat iemands brein gezonder wordt,' zei dokter Datis Kharrazian. 'Soms los je slaapproblemen op door ervoor te zorgen dat iemand in de loop van de dag genoeg glucose binnenkrijgt, zodat hij genoeg glycogeen heeft en de nacht kan doorkomen zonder wakker te worden doordat de bloedsuikerspiegel te ver daalt. Soms los je slaapproblemen op door iemand zijn leefstijl te laten veranderen, zodat het stressniveau afneemt en hij eindelijk gewoon kan slapen. Soms moet iemand gaan sporten om de stress te verdrijven, zodat hij eindelijk kan slapen. Het oplossen van slaapproblemen kan uit meerdere dingen bestaan, in plaats van uit maar één ding.'[2]

Dit kan op jou van toepassing zijn. Als dat zo is, kun je toch de remedies in dit hoofdstuk proberen. Misschien kunnen een of twee ervan tot de oplossing leiden.

Als je elke remedie hebt geprobeerd en niets bleek te werken, moet je niet opgeven. Misschien moet je eerst aan een gezond darmstelsel werken, of iets doen aan een gebrek aan voedingsstoffen, of onderzoeken of er een probleem is met je hormonen en bijnieren. Dat kan betekenen dat je op zoek moet naar een functioneel arts of iemand anders die je in dit proces kan helpen. Dat is goed. Zulke artsen bestaan. Gebruik de informatie in dit hoofdstuk om rustig en vol vertrouwen met zo iemand in gesprek te gaan en zo weloverwogen beslissingen over je gezondheid te nemen.

De antwoorden die je zoekt bestaan. Laat niemand je wijsmaken dat een leven lang slecht slapen je lot is, want dat is het niet.

Houd hoop. Blijf alert. Blijf je richten op het herstel van je energiepeil en vertrouw erop dat je de juiste weg naar een betere nachtrust kunt en zult vinden.

DE ENERGIELEKKEN

Energielek #1: je bereikt nooit het stadium van remslaap of diepe slaap

Meer dan een derde van de Amerikaanse volwassenen krijgt regelmatig te weinig slaap.[3] We kennen veel mensen die zeggen dat hun lichaam uniek is en ze maar vijf of zes uur slaap nodig hebben. En voor sommige mensen is dat ook zo, maar meestal is het klinkklare onzin. De overgrote meerderheid van de mensen heeft ten minste zeven uur slaap nodig.[4] Acht uur zou nog beter zijn.

Maar het gaat niet alleen om het aantal uren; de kwaliteit telt ook. Er zijn vier slaapstadia met de remslaap in het midden, en die stadia keren steeds opnieuw terug. Je doorloopt de cyclus eerst van 1 tot 4, maar als je stadium 4 eenmaal hebt bereikt, blijf je meestal heen en weer gaan tussen 2 en 3 en beland je zo nu en dan in een remslaap.

Stadium 1
Dit is wanneer je moe in bed ligt en net de lamp hebt uitgedaan. Je geest begint zijn greep op het bewustzijn te verliezen en je ervaart een periode van dromerigheid; een beetje zoals dagdromen, maar je hebt er iets minder controle over. Dit noemen we het *alfastadium*. Alfahersengolven vormen als het ware een 'frequentiebrug' tussen onze bewuste geest en onze onbewuste geest. Mensen die aan meditatie doen, brengen over het algemeen veel tijd door in deze rustgevende fase.

Je kunt hier gemakkelijk uit opschrikken. Ken je dat gevoel dat je op het punt staat in slaap te vallen en ineens een lichamelijke schok ervaart of het idee hebt dat je valt? Dat noemen we *hypnagoge hallucinatie*, en dat is volkomen normaal; het hoort soms gewoon bij het in slaap vallen.

Stadium 2
Na het alfastadium begin je in de thètafase te komen. Dit is nog steeds een heel lichte slaap die ergens tussen waken en slapen in ligt. Thètahersengolven zijn in zekere zin de grens tussen het bewustzijn en onderbewustzijn.

Stadium 1 en 2 duren samen meestal vijf tot tien minuten.

Stadium 3
Nu begint je lichaam zich uit te schakelen. Je hersenen produceren snelle, ritmische hersengolven die *slaapspoeltjes* worden genoemd. Je lichaamstemperatuur daalt en je hartslag vertraagt.

Dit stadium duurt ongeveer twintig minuten.

Stadium 4

Stadium 4 is de deltaslaap – een diepe slaap die ongeveer dertig minuten duurt. Dit is het moment dat je brein echt uitrust en alleen nog lange, trage hersengolven uitzendt.

REM

De remslaap komt en gaat tijdens deze stadia. In deze fase vindt het dromen plaats, aangezien dat een vrij actieve slaaptoestand is. Rem staat voor *rapid eye movement*, maar je ogen zijn niet het enige wat snel beweegt; je ademhaling versnelt en je hersenactiviteit neemt toe. De remslaap is ook een soort van verlamming. Hoewel je brein allerlei avonturen doormaakt, doet je lichaam daar niet aan mee. Tijdens de remslaap kunnen de vrijwillige spieren in je armen en benen niet bewegen (maar de onvrijwillige spieren, zoals je hart en darmen, bewegen rustig verder). Ken je het gevoel dat je probeert weg te rennen in een droom, maar dat het niet lukt? Dat komt dus doordat het letterlijk niet kan.

Elk van deze stadia is ontzettend belangrijk voor je energiepeil. Zonder stadium 1 en 2 kom je niet in stadium 3 en 4. Als je stadium 3 en 4 niet bereikt, heb je een probleem: je krijgt niet genoeg remslaap en je krijgt geen diepe slaap.

Laten we eens kijken wat er gebeurt tijdens stadium 4.

Volgens de National Sleep Foundation ondersteunt diepe slaap het vastleggen van herinneringen. Dit is wanneer het kortetermijngeheugen overgaat in het langetermijngeheugen en wanneer het langetermijngeheugen wordt opgedeeld in 'eilandjes van herinneringen' die gemakkelijker toegankelijk zijn. Diepe slaap ondersteunt ook het algehele leervermogen, en het is het moment dat de hypofyse hormonen afscheidt, zoals het menselijk groeihormoon. (Dat is waarom het zo belangrijk is om ervoor te zorgen dat onze kinderen genoeg slaap krijgen. Om te voorkomen dat ze geestelijk en lichamelijk achterblijven.)

Tegelijkertijd gebruikt je lichaam de energie die het normaal inzet om het brein tevreden te stellen, aan dingen als het repareren van ons immuunsysteem en spijsverteringsstelsel, maar ook beschadigde weefsels en spieren. Autofagie, of celregeneratie, herstel van het energiepeil en ondersteuning van het immuunsysteem vinden allemaal plaats tijdens die diepe slaap.

Het immuunsysteem is hierbij belangrijk. Als je niet genoeg slaap krijgt, kan je lichaam niet genoeg cytokinen aanmaken, een soort chemische verbinding die de communicatie tussen immuuncellen mogelijk maakt. Cytokinen worden tijdens de slaap aangemaakt en afgegeven, en als ze er niet zijn, ontstaat er feitelijk een immuunreactie binnen je lichaam. Dat is niet best.

Maar wat gebeurt er dan tijdens de remslaap?

Om te beginnen zet je dan dingen op een rijtje. Onze dromen zijn letterlijk een manier om ons leven te verwerken. Soms zijn ze overduidelijk, zoals wanneer je een klassieke stressdroom hebt waarin je ergens probeert te komen, maar dat steeds niet lukt, of waarin je een toets moet maken waarvoor je niet hebt geleerd.

Andere keren zijn je dromen gewoon raar; wie weet wat er dan allemaal gebeurt. Het onderbewustzijn is een mysterieuze plek, maar we moeten er allemaal naartoe en meedoen aan de bizarre verhalen. Niet dromen, of zelfs weinig dromen, lijkt in verband te staan met emotionele stoornissen en met psychische angst, depressiviteit en andere vormen van psychische aandoeningen,[5] die het je veelal moeilijk maken om te slapen. Slaap leidt tot slaap.

Behalve dat je hersenen je meenemen op een psychedelische achtbaanrit van dromen, zijn ze hard aan het werk: ze zuiveren zichzelf als in een autowasstraat. Tijdens je slaap krimpt je brein tot wel 20 procent.[6] Dat is goed. Het verwijdert alle rotzooi, alle dingen die je niet nodig hebt. Je lymfestelsel stuurt vloeistof naar de hersenen en spoelt alle smurrie en opeenhopingen weg naar je lever om je te ontgiften. 'We hebben acht uur herstellende slaap nodig,' adviseert dokter David Perlmutter. 'Die tijd is heel belangrijk om je brein te zuiveren en de resetknop in te drukken, zodat je de volgende dag energiek en productiever kunt zijn.'[7]

Alleen als je in het diepe deltaslaapstadium bent, krijg je deze hersenspoeling.

Zonder remslaap en diepe slaap loop je ook het risico op gewichtstoename. Onderzoek heeft een verband aangetoond tussen slaap en obesitas.[8] Een gebrek aan nachtrust stuurt het hormoon *ghreline* in de war, dat je laat weten wanneer je vol zit. Je wordt dus niet alleen moe wakker zonder dat je lichaam en geest hun benodigde schoonmaakbeurt hebben gehad, je hebt ook nog eens enorme trek.

En een gebrek aan slaap kan er ook voor zorgen dat je trek krijgt in zoete, zoute of vette etenswaren, waardoor je bloedsuikerspiegel enorm gaat schommelen, wat leidt tot gewichtstoename en problemen voor je energieproductie. Volgens de Sleep Foundation verhoogt een gebrek aan slaap het gehalte van een lipide met de naam *endocannabinoïde*. Herken je daar een bekend woord in? Dat komt doordat dit lipide ongeveer dezelfde uitwerking op de hersenen heeft als marihuana/cannabis en je behoefte aan snacks, en dan met name koek, snoep en chips, vergroot. Mensen die niet genoeg slaap krijgen, eten de volgende dag twee keer zoveel vet en ruim driehonderd calorieën extra ten opzichte van iemand die de voorgaande nacht wel acht uur heeft geslapen.

Toen we zeiden dat je een probleem hebt als je niet genoeg slaapt, meenden we dat. En het is onmogelijk om je energiepeil ooit op het niveau dat nodig is te krijgen zonder voldoende slaap.

Energielek #2: je bent je slaap-waakritme kwijt

Slaap en energie zijn twee kanten van dezelfde medaille. Ze worden aan elkaar gekoppeld door het slaap-waakritme, een soort vierentwintiguursklok in je hersenen die de afgifte van hormonen regelt die van invloed zijn op je humeur, energiepeil en de slaap-waakcyclus.

En wat zorgt ervoor dat die klok blijft lopen? Licht.

Miljoenen jaren lang werden onze voorouders alleen geleid door het licht van de zon en een beetje door het licht van de maan. Het licht kwam via hun ogen in hun hersenen en bereikte daar hun pijnappelklier. De pijnappelklier is verantwoordelijk voor het produceren en reguleren van het hormoon melatonine. Melatonine laat ons weten dat het tijd is om te gaan slapen. Het is ook een van de belangrijkste antioxidanten in de hersenen.

Overdag, als de zon het felst schijnt, geeft hij *blauw licht* af. Dit blauwe licht geeft een signaal af aan onze pijnappelklier: 'Hé, dit dier moet wakker, alert, actief en energiek zijn om naar voedsel te zoeken en te jagen. Zorg nu voor voedsel, en rust als het niet kan verzamelen.'

Als de zon ondergaat, verandert de golflengte van het licht. Hij geeft nu *rood licht* af. Vooral in Afrika kun je echt goed zien hoe het licht van kleur verandert. Er hangt een bepaald soort stof in de lucht waardoor de zon fantastisch rood kleurt.

Het rode licht stimuleert de *serotoninereceptoren van de prefrontale cortex*. Dit is het deel van de hersenen dat ons onderscheidt van chimpansees en ons het vermogen geeft tot hoger moreel denken, het negeren van impulsen en beter logisch redeneren. Serotonine is de voorloper van melatonine. Het zegt tegen je pijnappelklier: 'Hé, het is tijd dat dit dier energie gaat besparen en de schade van de dag herstelt, dus zorg ervoor dat het gaat slapen.' En dan doet de melatonine zijn ding.

Je melatoninegehalte zou 's avonds en in de vroege uren dat je slaapt het hoogst moeten zijn, en weer moeten dalen als je wordt blootgesteld aan ochtendlicht en gedurende de dag, wanneer je werkt en actief bent. Deze roodverschuiving van het licht is beslissend geweest voor de ontwikkeling van onze soort. Er bestaat een theorie dat de roodverschuiving er deels voor heeft gezorgd dat onze hersenen zich verder hebben ontwikkeld dan die van apen.

Kort samengevat: blauw licht breekt melatonine af en zorgt voor een toename van cortisol en serotonine die je wakker en tevreden houdt. Rood licht stimuleert de aanmaak van melatonine, zodat je in slaap kunt vallen en in slaap kunt blijven.

Onze slaap-waakcycli werden eeuw na eeuw bepaald door het opkomen en ondergaan van de zon. Toen kwam er elektriciteit en werd alles anders. De moderne wereld is bijna perfect in staat ons slaap-waakritme te verstoren.

Ons lichaam is gemaakt om overdag veel zonlicht en een helderblauwe lucht te zien. Maar we zitten tegenwoordig meestal binnenshuis onder zwak, kunstmatig licht. En als de zon ondergaat en we niet meer zouden moeten worden blootgesteld aan blauw licht, schakelen we dat juist in. Blauw licht na zonsondergang is schadelijk. Maar we hebben computerschermen, smartphones, tv's, tablets en meer dingen die blauw licht uitstralen. De natuurlijke ritmes en wisselingen die ons lichaam een seintje geven om het rustig aan te doen en te gaan slapen, gaan verloren.

We hebben een wereld geschapen waarin ons lichaam geen onderscheid meer kan maken tussen licht en donker, waarin het geen idee heeft of het wakker moet zijn of moet slapen. En stappen we binnen dertig minuten na het wakker worden naar buiten om onszelf bloot te stellen aan natuurlijk zonlicht? De meeste mensen niet, terwijl ze het wel zouden moeten doen. Het is noodzakelijk om je lichaam bloot te stellen aan zonnestralen als je de cyclus van melatonineaanmaak wilt normaliseren en resetten.

We komen ook steeds meer te weten over elektromagnetische frequenties (EMF's). De wetenschap begint pas net te begrijpen hoe onze gadgets en apparaten frequenties afgeven die bij sommige mensen van invloed zijn op de pijnappelklier en het vermogen om melatonine aan te maken.

Energielek #3: je zenuwstelsel staat in de hoogste versnelling

In de kabbala zijn alle schepselen van God gelijk, tot de mens de macht kreeg over vuur. Vuur is een grote verantwoordelijkheid.

Onze voorouders gebruikten vuur niet alleen om hun eten te bereiden, ze gebruikten het ook voor veiligheid en warmte. Als de zon onderging en de nacht inviel, zaten ze rond het kampvuur en maakten ze muziek. Het vuur hield roofdieren op afstand en verbond deze groepen mensen met elkaar. Ze vertelden verhalen en zongen liederen en ontwikkelden zo rijke culturen die we nu voor lief nemen.

Op een primair niveau hield het vuur ons rustig en ontspannen. Het verschafte ons een overgang van onze drukke werkdagen naar het moment dat we het dromenrijk binnenstapten. Het hielp ons los te komen van de inspanningen van de dag en bracht met zijn rode gloed ons zenuwstelsel tot rust, zodat we onze vecht-of-vluchttoestand konden verruilen voor een van rust en herstel.

Tegenwoordig ontspannen we niet meer. Er is geen moment waarop we het rustiger aan doen. We kunnen alleen maar gáán, en steeds sneller. Er is alleen maar dóén, en steeds meer.

Dus als de duisternis inzet, kunnen we niet stoppen. We voelen ons lui als we slapen. We hebben veel te veel dat moet worden uitgezocht en veel te veel werk dat moet worden gedaan. We hebben rekeningen die moeten worden betaald, e-mails van onze baas die moeten worden beantwoord, en projectdeadlines die moeten worden gehaald.

We moeten te veel om onszelf de luxe van rust te gunnen, maar die 'luxe' is in werkelijkheid het geheim dat ons in staat stelt steeds meer gedaan te krijgen. Rust kan weleens de cheatcode zijn waarmee we alles kunnen oplossen.

We begrijpen de verlokkelijke aantrekking van productiviteit. We willen alles uit onze tijd halen die ons op deze planeet is gegeven, maar laten we realistisch zijn. Als je naar bed gaat met het gevoel dat je die dag niet genoeg hebt gedaan, breng je te veel tijd bij de koffieautomaat door óf heb je het gevoel dat er voortdurend over je schouder wordt meegekeken en probeer je te veel te doen.

Hoe dan ook slokt het je energie op, want wanneer je dan eindelijk je vermoeide hoofd op je kussen legt, kun je je gedachten niet stil krijgen. Je piekert en tobt over wat er die dag allemaal is gebeurd en over wat je morgen te wachten staat.

Je bent *gespannen en vermoeid.*

Je lichaam is uitgeput en moet rusten, maar je kunt je gedachten of zenuwstelsel niet genoeg uitschakelen om over te gaan van de sympathische vecht-of-vluchttoestand naar de parasympatische toestand van rust en herstel.

Als je de hele dag gestrest bent, jezelf volgiet met koffie en tot midden in de nacht op je laptop zit te werken, verwacht je dan echt dat je binnen vijf minuten in slaap kunt vallen? Dat is alsof je met 150 kilometer per uur rijdt, ineens de handrem aantrekt en verwacht dat alles wel in orde komt.

Als vechten of vluchten je modus operandi is en je jezelf niet de tijd gunt om te ontspannen en in een parasympathische toestand te komen, heb je een probleem. Je zult niet slapen en zult uitgeput raken.

Veel mensen moeten hun geest en zenuwstelsel aanleren om het rustiger aan te gaan doen, om over te gaan in een toestand van ontspanning, herstel en spijsvertering. Dat betekent dat je een tot twee uur voor je gaat slapen alle apparaten en felle lichten moet uitschakelen. Het betekent dat je voor een rustige, meditatieve gemoedstoestand moet zorgen waarin je zenuwstelsel tot rust kan komen, waarin je uit de vecht-of-vluchttoestand kunt komen en kunt ervaren hoe ontspanning aanvoelt.

Energielek #4: je bloedsuikerspiegel is te laag

Als het je niet lukt om door te slapen en je midden in de nacht wakker wordt met een op hol geslagen hart, kan dat betekenen dat je bijnieren uitgeput zijn.

's Avonds kondigt je brein aan: 'Oké, ik ga ontgiften, dus al het andere, langzaamaan. Ik heb wel wat suiker (glucose) nodig om te verbranden, als energie om mijn reparatiewerkzaamheden uit te voeren.' Ook al ben je aan het rusten, je hersenen zijn hard aan het werk en hebben tijdens de diepe slaap juist meer glucose nodig. En voor de meeste mensen daalt de algemene stofwisseling 's nachts 10 tot 15 procent; tijdens het vierde slaapstadium soms zelfs wel tot 35 procent.[9]

Normaal gesproken is dat geen probleem. Je kunt dit met het glycogeengehalte in je lever opvangen. Als je gezonde bijnieren hebt, reageert je lichaam met: 'Hé, het brein heeft meer suiker nodig; maak deze gorilla maar niet wakker. Haal maar wat suiker uit de glycogeenvoorraad.' Je bijnieren geven een beetje cortisol af, wat je lever het sein geeft om de glycogeenvoorraad vrij te geven en intussen kun jij (de gorilla) rustig doorslapen.

Maar als je te veel van je bijnieren hebt gevergd door in een voortdurende vecht-of-vluchttoestand te leven (en ook doordat je niet genoeg slaapt), produceren ze de noodzakelijke hormonen niet meer in het tempo dat nodig is. Als je het punt bereikt dat er gewoon geen cortisol meer beschikbaar is, zal je lichaam je wakker maken.

Zie het maar als een bank. Je hebt een lopende rekening, een spaarrekening en een kredietlimiet. De glucose voor je hersenen is de lopende rekening en de bijnieren zijn de spaarrekening. Als je spaarrekening leeg is, belt er iemand van de bank die zegt: 'Meneer, u moet wat glucose storten, want anders kunt u niets meer opnemen.'

Als er geen cortisol meer is, zal je lichaam een beetje adrenaline afgeven. 'Hé, gorilla, wakker worden. De hersenen verlangen naar voedsel. Ga iets eten.'

Dat is waarom je midden in de nacht wakker wordt met een hart dat tekeergaat.

Energielek #5: je maakt slechte leefstijlkeuzes

Sommige mensen slapen gewoon slecht door de keuzes die ze 's avonds maken en door hun leefgewoonten. We hebben het al over het gebruik van apparaten gehad, maar er is meer.

Dit zijn enkele van de slechtste keuzes die we mensen zien maken. Kijk ernaar en leer ervan, zodat jij niet dezelfde fouten maakt.

Je drinkt te veel koffie

Pedram vertelt patiënten die last hebben van slapeloosheid, dat ze na twee uur 's middags moeten oppassen met cafeïne. Als ze heel erg vermoeid zijn, kunnen ze beter vanaf twaalf uur al geën cafeïne meer tot zich nemen.

Cafeïne blijft namelijk lang in je systeem aanwezig. Als je om acht uur 's avonds probeert te ontspannen terwijl je om vier uur nog een mokka hebt gedronken, zul je moeten wachten tot de cafeïne is uitgewerkt voor je kunt relaxen – en dat kan een tijdje duren. Cafeïne heeft bij de meeste mensen een halveringstijd van vijf tot zes uur, wat inhoudt dat het zo lang duurt voordat slechts de helft van de cafeïne je lichaam heeft verlaten; en bij sommige mensen duurt het zelfs nog langer.[10] Als je 's avonds zelfs niet kunt ontspannen nadat je 's morgens koffie hebt gedronken, is het misschien beter om cafeïne helemaal uit te bannen.

Dat volwassen drankje houdt je wakker

Het is een stressvolle dag geweest en de kinderen liggen eindelijk te slapen. Je hebt wat tijd alleen met je lief, dus wat doe je? Je ontspant met een glas wijn of bier, of een lekker slaapmutsje. Of misschien heb je gewoon iets te veel gedronken tijdens de borrel na het werk.

Je kruipt licht aangeschoten je bed in, want *wat maakt het uit?*

Het maakt heel veel uit, want zelfs een lichte roes kan je slaap al parten spelen. Alcohol kan ervoor zorgen dat je bloedsuikerspiegel omhoogschiet, waardoor je hart sneller gaat kloppen en het zweet je uitbreekt. Het kan moeite kosten om in slaap te blijven of om rustig te slapen.

Je slaapkamer is een plek van overvloedige prikkels

Slapen en vrijen, dat is het enige wat je in een slaapkamer zou moeten doen. Het moet een soort heiligdom zijn. Een kamer die rustig en ontspannend is en je lichaam het seintje geeft dat het veilig is om alles uit te schakelen.

Klinkt dat als jouw slaapkamer? Voor de meeste mensen niet. Ze betalen rekeningen in bed, werken nog wat op hun laptop, scrollen door hun sociale media, controleren hun e-mail of kijken hun favoriete tv-serie op de flatscreen aan de muur. Wij vinden die stomme serie niet zo belangrijk, en dat zou voor jou ook moeten gelden.

Prikkelende activiteiten houden je wakker. Je slaapkamer moet een stressvrije, apparatenvrije zone zijn. Dus zonder telefoons. Zonder iPads. Zonder computers. En al helemaal zonder tv's.

Energielek #6: angst houdt zich op in de duisternis

Veel mensen die lijden aan slapeloosheid, vinden het moeilijk om de touwtjes los te laten. Slaap kan ervoor zorgen dat ze zich kwetsbaar voelen.

Met je hoofd op het kussen liggen, alleen met je gedachten en emoties in de duisternis, zonder afleidingen, kan eng zijn.

De meesten van ons weten dat we tussen halftien en halfelf naar bed zouden moeten gaan. Maar toch gaan we nog even online om het nieuws te checken of die extra aflevering van ons favoriete programma te kijken.

Het is alsof we ons aan iets vastklampen of iets willen uitstellen. Er is een weerstand voor de duisternis, voor gaan liggen om uit te rusten. Kijk maar eens hoe een baby kan huilen en zich tot zijn laatste adem kan verzetten tegen de slaap. Wij doen eigenlijk niets anders, maar dan zonder de tranen (of met).

Misschien is het onze angst voor de dood of onze eigen sterfelijkheid die ons wakker houdt. Misschien is er een trauma uit ons verleden dat ons onverwacht en schijnbaar weerloos overvalt in de droomwereld. Misschien is het een angst voor wie we werkelijk zijn als er geen geluiden of andere dingen meer zijn die ons afleiden van onszelf.

We noemen deze dingen als mogelijkheden. We hebben geen oplossingen. Die liggen bij jou. Wij brengen ze aan het licht, zodat jij kunt vaststellen wat je ervan weerhoudt die acht uurtjes rustig te slapen.

Soms zijn het niet de oplossingen die we zoeken, maar de vragen die we stellen die ons het inzicht geven dat nodig is om een kwaal om te keren.

Persoonlijke zoektocht (Nick)

Ik was achter in de dertig toen ik op een ochtend wakker werd, uit bed probeerde te stappen, maar het gevoel had dat ik in mijn slaap een pak rammel had gehad. Ik kon amper overeind komen en alles deed pijn. Hoewel er de dag ervoor nog niets aan de hand was, had ik het gevoel dat ik doodging.

Geschrokken belde ik met mijn functioneel arts, Jay E. Williams.

Hij liet een heleboel bloedtesten doen en nam alle uitslagen vervolgens uitgebreid met me door. Hij zei dat er wat markers aanwezig waren, maar die waren niet noemenswaardig. Een gewone arts zou me met een schouderophalen en misschien een recept naar huis hebben gestuurd. Maar Jay vroeg: 'Hoeveel slaap krijg je eigenlijk?'

Ik wuifde zijn vraag weg. 'Dat is het niet. Ik slaap genoeg.'

Mijn oudste zoon was destijds anderhalf jaar oud. En toen ik er goed over nadacht, zag ik in dat ik tussen de vijfenhalf en zesenhalf uur slaap per nacht had. Dat leek mij wel genoeg, maar daar was Jay het niet mee eens. Dat was mijn probleem, of in elk geval een belangrijke factor.

Hij gaf me een opdracht. De daaropvolgende vier nachten moest ik ervoor zorgen dat ik om halfnegen in bed lag en mocht ik niet opstaan voordat ik acht uur had geslapen.

Ik deed het en het werkte. Tegenwoordig zorg ik ervoor dat ik de meeste nachten aan mijn slaapuren kom. Het lukt niet elke nacht, maar zo is het leven nou eenmaal. Als ik voel dat mijn energiepeil daalt, bekijk ik eerst of ik wel genoeg slaap.

TESTEN

Behalve een slaaponderzoek bij een slaapcentrum in je omgeving zijn er enkele moderne doe-het-zelfopties om te testen hoe je slaapt.

Oura-ring

De Oura-ring is een kleine hartslagmeter die meet of je moeite hebt met in slaap vallen, in slaap blijven of diep slapen. Voor ongeveer driehonderd euro heb je je eigen slaaptracker die om je vinger past.

Apple iWatch

Als je het niet vervelend vindt om in bed een flink horloge te dragen, zijn er allerlei apps die voor een paar euro je slaap registreren op je Apple iWatch. De AutoSleep-slaaptracker kost op dit moment 4,49 euro en Sleep Tracker++ 2,29 euro. Ze werken net als de Oura-ring met algoritmes die gebruikmaken van je hartslag zoals die wordt gemeten door je iWatch.

DE ENERGIEREMEDIES

Energieremedie #1: zorg voor acht uur slaap

Dit moet je weten over de remslaap: we komen meestal ongeveer negentig minuten nadat we in slaap zijn gevallen in deze fase en onze eerste remcyclus is vrij kort; maar elke keer dat we er weer in terechtkomen, is hij langer. Om deze reden móét je wel lang genoeg slapen; het is namelijk niet zo dat vier uur slapen gelijkstaat aan vier uur remslaap of diepe slaap.

Waar het op neerkomt, is dat je ten minste acht uur kwalitatief goede slaap nodig hebt. Dat houdt waarschijnlijk in dat je vroeger naar bed moet gaan. Middernacht is geen geschikte bedtijd als je wekker om zes uur gaat.

Volgens oudewijvenpraat tellen de uren die je voor middernacht slaapt dubbel mee bij alle uren die je daarna nog slaapt. Dat is uit onderzoek ook gebleken.[11] Je moet zoveel uren slapen als maar kan, zodat je zoveel mogelijk slaapcycli kunt maken.

Als acht uur ononderbroken slapen te veel lijkt, moet je eens proberen een uur eerder naar bed te gaan. Doe dat drie avonden in een week en kijk dan eens hoe je je voelt.

Elke kleine aanpassing aan je slaapgewoonten kan helpen. Je bent het aan jezelf en je lichaam verschuldigd om het op zijn minst te proberen.

Energieremedie #2: richt je op de zon

Ga naar buiten en zie de zon ondergaan – of opkomen, als je zo vroeg kunt opstaan. Een vriend van ons vraagt vaak of we er nog een hebben meegepikt. Hij wil dan weten of we een zonsopkomst of -ondergang hebben gezien. Als je er één meepikt, is het een goede dag. Hij streeft ernaar er minstens één per dag mee te pikken. Dat kan namelijk helpen om je slaap-waakritme te resetten, maar het kan ook stress verlichten. De zon zien opkomen of ondergaan herinnert je er immers aan dat het leven mooi, heilig en diepgaand is. Alleen al die gedachte kan ervoor zorgen dat je je ontspant, en hoe rustiger je bent, hoe makkelijker je in slaap zult vallen en hopelijk ook hoe beter je zult uitrusten.

Energieremedie #3: schakel al het blauwe licht een uur voor bedtijd uit

Wij zijn documentairemakers. Natuurlijk kijken wij graag naar schermen. Natuurlijk willen we dat mensen kijken en van onze films leren en genieten, maar we zijn ons ook bewust van hoeveel tijd mensen in onze cultuur aan elektronica gekluisterd zitten (wij zijn geen uitzondering). Het leven heeft zoveel voordelen in een tijd van technologische vooruitgang.

Maar als je verslaafd bent aan je apparaten en laat op de avond nog baadt in het blauwe licht, offer je een goede nachtrust en je energie op. Recente onderzoeken laten zien dat het gebruik van schermen een uur voor bedtijd de nachtrust kan verstoren.[12] Onderzoekers hebben ook ontdekt dat mensen die 's avonds hun smartphone gebruiken om hun e-mail te checken en nog wat werk te doen, de volgende dag minder productief en betrokken zijn.[13]

Jij hoeft deze prijs niet te betalen. Je kunt een betere nachtrust krijgen – echt, dat kan – en dat kan zonder naar een hutje op de hei te verhuizen en zelfvoorzienend te leven. Maar je zult wel een paar dingen moeten veranderen en aan de slag moeten met je avondroutine.

Je moet bereid zijn je apparaten een uur of twee voor je naar bed gaat uit te schakelen en te kiezen voor rustigere, meer meditatieve, kalme, rustgevende activiteiten. Doe de felle lampen uit en steek als je wilt wat kaarsen aan.

Als je niet zonder je telefoon kunt, moet je hem op de vliegtuigstand zetten en minstens tweeënhalve meter bij je bed vandaan leggen. Leg hem ook niet aan een oplader. Zo beperk je de hoeveelheid blauw licht en mogelijke elektromagnetische straling die je nachtrust kunnen verstoren. Investeer bij voorkeur in een goede, ouderwetse wekker, maar zorg er wel voor dat die geen fel licht uitstraalt.

Energieremedie #4: schrijf een to-dolijst voor de volgende dag

Deze gewoonte noemen we het Ritueel van de Maan, dat gecreëerd is door Swami Kriyananda. Elke dag voor je naar bed gaat, moet je alle vensters sluiten – wat inhoudt dat je je to-dolijst van die dag erbij pakt en alles doorstreept wat je hebt gedaan. Daarna maak je een to-dolijst voor morgen.

Deze gewoonte ontlast je geest en helpt je beter om te gaan met je verwachtingen rond je tijd en jezelf. Sommige mensen leggen deze to-dolijstjes op hun nachtkastje. Zo kunnen ze voor ze gaan slapen alles wat ze nog moeten doen opschrijven, en als ze 's nachts wakker worden, kunnen ze er snel iets aan toevoegen en dan weer verder slapen. Het is een trucje om de geest tot rust te brengen, zodat de gedachten niet door je hoofd blijven rondgaan en je niet ligt te pie-keren over wat je de volgende dag allemaal wel of niet moet doen.

Energieremedie #5: ontspan en kom bij

Bij Nick thuis is het de bedoeling dat tussen acht en negen uur 's avonds de televisie en alle elektronische apparaten uitgaan. Als de kinderen slapen, brengen hij en zijn vrouw een uur voor het slapen-gaan door met mediteren, lezen of luisteren naar iets rustgevends (geen nieuwsschandalen of horrorverhalen die adrenaline opwek-ken).

Op deze manier komt hun zenuwstelsel tot rust, waardoor ze een-maal in bed binnen een paar minuten in slaap vallen en rustig door-slapen.

Energieremedie #6: kijk naar je voedingsstoffeninname

Soms heeft je zenuwstelsel te lijden onder een voedingsstoffentekort. Je kunt bijvoorbeeld een tekort hebben aan vitamine B_6, magnesium, niacine, tryptofaan, glycine en bepaalde aminozuren. Zonder de juis-te middelen kunnen je hersenen zich niet uitschakelen.

Het kan nodig zijn om het tekort eerst weg te werken met behulp van supplementen of veranderingen in je eetpatroon, en dat kan tijd kosten.

Laat de mentaliteit van lapmiddelen en snelle oplossingen varen. Als je medische hulp nodig hebt, raadpleeg dan een arts. Een func-tioneel arts kan je voedingsstoffengehaltes testen, remedies voor-schrijven en vervolgens kijken wat werkt.

Je hoeft dit niet alleen te doen.

Energieremedie #7: zorg voor een stabiele bloedsuikerspiegel

Als je moeite hebt om door te slapen, kun je vijftien tot twintig mi-nuten voor het slapengaan een klein tussendoortje eten. 'Als je vlak voor het slapengaan je bloedsuikerspiegel stabiliseert, kan dat helpen om een betere nachtrust te hebben en door te slapen,' vertelde diëtiste Cassie Bjork. 'Het geheim achter dat late tussendoortje is dat het de bloedsuikerspiegel maar een heel klein beetje verhoogt. Als je sinds het avondeten, dat al een aantal uur geleden kan zijn, niets hebt gegeten, zal je bloedsuikerspiegel dalen. Als je naar bed gaat terwijl je bloedsuikerspiegel in een neerwaartse spiraal zit, kun je daar midden in de nacht wakker van worden.'[14]

Volgens Cassie is het beste late tussendoortje een combinatie van vet en koolhydraten. Dat kan een schaaltje popcorn met een beetje boter zijn. Gezondere opties zijn een halve zoete aardappel met een eetlepel kokosolie of -boter, een kommetje biologische jasmijnrijst met gestoomde broccoli, cashew- of kokosyoghurt met amandelen of bosvruchten of zelfs een kleine peer gebakken in een beetje kokosolie en bestrooid met kaneel en een klein handje walnoten.

Voor iedereen die nu roept: 'Maar het is slecht om te eten voordat je naar bed gaat!' Dat klopt, het is slecht om een volledige maaltijd te eten vlak voor je naar bed gaat. Als je je volpropt en dan meteen naar bed gaat, zal dat waarschijnlijk leiden tot gewichtstoename en een verstoorde nachtrust.

Maar dat is niet waar we hier op doelen. We hebben het nu over goede koolhydraten uit groente en fruit, en gezonde vetten. Het is ook geen enorme portie. Het moet net genoeg zijn om je bloedsuikerspiegel onder controle te houden, zodat je niet wakker wordt omdat je glucose nodig hebt.

Energieremedie #8: houd je slaapkamer koel

De verwarming hoog zetten is geen goed plan. 'In de loop van de avond wordt onze lichaamstemperatuur vanzelf lager,' vertelde dokter Stephanie Estima, een chiropractor die met name geïnteresseerd is in functionele neurologie, breinoptimalisatie en gewichtsverlies. 'Er zijn manieren waarop we de lichaamstemperatuur kunnen manipuleren zodat het lichaam afkoelt. Eén daarvan is je omgeving.'[15] Als de lichaamstemperatuur daalt, is dat voor het brein het signaal dat we ons opmaken om te gaan slapen, en daardoor neemt de melatonineproductie toe. Een koele slaapkamer helpt om je lichaamstemperatuur laag te houden. De magische kamertemperatuur is onduidelijk. Sommige medici die we hebben gesproken, hadden het over 18 tot 22 graden Celsius. Andere spraken over 18 tot 20 graden, terwijl de National Sleep Foundation 16 tot 19 graden aanraadt.

Mogelijk moet je even uitproberen wat voor jou de beste temperatuur is, maar probeer je kamer eerder koel dan warm te houden. Als het echt moet, kun je sokken of een muts dragen in bed, of warmere dekens op je bed leggen.

Energieremedie #9: houd je slaapkamer donker en rustig

Elke vorm van licht of geluid kan je uit een diepe slaap wekken. Als je het nog niet hebt gedaan, investeer dan in verduisterende gordijnen. Als je een nachtlampje hebt, moet het rood licht afgeven, niet van dat slechte blauwe licht.

Energieremedie #10: beperk koffie en alcohol

Je kunt gek zijn op koffie, maar te veel is niet goed. Wij zijn geen grote koffiedrinkers (we hebben liever thee), maar veel mensen zijn dat wel. We zullen niet zeggen dat je helemaal geen koffie moet drinken, maar als je van cafeïne houdt én slecht slaapt, kan het helpen om te minderen.

De effecten van cafeïne kunnen tot wel zes uur merkbaar zijn.[16] Probeer in elk geval na twee uur 's middags geen koffie meer te drinken. Als je energiepeil erg laag is, kun je beter twaalf uur als grens aanhouden.

Als je helemaal wilt stoppen met het drinken van koffie, ga ervoor. Weet wel dat van de ene op de andere dag geen koffie meer drinken tot vervelende bijwerkingen kan leiden, zoals flinke hoofdpijn. Als je het toch wilt proberen, doe het dan in een weekend. Maar het is nog beter om langzaamaan te minderen tot je helemaal geen cafeïne meer binnenkrijgt. Als je normaal vier koppen per dag drinkt, maak er dan drie van. Doe dit ten minste een paar dagen, en minder dan verder tot het cafeïne-infuus helemaal is uitgeschakeld.

En als je je afvraagt of je koffie nu voor altijd moet opgeven: echt niet. Een aantal van de beste medisch deskundigen die wij hebben gesproken, vertelden dat ze dagelijks koffiedrinken, maar ze houden het bij ongeveer twee koppen en drinken die alleen in de ochtend.

Als je moeilijk kunt slapen, kun je ook eens nagaan hoeveel alcohol je 's avonds drinkt. Als het om meerdere drankjes gaat, kun je overwegen om dat een tijdje niet te doen en bij te houden hoe je slaapt. Slaap je langer? Hoe voel je je als je wakker wordt? Kun je makkelijk in slaap vallen? Word je vaak wakker? Als je je slaapproblemen hebt opgelost, kun je af en toe weer genieten van je favoriete drankje. Het beste is om het voor, tijdens of direct na het avondeten te drinken, zodat je lichaam de tijd heeft om de alcohol op te nemen en te verwerken. Het is ook belangrijk dat je ten minste een paar uur voor het slapengaan stopt met drinken.

OPLOSSING

Brian begon met de meest voor de hand liggende stap: geen koffie meer na de lunch. Dat was in het begin best moeilijk. Hij sliep niet direct beter, dus de middagdip kwam hard aan. Zonder cafeïne als oppepper had hij het een paar dagen zwaar.

Het was iets makkelijker om de koffie na het avondeten te laten staan. Hij was al moe, en door die koffie af te slaan, mócht hij van zichzelf moe zijn. Hij koos ervoor rustige activiteiten die weinig energie kostten te doen met de kinderen voordat ze naar bed gingen, zoals voorlezen of luisteren naar hun verhalen over de dag.

Als ze in bed lagen, mocht hij zijn laptop niet openklappen. Dat was verboden. En eigenlijk voelde hij zich daarvoor ook te moe. Hij keek zoals gewoonlijk tv met zijn vrouw, maar viel halverwege in slaap. Toen hij opstond om zijn tanden te poetsen en naar bed te gaan, spookten er nog allerlei gedachten door zijn hoofd over wat hij misschien nog had moeten doen, maar zijn telefoon lag beneden, aan de oplader, buiten zijn bereik. Het duurde even voor hij in slaap viel, maar uiteindelijk lukte het en sliep hij vijf uur aan een stuk.

Dat was in de eerste week. Toen zijn lichaam gewend raakte aan iets meer slaap en veel minder cafeïne, voelde hij zich 's middags en 's avonds minder moe. Hij deed zijn werk beter (en maakte minder fouten) en kon na het werk echt van zijn gezin genieten. Zijn vrouw en hij ontspanden nog altijd voor de tv, zoals ze graag deden, maar zetten hem nu een uur voor het slapengaan al uit. Er ging nog weleens iets door Brians gedachten voor hij in slaap viel, maar hij haalde na een tijdje de acht uur.

PERSOONLIJKE UITDAGING

Probeer Nicks slaapuitdaging eens. Ga de komende vier avonden om halfnegen naar bed en sta niet op voordat je acht uur hebt geslapen. Ook als je denkt dat slaap niet je probleem is, moet je het toch eens proberen. Wat heb je te verliezen? Een tv-programma? Als zoiets simpels je energieniveau een boost kan geven, halleluja.

HOOFDSTUK 6

Toxiciteit

Sandra deed goed haar best om haar drie kinderen, man en hond gezond te houden. Dat betekende dat ze voor hoogwaardige, voedzame maaltijden zorgde (en soms de kinderen moest dwingen hun groente op te eten), dat ze erop lette dat iedereen genoeg bewoog (ook de hond!) en dat ze het huis schoonhield.

Dat laatste was lastig, omdat haar kinderen op school zaten en elke dag ziektekiemen mee naar huis namen. Bovendien liep de hond door dingen waar Sandra niet te veel over wilde nadenken, en daarom maakte ze schoon. Zij poetste, haar man stofzuigde en ze spoot een bleekmiddel op alle oppervlakken waar ze bij kon, vooral in de keuken. Ze gebruikte luchtverfrissers of geurkaarsen, en droogtrommeldoekjes om ervoor te zorgen dat haar schone was fris rook. Ondanks al haar moeite, liepen er geregeld mieren door de keuken, maar ze sprayde dan zodra ze de kans kreeg. En natuurlijk smeerde ze haar kinderen altijd royaal in met zonnebrandcrème voordat ze hen naar buiten stuurde om te spelen.

Maar wat ze ook deed en hoe hard ze ook werkte, niemand voelde zich goed. Meestal waren haar kinderen, haar man en de hond te moe om iets te doen, zelfs om een stukje te wandelen. Ze hadden ook weinig eetlust, en Sandra zelf eigenlijk ook. Voor zover zij wist, deed ze alles goed, maar toch was het duidelijk dat er ergens iets misging.

HET PROBLEEM

We kunnen ze niet zien, maar ze zijn overal. Ze zitten in ons water, in de lucht die we inademen, in het voedsel dat we eten en in de miljoenen producten die we elke dag gebruiken.

We hebben het over toxinen of gifstoffen, de olifant in de kamer in ons vermoeidheidsverhaal. Van de 82.000 chemische stoffen die naar verluidt in de Verenigde Staten worden gebruikt, is maar ongeveer 25 procent getest.[1] De Environmental Protection Agency bekijkt elk jaar meer dan 1700 nieuwe chemische verbindingen.[2]

Sta daar eens even bij stil. Die chemicaliën, verbindingen en andere substanties ademen we in, smeren we op en slikken we door zonder een idee te hebben van welke schade ze zouden kunnen toebrengen.

De moderne wetenschap en geneeskunde beginnen in te zien welke gevolgen chronische blootstelling aan giftige stoffen kan hebben voor ons lichaam en energiepeil. We weten dat zware metalen als kwik, lood en aluminium vermoeidheid kunnen veroorzaken. Je lichaam neemt deze stoffen op via simpele, alledaagse handelingen als het inademen van vliegtuigbrandstof terwijl je over de startbaan naar een vliegtuig loopt of het inademen van remstof terwijl je langs de straten jogt, of het eten van sushi in je favoriete restaurant.

We weten dat giftige stoffen in je cellen terecht kunnen komen en cytotoxiciteit kunnen veroorzaken, waardoor je cellen doodgaan. We weten dat giftige stoffen je mitochondria kunnen verzwakken. Als je onderzoeken naar chemicaliën bekijkt, zul je zelf ontdekken dat het bijna onmogelijk is om een synthetische chemische stof te vinden die geen negatieve uitwerking heeft op het functioneren van mitochondria.

We weten dat giftige stoffen tot een slecht werkende galblaas kunnen leiden en de aanmaak van gal kunnen vertragen, en dat kan weer nadelig zijn voor de lever, het belangrijkste ontgiftingsorgaan in je lichaam. We weten dat een gifstof die aanwezig is in herbiciden, glyfosaat, van invloed kan zijn op je darmen, met name op een eiwit met de naam *zonuline*, waardoor je darmwand meer doorlatend wordt en je last krijgt van lekkende darmen. En vrijwel iedere arts die we hebben gesproken, vertelde dat hij patiënten had behandeld die leden aan vermoeidheid door giftige stoffen, hoewel die patiënten geen idee hadden dat toxiciteit een probleem is.

Daarom noemen we dit de olifant in de kamer als we het over vermoeidheid hebben. Het wordt een steeds belangrijkere reden waarom mensen zo verdomd moe zijn, maar de moderne wetenschap en geneeskunde beginnen er nu pas iets meer naar te kijken, wat bizar is. We kennen de gevaren van giftige stoffen en chemicaliën al sinds Rachel Carson de verwoestende effecten van DDT aan het licht bracht in haar baanbrekende werk *Silent Spring* uit 1962. Zes decennia later moeten we nog steeds onder ogen zien en leren leven met het feit dat toxiciteit bestaat.

Mensen begrijpen inmiddels dat pesticiden een probleem zijn. Ze snappen dat genetisch gemodificeerd voedsel een probleem is. Maar dat verborgen gifstoffen in hun zeep, in hun parfum, in hun kleding en in hun plastic waterflesjes hun gezondheid kunnen verwoesten en tot vreselijke vermoeidheid kunnen leiden?

'Het probleem van toxische overbelasting is veel minder merkbaar, lastiger op te sporen. Maar het bestaat wel,' vertelde dokter Robert Rountree, een integraal geneeskundige die traditionele huisartsgeneeskunde combineert met voedingsleer, medicinale herbologie en lichaamsgerichte therapie. 'Patiënten komen binnen en zeggen: "Ik ben moe." Normaal gesproken zou ik tegen ze zeggen: "Ga even slapen." Maar zo makkelijk is het niet. Ze gaan slapen en worden wakker en zijn nog steeds moe. Er moet iets anders aan de hand zijn, en ik denk dat het bij de meeste mensen met toxiciteit te maken heeft.'[3]

Als je al tot hier bent gekomen in het boek, als je al veel van de remedies hebt uitgeprobeerd en niets helpt, is het de moeite waard om na te gaan of je last hebt van toxische overbelasting.

We realiseren ons dat dit hoofdstuk een beetje eng kan zijn, maar we beloven dat het niet alleen maar kommer en kwel is. We willen laten zien waar sommige van die gifstoffen zich verborgen houden en leggen daarna uit welke uitwerking ze kunnen hebben op je lever, immuunsysteem en mitochondria, wat er dan de oorzaak van kan zijn dat je energiepeil daalt.

Met dit hoofdstuk willen we je ervan bewust maken. We willen je helpen de beste keuzes te maken over wat je in je mond stopt, op je huid smeert en waaraan je je lichaam blootstelt. Er zullen altijd giftige stoffen in onze leefomgeving zijn. Dat is nou eenmaal zo in de wereld waarin we nu leven. We kunnen ze niet ontlopen en we kunnen ook niet gaan rondlopen in beschermende pakken.

Maar we kunnen wél iets doen aan onze blootstelling. We kunnen wél kleine veranderingen doorvoeren in ons dagelijks leven, zodat de balans weer in ons voordeel doorslaat. De remedies in dit hoofdstuk kunnen je daarbij helpen, bij het maken van simpele aanpassingen die de invloed van die indringers beperken.

Maar we willen ook eerlijk zijn. Als je energiepeil tot een nulpunt is gedaald als gevolg van een giftige stof, en dan in het bijzonder een zwaar metaal als lood, kwik of aluminium, moet je echt naar een arts. We zullen een aantal testen aanbevelen die kunnen aantonen of er zware metalen in je systeem zitten; als je maar vermoedt dat er een kleine kans is, moet je jezelf direct laten testen.

De moderne tijd vraagt om moderne oplossingen. Hopelijk laat je arts je op gifstoffen testen en zegt hij: 'Er is niets te zien, niks aan de hand,' en dat is geweldig. Ga naar huis, zet het van je af en zoek naar de werkelijke oorzaak van je vermoeidheid; je kunt toxiciteit in elk geval van je zorgenlijstje strepen.

Maar als je lichaam vol zit met giftige stoffen, zul je je pas beter gaan voelen als die troep uit je lichaam is, en dat is niet iets wat je thuis kunt doen. Het goede nieuws is dat je er wél iets aan kunt doen. We hebben het bij andere mensen gezien en we weten hoe geweldig mensen zich voelen als hun gifstoffenprobleem onder controle is. Het kan om wat speurwerk vragen, het kan betekenen dat je naar een arts moet die is gespecialiseerd in de behandeling van vergiftiging door zware metalen of andere gifstoffen, maar het kán.

Probeer bij dit hoofdstuk objectief te blijven. Blijf rationeel. Blijf gefocust op het verslaan van je vermoeidheid. Je kunt het!

DE ENERGIELEKKEN

Energielek #1: verborgen gifstoffen slaan toe zonder dat je het in de gaten hebt

Als we elk jaar aan 47.000 giftige stoffen worden blootgesteld, waar komen die dan vandaan? Het simpele antwoord is dat ze gewoon overal zijn. Het is zo'n lange lijst dat het al snel te veel wordt.

Daarom lichten we hier de belangrijkste gebieden uit waar je ermee in aanraking kunt komen. Het gaat er vooral om dat je je ervan bewust wordt, zodat je andere keuzes kunt maken over aan welke producten, omgevingen, etenswaren en andere moderne gemakken je je blootstelt.

We begrijpen dat je het niet altijd voor het kiezen hebt. Als je in Chicago of Los Angeles woont, of aan een rivier die langs een kolenmijn in West Virginia stroomt, dan weet je wat je hebt. Als je iets op deze lijst ziet staan waarop je geen controle kunt uitoefenen, moet je de moed niet opgeven. Richt je op waar je wel controle over hebt. Dat kan nog altijd een verschil maken.

Lucht

We hebben nooit eerder zoveel fijnstof in de lucht gehad als nu. Als je in een stedelijk gebied woont, kun je te maken hebben met vliegtuigbrandstof, kerosine, fijnstof uit uitlaatgassen. Van polycyclische aromatische koolwaterstoffen (PAK's), nevenproducten uit de verbranding van fossiele brandstoffen, is aangetoond dat ze de kans op leer- en gedragsstoornissen bij kinderen kunnen vergroten. Hoge blootstelling aan PAK's voor de geboorte wordt in verband gebracht met concentratieproblemen, angststoornissen en depressiviteit bij kinderen.[4]

Maar wil je weten waar de lucht het smerigst is? Het antwoord zal waarschijnlijk een verrassing zijn: in je huis. Giftige stoffen drijven de lucht in vanuit elektrische luchtverfrissers, geurkaarsen, de schoonmaakproducten die je gebruikt. Je hebt in huis ook tapijten en meubels, zoals je bank en waarschijnlijk ook je matras, die zijn behandeld met brandvertragende middelen. Dat lijkt goed, maar hierdoor kan ook de chemische stof broom vrijkomen, die het ademhalingsstelsel kan irriteren.[5] Uit brandvertragende matrassen kan ook koolmonoxide vrijkomen, waarvan we allemaal weten dat het in grote hoeveelheden dodelijk kan zijn.

Het *American Journal of Respiratory and Critical Care Medicine* laat weten dat regelmatig gebruik van luchtverfrissersprays de kans op het ontwikkelen van astma tot wel 50 procent kan doen toenemen. Luchtverfrissers bevatten ftalaten, die ook in parfums zitten, als dichtingsproduct in hechtmiddelen worden gebruikt en nog veel meer toepassingen hebben. Ftalaten kunnen leiden tot problemen met de voortplanting, hormoonhuishouding en ontwikkeling; en ftalaten staan vaak niet op de ingrediëntenlijst, ook als een merk zichzelf bestempelt als 'natuurlijk' of 'ongeparfumeerd'.

Uit luchtverfrissers komt ook terpeen vrij, wat met de lucht om je heen reageert en zo formaldehyde vormt… dat, zoals je vast weet, niet echt goed voor je is.

Sommige kaarsen, ook de ongeparfumeerde, bevatten paraffine, een afvalproduct uit de petroleumindustrie. Als we paraffine verbranden, komen er kankerverwekkende stoffen vrij. Nu willen we niet zeggen dat je geen kaarsen meer mag aansteken, maar zorg er wel voor dat je de goede hebt. Kaarsen van soja- en bijenwas zijn volkomen veilig.

Doordat je je lucht vervuilt, kun je moeilijker ademen, en als je niet kunt ademen neem je niet de zuurstof op die je lichaam nodig heeft om te blijven werken en dingen te doen. Zo simpel is het.

Voedsel
We weten dat biologische landbouw over het algemeen gezonder is dan conventionele landbouw.

We weten ook dat onbewerkte, natuurlijke voeding beter voor je is. Moeder Natuur levert ons alles wat we nodig hebben om ons lichaam te onderhouden.

Maar in onze zoektocht naar oneindige voorraden en groei hebben we onze planten vergiftigd met schadelijke pesticiden en onze bodem verwoest. We hebben onze dieren geïnjecteerd met groeihormonen en antibiotica. We hebben verslavende etenswaren ontwikkeld die vol zitten met chemische toevoegingen en conserveringsmiddelen. Het is gewoon veel te veel om op te noemen; het is al niet te doen om alleen de chemische middelen te noemen.

Wat doen die pesticiden en chemicaliën met ons? Dat is jammer genoeg niet echt goed onderzocht (om redenen die volgens paranoïde mensen zoals wij te maken hebben met lobbyen en het internationaal ontbreken van toezicht door de overheid). Maar in Zweden hebben wetenschappers de giftige inname gemeten van biologische voeding tegenover gewone voeding, en daaruit bleek dat mensen door biologisch te eten maar liefst 70 procent minder werden blootgesteld aan gifstoffen.[6]

En bovendien is biologische voeding gewoon góéd voor je. Het bevat meer antioxidanten, meer omega 3, meer flavonolen en smaakt daarbij ook nog eens beter.[7]

Verzorgingsproducten

'Wat je op je lichaam aanbrengt, komt ín je lichaam,' stelde Dani Williamson, een integratief verpleegkundige. 'Wat je ook op je lichaam aanbrengt, je wilt er zeker van zijn dat het zuiver, gifvrij en ontstekingsremmend is, want het is een stukje van de puzzel.'[8] Als je niet kijkt welke ingrediënten er in huidverzorgingsproducten zitten, kun je zomaar rotzooi opsmeren en jezelf met een groot probleem opzadelen. Het gaat hier om huidverzorging, haarverzorging, zonnebrandcrème en cosmetica. Onder de huidige wetten hoeven cosmeticabedrijven hun producten niet op veiligheid te testen, waardoor consumenten een groter risico lopen ergens aan te worden blootgesteld.

Enkele van de mogelijke giftige stoffen in deze producten zijn:

Ftalaten, een groep chemische stoffen die het hormoonstelsel kan verstoren, en daarmee de hormoonproductie. (Je herinnert je deze stoffen vast van de luchtverfrissers.) Deze stoffen kunnen van invloed zijn op de ontwikkeling en voortplanting en tot neurologische schade leiden. Je komt ze niet tegen in de ingrediëntenlijst. Soms worden ze alleen genoemd als 'parfum'. Ftalaten kunnen zitten in deodorant, geparfumeerde lippenbalsem en nagellak.

Polyethyleenglycol of PEG is een op petroleum gebaseerde verbinding die wordt gebruikt in crèmes. Deze verbinding is vaak vervuild met ethyleenoxide, een kankerverwekkende stof die mogelijk schadelijk kan zijn voor het zenuwstelsel en de ontwikkeling bij mensen.

Butylverbindingen (BHT, BHA) kunnen net als ftalaten het hormoonstelsel verstoren. Ze kunnen huidallergieën veroorzaken die samenhangen met toxiciteit van de organen, ontwikkeling en voortplanting. Deze verbindingen worden gebruikt als conserveringsmiddelen en kunnen zitten in eyeliner, oogschaduw, lipgloss, parfum (zelfs in etenswaren als chips, bier, gebakken producten, plantaardige olie en kauwgom).

Tot de verzorgingsproducten rekenen we lotions, shampoo, make-up, scheerschuim, zonnebrandcrème en nog veel meer, dus je moet goed opletten.

Een van de lastige dingen aan deze producten is dat we de effecten niet direct voelen of zien. We krijgen bij elk gebruik een microdosis gifstoffen binnen die zich in de loop der tijd opbouwt en langzaamaan schade aanricht in ons lichaam. Kijk maar naar lipstick. Wie zou er ooit een hele lipstick doorslikken? Niemand. Maar als een vrouw in de loop van de dag misschien een paar keer haar lipstick opnieuw aanbrengt, waar komt die dan terecht? Boven op de stapel. En als je dat tien jaar lang doet, komt de troep in je systeem terecht, helemaal als je nagaat hoeveel producten je verder nog binnenkrijgt of via je huid opneemt.

Deodorant is een ander voorbeeld. We doen onszelf en de mensen om ons heen misschien wel een plezier door onze lichaamsgeur tot een minimum te beperken, maar als we niet oppassen, stoppen we onszelf vol met aluminium (wat mogelijk in verband kan worden gebracht met kanker en de ziekte van Alzheimer). Gelukkig zijn er tegenwoordig genoeg aluminiumvrije keuzes op de markt, maar het vergt enig speurwerk om ze te vinden. Schmidt's is een goede optie, maar je kunt ook zoeken op 'zelfgemaakte deodorant' om een recept te vinden voor je eigen, gezonde versie.

Het goede nieuws is dat het tegenwoordig makkelijker dan ooit is om de juiste producten te vinden. Zelfs als je op het platteland woont, kun je online gezonde producten kopen. In grotere steden kun je op zoek gaan bij natuurvoedingswinkels.

Een grote eerste stap om van giftige stoffen af te komen is op zoek gaan naar natuurlijke ingrediënten. Onze vuistregel: koop alleen producten met ingrediënten die je kunt uitspreken en herkennen. Overweeg ook eens om biologische producten te kopen, maar lees de etiketten zorgvuldig. Ze mogen tot 5 procent ingrediënten van niet-biologische bronnen bevatten. Kies voor 100 procent biologisch.

Huishoudelijke producten

Gebruik je plasticfolie om je eten mee af te dekken en op te warmen in de magnetron? Dat plastic bevat chemicaliën, waaronder ftalaten. Door de stoom smelt het plastic en druppen de giftige stoffen op je eten. Gebruik dus geen plasticfolie.

Kijk ook eens naar je bakjes en schalen. Zij die van glas of plastic? Hopelijk van glas. Plastic kan BPA bevatten, oftewel bisfenol A, een industriële chemische stof die wordt gebruikt om bepaalde soorten plastic te maken. Deze stof wordt in verband gebracht met vruchtbaarheids- en voortplantingsproblemen, hartkwalen en veel andere aandoeningen.[9]

Schoonmaakproducten bevatten vluchtige chemicaliën als chloor, ammonia, natriumhydroxide en meer. Deze kunnen zo schadelijk zijn dat ze in Los Angeles meer smog veroorzaken dan alle auto's in de omgeving.[10]

Polytetrafluoretheen, het laagje dat je pan 'anti-aanbak' maakt, geeft gassen af als het wordt verhit; gassen waarvan is aangetoond dat ze kankerverwekkend zijn.

Producten tegen vlooien en teken voor je huisdieren zijn pesticiden. Dat lijkt voor de hand liggend, maar denk jij eraan als je Brutus achter zijn oor krabbelt en dan je gezicht aanraakt?

Mycotoxinen/schimmels

Veel mensen denken dat zwarte schimmel alleen voorkomt in vochtige klimaten. Maar het is overal. Zelfs op plaatsen waar het kurkdroog is, komt een belachelijke hoeveelheid zwarte schimmel voor waar mensen ziek van worden.

Vrienden van ons leden onder enorme vermoeidheid en dat bleek te komen door veelvuldige blootstelling aan schimmel. Het is een van de gifcategorieën die mensen maar niet serieus willen nemen, maar geloof ons, schimmels in de lucht zijn geen fabeltje. Ze kunnen je leven stilletjes verwoesten.

Als je steeds minder energie hebt, kan het de moeite waard zijn om te kijken of er schimmel in huis is, onder andere in je waterkoker.

Gebitsvullingen

Ongeveer 50 procent van de amalgaamvullingen bevat kwik.[11] Ze zouden stabiel zijn. Sleutelwoord: 'zouden'. Bij sommige mensen geven de vullingen piepkleine kwikdeeltjes af die elke dag worden doorgeslikt. Als je een amalgaamvulling hebt, is het ook niet zo simpel om hem even door de tandarts te laten vervangen door een andere soort vulling. Als de vulling wordt verwijderd, kan het boren ervoor zorgen dat het amalgaam wordt verpulverd waardoor het kwik in je systeem terechtkomt.

Als je kwikvullingen hebt, kun je het beste advies inwinnen bij een deskundige voordat je actie onderneemt.

Farmaceutische medicijnen

We leven in een cultuur waarin de westerse geneeskunde zich richt op het verlichten van symptomen met medicijnen. Als je je niet goed voelt, ga je als welmenende patiënt naar de dokter, die zegt: 'Hier, neem deze pil maar.'

Dat doe je en misschien verdwijnen er een paar symptomen, maar nu heb je geen energie meer om iets te doen met je familie en gezin, het lukt niet om te vrijen met je partner en je leven wordt een neerwaartse spiraal omdat je moeite hebt om de dagen door te komen.

Het verschil tussen medicijn en vergif zit in de dosering. Misschien is er niets mis met de geneesmiddelen, maar ze kunnen een nauwelijks merkbare uitwerking op je hebben die energie vreet en je lichaam vergiftigt.

Elektromagnetische straling

We weten niet wat er allemaal gebeurt door elektromagnetische straling en blauw licht. Er is nog te weinig over bekend, dus we weten niet wat de effecten zijn.

Maar we weten wel dat mensen geregeld melden dat ze zich beter voelen nadat ze 's avonds de wifi hebben uitgezet en hun telefoon en andere elektronica van het nachtkastje hebben weggehaald. Het kan de mentale of emotionele opluchting zijn die optreedt omdat we onze apparaten uitschakelen en onszelf rust gunnen.

We kunnen je niet met zekerheid vertellen wat 4G en 5G met je lichaam doen, maar als je maar niet kunt achterhalen waar je vermoeidheid vandaan komt en niets werkt, kun je proberen je blootstelling aan elektromagnetische straling te beperken.

Baat het niet, dan schaadt het niet.

Giftige relaties

Mensen kunnen ons vergiftigen. Ze kunnen je energie opslokken en ervoor zorgen dat je uitgeput raakt. We zullen in hoofdstuk 9 dieper ingaan op het effect dat relaties en energievampieren kunnen hebben op je energiepeil. Voor nu moet je vooral weten dat mensen in je omgeving de bron kunnen zijn van je toxiciteit.

Energielek #2: je lever kan het niet meer aan

'We zijn allemaal toxisch, maar het is een kwestie van hoe toxisch ben jij en hoe toxisch ben ik en hoe goed is ons lichaam in staat om de toxische stoffen weg te werken,' zei dokter Afrouz Demeri, een natuurgeneeskundig arts gespecialiseerd in hormonale disbalans. 'Het grote orgaan dat het belangrijkst is voor energie en giftige stoffen is de lever.'[12]

Ons lichaam is gemaakt om giftige stoffen uit te schakelen zodra ze in het lichaam komen. Maar dat was voordat we de planeet kapotmaakten en onszelf gingen onderdompelen in synthetische stoffen. In de wereld van nu stapelen de giftige stoffen zich op en als je lever het niet kan bijhouden, heb je een probleem – en ben je waarschijnlijk heel moe.

Je lever speelt de hoofdrol in het ontgiften van je lichaam. Technisch gezien is de lever een klier en is hij verantwoordelijk voor ruim vijfhonderd taken in het lichaam. De lever voert dus veel taken uit. Een ervan – laten we die zijn dagtaak noemen – is glucose uit het voedsel dat je hebt gegeten en verteerd, halen en dat opslaan als glycogeen waarmee je je energie in de loop van de dag op peil kunt houden. Je lichaam put 's nachts ook uit die glycogeenvoorraad, zodat je brein alle energie krijgt die nodig is voor zijn hersenspoeling.

Een van de andere taken van de lever – dat is dan zijn nachttaak – is het ontgiften van ons systeem. Hij filtert het bloed afkomstig uit ons spijsverteringsstelsel voordat het wordt doorgestuurd naar de rest van het lichaam en verwijdert zo giftige stoffen en chemicaliën, waaronder farmaceutische middelen, alcohol en alle andere dingen die we bij energielek #1 hebben genoemd.

Dit gebeurt in twee fasen. In de eerste fase maakt de lever gebruik van oxidatie. We zien oxidatie als iets slechts; het is de aftakeling van cellen. Maar in dit geval wordt oxidatie ingezet voor een goed doel, omdat de lever giftige stoffen afbreekt die over het algemeen in vet oplosbaar zijn, en ze dan in water oplosbaar maakt zodat ze gemakkelijker te verwijderen zijn.

Simpel, toch? Nou, niet per se. Soms zijn die in water oplosbare gifstoffen slechter voor je dan toen ze nog in vet oplosbaar waren, en daarom moeten ze verder worden afgebroken.

Daar begint de tweede fase. Nu voeren we conjugatie uit, waarbij de gifstoffen worden gekoppeld aan andere stoffen, waaronder zwavel en bepaalde aminozuren, zodat ze samen met gal (wat je lever afscheidt voor de normale spijsvertering) kunnen worden afgedreven.

Dat is mooi. Maar je lever raakt heel gemakkelijk overbelast, helemaal als hij in de eerste fase al is vastgelopen. De lever kan tegenwoordig met moeite zijn eigen taak uitvoeren. Als je dan kunstmatige hormonen en hormoonachtige derivaten in je voeding stopt, in je shampoo, in je verzorgingsproducten, moet de lever al die stoffen aan andere koppelen. Als daar dan nog dieseldampen en de duizenden andere giftige stoffen waaraan je wordt blootgesteld bij komen, kan je lever het gewoon niet meer aan.

Als je baas steeds weer stapels documenten op je bureau zou gooien en van je zou eisen dat je werk binnen onredelijke tijd af zou zijn, en dat zou zo jaar in, jaar uit doorgaan, dan zou jij het ook niet meer aankunnen en waarschijnlijk ontslag willen nemen. Zo voelt je lever zich ook als de giftige stoffen zich blijven opstapelen.

De lever heeft ook nog zijn dagtaak, het opslaan van glucose, en die begint er ook onder te lijden. De lever raakt al snel overladen met meer glucose dan nodig is voor de voorraad, maar die glucose moet toch op de een of andere manier worden opgeslagen. Dat gebeurt dan als vet.

Dat is waarom mensen ontgiften met kruiden, speciale diëten, heel veel water en zelfs vasten. Elk middel is bedoeld om de lever te helpen ontgiften en beter functioneren. Als je lever optimaal werkt, kan je systeem heel veel hebben.

We weten dat ontgiften best heftig kan lijken en daarom hebben we bij de remedies een beknopte inleiding voor beginners opgenomen.

Energielek #3: je immuunsysteem is aangetast

Onze wereld is zo toxisch dat ons immuunsysteem overbelast raakt. Het begint al meteen als we worden geboren. In een onderzoek met pasgeboren baby's van Environmental Working Group troffen onderzoekers gemiddeld tweehonderd verschillende chemicaliën en milieuverontreinigende stoffen aan in de navelstreng van pasgeboren baby's.[13] En die stoffen waren niet een beetje giftig. Van de 287 aangetroffen giftige stoffen waren er 180 kankerverwekkend, 217 toxisch voor de hersenen en het zenuwstelsel en konden er 208 ontwikkelingsproblemen veroorzaken.[14]

Sinds de industriële revolutie is het alleen maar erger geworden. Vijfhonderd jaar geleden paste de lijst van chemicaliën nog in een lange paragraaf.[15] Tegenwoordig hebben we meer dan 150 miljoen chemicaliën ontwikkeld die in elk product, op elk oppervlak en in elk materiaal dat we gebruiken, zijn verwerkt.[16] Het aantal is in slechts vijfentwintig jaar verdrievoudigd. In 1975 hadden we nog maar 50 miljoen chemische stoffen.[17] *Nog maar.*

Het is een grote puinhoop waar je immuunsysteem zich geen raad mee weet. Je immuunsysteem is miljoenen jaren lang getraind om bomen, planten, dieren, lucht, water, stenen en andere dingen die in je omgeving voorkwamen, te herkennen en zich eigen te maken.

Nicks voorouders kwamen uit Italië, dus zijn immuunsysteem begrijpt de ecologische verbindingen uit die regio. Pedrams familie komt uit Iran, dus zijn systeem begrijpt wat er in Iran wordt aangetroffen.

De wereld is mobiel geworden. Wij zijn allebei naar de Rocky Mountains verhuisd. Onze immuunsystemen zeggen nu: 'Wat is dit nu weer? Is het een vriend of een vijand?' Ze hebben zich snel moeten aanpassen aan een nieuw territorium.

Ons lichaam kan wel wat hebben. Als we worden blootgesteld aan zoiets als pollen, dat afkomstig is uit de natuur, vraagt ons immuunsysteem zich af: 'Vriend of vijand?' Meestal weet het wel wat het binnen moet laten en wat buiten moet blijven.

Maar als je met dingen komt als arseen, Italiaanse parfum en al die synthetische stoffen uit een lab, heeft het lichaam geen idee wat het ermee aan moet. Het herkent de helft ervan niet eens. Het is alsof er een ufo ergens in een hoofdstraat landt. Iedereen schrikt zich rot – begrijpelijk. Om het nog erger te maken is het niet één ufo; het is een hele vloot die je immuunsysteem binnenvliegt. Elke dag weer.

Deze stoffen, deze chemicaliën en verbindingen die je eet, drinkt, opsmeert en inademt, zijn volkomen vreemdsoortig. Als ze op synthetische wijze in een lab zijn vervaardigd, lijken ze misschíén op iets wat het lichaam ooit kon herkennen in de natuur, maar ze zijn nog altijd 'nieuw'. Je lichaam weet niet wat het moet doen met 'nieuw'. Daar is het niet voor getraind.

De ufo's landen en je lichaam schiet in alarmfase 3, alle alarmbellen gaan af, de commandoposten worden bemand. De enige manier waarop het zichzelf kan beschermen, is door een immuunreactie te starten, IgA-antistoffen eropuit te sturen om de indringers op te sporen en uit te schakelen. Alleen daarvan word je al moe, maar hopelijk is de klus dan geklaard.

Als de klus dan niet is geklaard (omdat je, bijvoorbeeld, bent blootgesteld aan zware metalen als kwik of aluminium of iets wat het lichaam niet kan identificeren), ben je niet alleen moe, maar schakelt je immuunsysteem over op 'operatie vind en bedwing de dreiging'.

De gifstoffen mogen niet zomaar vrij door je lichaam circuleren, dus je lichaam voert ze af in je *vet*. Je lichaam geeft een seintje dat je schildklier langzamer moet gaan werken en vet moet gaan maken, zodat je lichaam de indringers daarin gevangen kan zetten.

Je begrijpt vast al welke kant dit op gaat. Op een dag kijk je in de spiegel en besluit je dat je wat extra kilo's kwijt wilt, dus je gaat sporten. In theorie zijn afvallen en vet verbranden als brandstof goed voor je. Alleen niet als in dat vet die gifstoffen opgeslagen zitten.

Als je het lichaamsvet afbreekt, komen de gifstoffen vrij uit hun kooien. Ze komen terug in je bloedbaan en je hebt jezelf onbedoeld vergiftigd. Je immuunsysteem zegt: 'Hè, we hadden dit toch al opgelost? Stop ze terug in hun kooien.' Het lichaam produceert dus meer vet om de gifstoffen in vast te zetten en zegt daarmee eigenlijk: 'Wees maar dik, dat is beter voor je.'

Het is de ultieme 'fuck you' naar gewichtsverlies en jojoën, en een belangrijke reden waarom we in het Westen een obesitasepidemie hebben. Onze lichamen zijn nog veel toxischer dan waar we nu over praten, of willen praten, en als mensen het probleem van gifstoffen niet aanpakken, kunnen ze dat vet nooit als brandstof verbranden.

Dat vet, het vet waar we allemaal zo'n hekel aan hebben, is in feite wat ons in leven houdt. Het neemt de giftige stoffen, chemicaliën en stoffen die echt schadelijk voor je kunnen zijn, in bewaring.

In dit verhaal is vet dus jouw héld. Hoe bizar is dat? Dat plaatst ons lichaamsvet wel in een ander daglicht.

Energielek #4: je mitochondria bijten in het stof

Dr. Tom O'Bryan, een deskundige op het gebied van voedselovergevoeligheden, gifstoffen in de omgeving en de ontwikkeling van auto-immuunziekten, gebruikt een voorbeeld dat wij geweldig vinden. Stel je voor dat je net wakker bent en maar niet op gang kunt komen. Het is een zware week (het is dinsdag), dus je gaat op weg naar je werk langs Starbucks voor je dagelijkse dosis cafeïne.

De barista doet een plastic dekseltje op je beker zodat je geen hete koffie over je heen kunt krijgen. Daar denk je natuurlijk helemaal niet over na. Je drinkt gewoon lekker van je koffie; inmiddels ben je alert en klaar voor de werkdag.

Maar dat plastic dekseltje bevat waarschijnlijk BPA, en als de hete damp uit de beker opstijgt, zal het deksel een beetje smelten, zodat de BPA in je koffie drupt. Elke slok waarvan jij denkt dat die je energie geeft, heeft juist het tegengestelde effect omdat BPA je mitochondria uitschakelt.

Mitochondria zijn als de kanarie in de kolenmijnen als het op blootstelling aan giftige stoffen aankomt. Van een aantal gifstoffen, zoals zware metalen, BPA en fluoride is bekend dat ze je mitochondria schaden; in het ergste geval schakelen ze ze uit en maken ze ze dood.

Geen mitochondria betekent geen energieproducenten en geen bescherming voor je cellen. Dat is foute boel. Daardoor ben je vermoeider en vatbaarder voor dreigingen. Als je weinig mitochondria hebt, kan je immuunsysteem de indringers niet doden.

En het is niet alleen zo dat je mitochondria doodgaan. In hoofdstuk 3 hebben we gezien dat als gifstoffen je systeem binnendringen en een immuunreactie opwekken, je mitochondria een seintje krijgen om de energieproductie te stoppen en zich op te maken om de cellen te verdedigen. Hoe langer je mitochondria in deze verdedigingsstand blijven, hoe minder tijd ze hebben om energie te produceren, dus de vermoeidheid neemt toe.

Energielek #5: je drinkt uit de kraan

De stad New York heeft een van de beste marketingstrategieën ooit. Het stadsbestuur prijst het kraanwater zelfs aan als een van de beste. 'Het drinkwater van de stad New York is wereldberoemd om de kwaliteit,' is op de website te lezen.[18] Ze vertellen verrukt dat het uit schone spaarbekkens in het Catskillgebergte afkomstig is en dat 'het Department of Environmental Protection dagelijks meer dan 900, maandelijks 27.000 en jaarlijks 330.000 testen uitvoert met water van tot 1200 testlocaties in de stad New York'.

Begrijp ons niet verkeerd, we zijn onder de indruk, en je wilt ook dat je watervoorraad wordt getest zodat je zeker weet dat het niet vol zit met *E. coli*, *giardia* of legionella. Maar kom eens naar de Rocky Mountains, drink daar van ons natuurlijke bronwater, ga dan naar New York City en neem daar een slok. Het is alsof je zwembadwater drinkt. Er zit chloor in. Er zit fluoride in. Er zit ontsmettingsmiddel in. Het heeft een metalige smaak.

147

Niet alleen New York heeft dit probleem; je proeft het overal in Amerika. Op het platteland, in kleine en grote steden. De meeste mensen denken dat wat er uit de kraan komt, volledig veilig is. Nou, dat is het vaak niet. Zeker, de grote boosdoeners die de waterkwaliteitsexperts kennen, zijn eruit gehaald, maar er is ook een idiote hoeveelheid chemicaliën in gestopt om de bacteriën te doden. Het is alsof we terug zijn in 2002, voordat de biologische levensmiddelenbeweging haar intrede had gedaan in onze huishoudens. De problemen met onze waterkwaliteit blijven zo ver onder de radar dat de meeste mensen geen idee hebben hoe giftig hun H_2O eigenlijk is.

Zo is er bijvoorbeeld fluoride, dat in elke staat aan het kraanwater wordt toegevoegd (hoewel de top 10 op basis van percentage wordt gevormd door Kentucky, Minnesota, Illinois, Maryland, North Dakota, Georgia, Virginia, Indiana, South Carolina en South Dakota).[19] Toen er in de jaren veertig van de vorige eeuw mee werd begonnen, werd het geprezen als een enorme doorbraak voor de volksgezondheid, omdat het tandbederf zou helpen voorkomen.[20] En ja, fluoride maakt je tanden sterker, maar uit recent onderzoek is gebleken dat het in een dosering die hoog genoeg is, schade kan toebrengen aan je botten en gewrichten, neurologische stoornissen kan veroorzaken, van invloed kan zijn op de werking van je schildklier en nog een heleboel andere problemen kan geven.[21] Als je veel kraanwater drinkt, of je tanden poetst en mondwater gebruikt (allebei met fluoride), kun je er te veel van binnenkrijgen.

Het is onwaarschijnlijk dat je van de ene op de andere dag ziek wordt of doodgaat na het drinken uit de kraan, maar al die fluoride die je binnenkrijgt, stapelt zich samen met BPA, ontsmettingsmiddelen en resten van pesticiden (die allemaal in kraanwater zitten) van jaar tot jaar op.

We hebben allemaal wel gehoord van Flint in Michigan en andere plaatsen met grote hoeveelheden lood in het water. De gevolgen voor de gezondheid, met name bij kinderen, kunnen bestaan uit cognitieve stoornissen, gehoorproblemen, gedragsstoornissen en een vertraagde puberteit.

We willen niet kwaadspreken over onze drinkwaterbedrijven of over het idee om drinkwater te zuiveren. Er kunnen zich gevaarlijke ziekten ophouden in het water. Je kunt cholera krijgen, je kunt doodgaan.

Maar we willen wel graag inzicht krijgen in het werkelijke verhaal en de onbedoelde gevolgen, zoals vermoeidheid, van de jarenlange opeenstapeling van waterzuiveringsproducten in ons systeem.

Persoonlijke zoektocht (Pedram)

Ik ben opgegroeid in het zuiden van Californië. Mijn familie was neergestreken in de omgeving van Huntington Beach en het is daar goed wonen. We dronken gefilterd water, maar we dachten: dit is Californië. We kunnen vast wel koken met kraanwater. We zullen er vast geen cholera van krijgen of zo.

Maar waar we niet aan hadden gedacht, was dat er een jaar of vijftig geleden oliebronnen voor de kust lagen. Ik heb een gifstoffentest laten doen en mijn aluminium- en uraniumgehalte was hoog. Blijkbaar is een decennium lang koken met dat spul niet goed voor je. Elke keer dat ik pasta kookte, gaf ik mezelf een dosis uranium.

Uranium klinkt eng – en dat is het ook – maar gelukkig hebben we het hier niet over het radioactieve spul. Maar toch zit het in schoon, stedelijk drinkwater. Ik heb het uit mijn systeem gekregen, en ik heb een omgekeerde osmose-filter onder de gootsteen geïnstalleerd, zodat we er niet meer mee zouden koken. Toen ik me na zes maanden opnieuw liet testen, was mijn gehalte in orde.

Belangrijke les: ontgiften alleen is niet genoeg; doe iets aan de oorzaak van het probleem.

TESTEN

Een andere belangrijke stap kan zijn dat je samen met een professional uitzoekt hoeveel giftige stoffen er in je lichaam zitten. Als het je echt veel moeite kost om af te vallen of als je energiepeil zo laag is dat je amper kunt functioneren en je tot nu toe al alles hebt geprobeerd, zou toxiciteit het probleem kunnen zijn. Als dat zo is, heb je de hulp van een professional nodig, waarschijnlijk iemand die meer weet dan je huisarts, om je gehaltes weer normaal te krijgen.

We moeten je wel waarschuwen dat deze testen duur kunnen zijn. Zorg ervoor dat je met een deskundige werkt die eerst goed naar je symptomen luistert en veel vragen stelt over je leefstijl en waar je woont. Op die manier kan hij vaststellen wat in jouw geval de meest waarschijnlijke boosdoeners zijn waarop getest moet worden. Als je bijvoorbeeld elke dag luncht met sushi, wil hij mogelijk je kwikgehalte testen.

Wat voor testen kunnen ze doen? Laten we er een paar bekijken.

Bloedtest

Je arts kan allerlei verschillende gifstoffen meten die kunnen rondzwemmen in je bloedbaan. We hebben het dan over zware metalen als aluminium, kwik, arsenicum, barium, lood, tin, zink en nog veel meer.

Urineonderzoek

Een bloedtest laat zien wat er op dat moment in je bloedbaan zit; dus alles wat je kortgeleden hebt binnengekregen, maar nog niet is opgeslagen in je lichaam. Urineonderzoek gaat verder. Eerst krijg je een urinetest om de normale achtergrondniveaus vast te stellen. Dan neem je iets in dat DMSA, DMPS of EDTA wordt genoemd. Dat perst als het ware je cellen uit, waardoor alle rotzooi die erin is opgeslagen, naar buiten komt.

In de loop van zes uur vang je al je urine op in een emmer of zo, en dat stuur je terug naar het lab, waar ze kunnen zien waar je werkelijk mee rondloopt. Dit is de gouden standaard van toxiciteitstesten en het is iets wat je sowieso met een arts moet doen.

DE ENERGIEREMEDIES

Energieremedie #1: beperk je blootstelling aan giftige stoffen

We leven in een toxische wereld. Je kunt je niet terugtrekken in je eigen bubbel en zo alle dreigingen buitensluiten. Maar je kunt wel kijken naar de bewuste keuzes die je maakt en waarmee je je lichaam omringt en wat je erin stopt en erop smeert. Je zult nooit alle gifstoffen in je lichaam en om je heen kunnen kwijtraken, maar een páár ervan uitbannen kan al een groot verschil maken.

Om dit te kunnen doen moet je eerst weten in welke mate je wordt blootgesteld en waaraan. Zo heb je de beste kans van slagen.

Dit vinden wij de beste opties om je toxische belasting te verlagen:

Gebruik in je huis een luchtfilter
We kunnen weinig doen aan de uitlaatgassen van dieseltrucks die langsrijden, maar we kunnen wel voorkomen dat ze ons huis in trekken. Hieronder staan enkele opties:

- Als allergenen een probleem zijn: de Coway Mighty Air Purifier haalt deeltjes – inclusief pollen en allergenen – vanaf een grootte van 0,3 micron uit de lucht.
- Als je je zorgen maakt over schimmels: GermGuardian Elite 3-in-1 heeft een antibacteriële functie en uv C-licht om schimmels en bacteriën te doden.
- Als je in een rokerige omgeving woont, werkt een luchtreiniger met een ingebouwde ionisator het beste. De ionisator zorgt ervoor dat de kleinste verontreinigingen uit de lucht worden gehaald.

Zet je ramen open

Als je het belangrijker vindt om van de giftige stoffen in je huis af te komen dan van die van buitenaf, moet je je ramen openzetten. Laat de frisse lucht naar binnen stromen.

Eet biologisch

Dit is geen wereldschokkend nieuws. We weten dat op conventionele wijze geteelde producten zijn besproeid met allerlei chemicaliën en giftige stoffen. Onderzoek van de UC Berkeley School of Public Health liet zien dat bij gezinnen die een week lang volledig biologisch aten, de sporen van pesticiden in hun lichaam gemiddeld met 60 procent afnamen.[22]

Gebruik andere verzorgingsproducten

Verzorgingsproducten behoren tot de grootste boosdoeners op het gebied van giftige stoffen, dus probeer de volgende keer producten te kopen die 100 procent biologisch en vrij van parabenen zijn. Lees de etiketten van je make-up, deodorant, shampoo, zeep en al het andere dat je op je lichaam smeert. Kies voor zo natuurlijk mogelijk. Als je door de bomen het bos niet meer ziet, kun je eens op websites kijken die alles al voor je hebben uitgezocht, zoals die van de Environmental Working Group (ewg.org/skindeep). Op hun site kun je op merk, ingrediënten of productsoort zoeken naar veiligere verzorgingsproducten.

Energieremedie #2: probeer een ontgiftingskuur

Ontgiften is niets nieuws. Het gebeurt al duizenden jaren en mensen hebben er echt baat bij.

Onze voorouders hielden zich al eeuwen bezig met ontgifting. Nick werkt nauw samen met K.P. Khalsa, een van de meest vooraanstaande deskundigen op het gebied van natuurgenezing in Noord-Amerika. Volgens hem is het zo dat wanneer je een ontgiftingskuur doet, je niet alleen de giftige stoffen die je uit je omgeving hebt opgepikt kwijtraakt, maar ook de giftige stoffen die van generatie op generatie zijn doorgegeven.

We weten dat dit misschien een beetje zweverig klinkt en we zeggen ook niet dat we erin geloven. Maar het geloof in ontgifting en de noodzaak om onzuiverheden uit ons lichaam te verwijderen, is iets wat we als mensen al lange tijd met ons meedragen.

Ons lichaam opzettelijk ontgiften is tegenwoordig nog net zo belangrijk, misschien zelfs nog wel meer. 'We leven zonder twijfel in een zeer toxische wereld,' legde dokter David Perlmutter uit. 'Het is een wereld die in niets lijkt op waarmee onze voorouders geconfronteerd werden. Onze ontgiftingsbescherming is niet zodanig geëvolueerd dat we in staat zijn om te gaan met alle gifstoffen waaraan we worden blootgesteld, dus we moeten ons best doen om onze ontgiftingsroutes te versterken. Als we begrijpen hoe, kunnen we onszelf een zetje in de goede richting geven bij het omgaan met enkele van onze toxische blootstellingen.'[23]

Dit zijn enkele van de meest gebruikte technieken om de ontgifting op gang te brengen (je hebt van een aantal ervan vast al eens gehoord):

Puur, rauw of alkalisch eten

Dit is in feite alle drie hetzelfde en houdt in dat je vooral rauwe planten eet: dus fruit, groenten, rauwe noten, zaden en kiemen. Het idee is dat je een massa fytovoedingsstoffen, microvoedingsstoffen, vezels en enzymen binnenkrijgt die anders door koken worden gedenaturaliseerd, en op deze manier je lever, karteldarm en nieren zuivert, maar ook je longen en huid. Als je bloedwaarden te zuur zijn, kan een dergelijke ontgiftingskuur helpen je pH-waarde in balans te brengen. De kuur duurt ongeveer een maand.

Master cleanse

We kennen waarschijnlijk allemaal wel iemand die dit heeft gedaan. Je mengt hiervoor vers citroensap, cayennepeper, ahornsiroop en water. Als extraatje kun je er wat psylliumvezels aan toevoegen. Je gaat er hoe dan ook flink van poepen. Je kunt dit drie tot tien dagen doen. Je valt er enorm van af en verwijdert een heleboel gifstoffen uit je lichaam.

Vloeibare sapkuur

Dit is precies hoe het klinkt. Heel veel water, in combinatie met verse biologische groentesappen, vloeibare soepen als miso, en smoothies van bladgroenten of bessen. Kies vooral voor donkere bladgroenten als peterselie, basilicum, bleekselderij, kool, koriander en komkommer, maar ook voor wortel, bieten, gember en kurkuma. Je kunt dit drie dagen doen of zelfs wel twee weken.

Een kleine waarschuwing: net als bij andere vormen van vasten moet je voorzichtig zijn. Let goed op hoe je lichaam reageert. Vasten is geweldig, *mits je het goed doet*. Omdat je zo weinig vast voedsel eet, zal je lichaam zich er juist op gaan focussen, waardoor wat je eet een extra grote impact heeft. Dat betekent dat het belangrijker dan ooit is om biologisch te eten.

Dit ligt voor de hand, omdat we van gifstoffen proberen af te komen, maar het is wel belangrijk. Je lichaam probeert giftige stoffen uit te drijven en gebruikt elk beetje voedsel dat het krijgt. Zorg ervoor dat je goed voedsel geeft.

Je moet ook weten dat als iets voor even goed voor je is, dat niet wil zeggen dat het op de lange termijn ook goed is. Je moet voedsel eten, oké? Je kunt niet lang overleven op cayennepeper en citroensap. Je kunt veel schade aanrichten als je hierin doorslaat.

Het is zeer zeker mogelijk om te veel te ontgiften, en als je het doet om ongezonde leefstijlkeuzes te verdoezelen, kan het meer kwaad dan goed doen. In LA is detox het nieuwe woord voor diëten. Als je midden in de nacht nog aan het feesten bent en taco's naar binnen propt en tequila's achteroverslaat en denkt: *ach, ik begin over drie dagen aan een ontgiftingskuur, geen probleem*, dan zijn er andere dingen die je moet veranderen.

Als je ontgiftingskuur erop zit, moet je teruggaan naar gezonde eetgewoonten.

Energieremedie #3: breng meer natuurlijke ontgifting in je dagelijks leven

Soms heb je geen uitgebreid ontgiftingsprogramma nodig. Wat extra toevoegingen aan je dagelijks leven kunnen je lichaam en energiepeil een boost geven. We noemen een aantal dingen waarmee je kunt experimenteren.

Breng een paar van deze dingen in je dagelijks leven en kijk wat er gebeurt.

Eet salsa

Uien, knoflook en koriander halen de zware metalen uit je cellen, dus eet gewoon de hele tijd salsa! Zorg wel dat je er niet te veel chips bij eet.

Zweet het eruit

Trek je trainingsbroek aan en ga aan het werk. Je lever en nieren zijn de belangrijkste organen voor ontgifting, maar alles wat ze niet kunnen verwerken, wordt in je zweet door je huid naar buiten geperst.

Deze work-out kun je thuis doen en zorgt ervoor dat je flink gaat zweten. Stel een timer in en doe de volgende oefeningen:

- 5 push-ups (doe ze zo nodig op je knieën, tegen een muur of op een schuin oppervlak)
- 20 crunches
- 20 jumping jacks
- 10 squats

Je doel is om ongeveer tien minuten te bewegen. Je hartslag moet omhoog en het zweet mag op je voorhoofd staan. Eén ronde is misschien al genoeg voor jou, anders moet je er meer doen. Luister naar je lichaam. Je moet zweten en zwaar ademen, maar je moet niet licht in het hoofd worden of naar adem snakken. Als dat zo is, moet je de intensiteit terugschroeven. Aan de andere kant moet je wel gaan zweten, dus als het te makkelijk voor je is, moet je het tempo verhogen of de oefeningen vaker herhalen.

Als je echter al uitgeput bent, kun je dit beter niet doen. Denk erom dat je jezelf tegemoet moet komen; dan doe je precies wat goed voor je is.

Als er dagen zijn dat je niet in staat bent jezelf in het zweet te werken, is dat ook prima. Trakteer jezelf op een *infraroodsauna*. Ja, dat is best chic en we zeggen ook niet dat je er eentje moet kopen, maar twintig tot dertig minuten zweten in een sauna kan je helpen om gifstoffen kwijt te raken.

Eet meer bittere smaken

Kijk eens rond in verschillende culturen en je ziet dat de meeste vanouds een drankje hebben dat voor het eten wordt gedronken. Traditioneel zijn de meeste van die drankjes bitter. Zelfs bier is bitter. Bittere smaken sporen onze spijsvertering aan om de sappen te produceren die nodig zijn om ons voedsel af te breken. Hoe beter je je voedsel afbreekt, hoe gemakkelijker je lever zijn werk kan doen.

Door meer bittere smaken aan je eetpatroon toe te voegen, help je je lever je lichaam te ontgiften.

Je kunt hiervoor elke bittere groentesoort gebruiken, waaronder kruisbloemige groenten als broccoli, boerenkool, bloemkool, broccolikiemen en radijsjes. Voeg elke dag drie tot vier koppen van deze groenten, het liefst gaar, toe aan je voeding of vervang je gewone sla eens door rucola, die ook bitter is.

Probeer supplementen en kruiden

Het populairste supplement is mariadistel, dat de lever helpt om zichzelf te ontdoen van gifstoffen. Zwavelrijke aminozuren als *methyldonoren*, en SAME en methionine kunnen ook effectief zijn. Zelfs supplementen als vitamine C en B kunnen de lever helpen.

Drink genoeg water

Er zijn online allerlei rare ontgiftingsprogramma's te vinden, met pillen, sappen en wat al niet; laat je niet verleiden door verkooppraatjes over de nieuwste en beste gimmicks.

Er gewoon voor zorgen dat je gehydrateerd blijft en genoeg gefilterd water drinkt, kan al wonderen doen voor je lever en nieren. Water spoelt je systeem schoon, dus drinken maar.

Energieremedie #4: houd je mitochondria in vorm

Zoals eerder is gezegd, is het beste wat je voor je mitochondria kunt doen, mitofagie op gang brengen. Urolithine A, dat in granaatappels zit en als supplement verkrijgbaar is, kan je oude mitochondria opruimen, zodat er ruimte ontstaat voor nieuwe.

Je moet er ook voor zorgen dat je genoeg antioxidanten eet om beschadiging van cellen tegen te gaan, en dan met name *glutathion*, een aminozuur dat je mitochondria beschermt. (Extraatje: het ontgift ook.)[24] Het is verkrijgbaar als supplement, maar je kunt je inname ook vergroten door te kiezen voor voedsel dat rijk is aan voorlopers van voedingsstoffen, zoals knoflook, uien, kruisbloemige groenten als broccoli, bloemkool, kool en spruitjes, maar ook asperges, paprika, wortel, avocado, pompoen en spinazie.

En zorg er, zoals altijd, voor dat je genoeg magnesium binnenkrijgt.

OPLOSSING

Het was niet fout dat Sandra haar huis schoon wilde houden; dat willen we allemaal, alleen kost het sommige mensen de nodige moeite. Sandra had het goed voor elkaar.

En toch was Sandra's drang om alles schoon te houden van invloed op de gezondheid van haar gezin. Vanwege haar angst voor ziektekiemen gebruikte ze overal in huis bleek, ook op plaatsen waar eten werd bereid. Die schoonmaaksprays bevatten niet heel veel chloor, in elk geval niet genoeg om iemand in het ziekenhuis te doen belanden met een chloorvergiftiging (tenzij haar kinderen het zouden drinken of zo), maar er zit genoeg in om ervoor te zorgen dat je je niet lekker voelt – of vermoeid.

Het duurde even voor Sandra in de gaten had hoe het zat, maar het kwartje viel toen ze een beetje van het spul in haar ogen kreeg. Als die spray zó aanvoelde, wat deed het dan met haar ingewanden als ze het via haar voedsel binnenkreeg?

Ze stapte over op een zelfgemaakt schoonmaakmiddel met witte azijn, water en essentiële oliën. Azijn is een azijnzuur en een goed ontsmettingsmiddel; het kan salmonella, *E. coli* en andere bacteriën doden.

Het was een simpele oplossing, en een waarmee ze geld uitspaarde. En het duurde niet lang voordat Sandra en haar gezin weer de oude waren.

PERSOONLIJKE UITDAGING

We weten dat we acht glazen water per dag moeten drinken, maar doen we dat ook echt? We dagen je uit om jezelf op de proef te stellen. Acht glazen water zijn bijna twee liter. Vul een kan met een inhoud van twee liter met gefilterd water en kijk of je die in een dag helemaal leeg krijgt.

Blijf dat een week lang elke dag doen. In het begin lijkt het misschien veel te veel, maar je zult merken dat je lichaam eraan gewend raakt; er zelfs naar begint te verlangen. Probeer het eens en kijk hoe je je dan voelt.

HOOFDSTUK 7

Bijnieren en hormonen

Bethany heeft een hectische, dynamische carrière in de reclame. Op een normale dag drinkt ze zes tot acht koppen koffie (soms nog meer!), krijgt ze heel weinig slaap, reageert ze 's avonds en in de weekenden nog op e-mails en verzoeken van klanten en woont ze regelmatig etentjes en conferenties bij. Ze heeft een geslaagde carrière, maar daar betaalt ze wel een prijs voor.

Bethany probeert al drie jaar zwanger te worden.

Ze heeft iedere specialist bezocht. Ze heeft haar eetpatroon veranderd en verschillende medicijnen ingenomen die haar hormoonhuishouding in de war hebben geschopt en voor enorme stemmingswisselingen zorgden. Ze heeft zelfs last van acne, slapeloosheid, geen zin in seks en ze is de hele tijd moe.

Haar man en zij zijn ten einde raad en overwegen nu om 25.000 euro uit te geven aan ivf-behandelingen. Ze wil het wel, maar ze heeft toch het gevoel dat ze een mislukkeling is. Dat het maar niet lukt om zwanger te worden heeft haar gevoel van eigenwaarde en haar identiteit als vrouw aangetast. 'Normale' vrouwen kunnen zwanger worden, houdt ze zichzelf voor. Haar zus en veel van haar vriendinnen is het zonder problemen gelukt. Maar om de een of andere reden lukt het haar niet.

De meeste artsen wuiven haar problemen weg, waardoor ze zich een nog grotere mislukkeling voelt.

Nu ze begin veertig is, is zwanger worden een persoonlijke kwestie geworden voor Bethany. Ze is bang dat het al bijna te laat is om nog op de natuurlijke wijze zwanger te worden en te bevallen. Ze heeft het punt bereikt dat ze snel een kind moet hebben of het helemaal op moet geven. Eigenlijk wil ze het niet opgeven, maar zonder zin in seks en zonder energie weet ze ook niet meer wat ze moet doen.

HET PROBLEEM

Hormonen.

Veel mensen denken dat hormonen alleen een rol spelen als je een jaar of dertien bent, of als je zwanger probeert te worden. Maar als je begint te begrijpen wat hormonen feitelijk doen in je lichaam, besef je dat ze *heel belangrijk* zijn.

Hormonen zijn eigenlijk chemische boodschappers die opdrachten doorgeven tussen je organen en cellen. Vaak is het informatie die niet eens via je hersenen gaat.

We hebben al gezien dat als er glucose in je bloedbaan zit, je alvleesklier een seintje krijgt dat hij het hormoon insuline moet aanmaken en afgeven. Die insuline is een boodschapper die zich naar je cellen verplaatst, op hun voordeur klopt en zegt: 'Hé, doe eens open, we hebben een lading glucose die de mitochondria moeten omzetten in energie.'

Je hersenen spelen daarbij geen rol. Het gaat net zo vanzelf als ademhalen.

Elke dag produceert je lichaam honderden hormonen die worden afgegeven door klieren als de hypofyse, pijnappelklier, schildklier, alvleesklier, testikels, eierstokken, thymus en bijnieren. Deze klieren vormen je *endocriene stelsel*. Het endocriene stelsel is een informatiesnelweg die onze cellen, organen en lichaam als geheel in staat stelt probleemloos met elkaar te communiceren.

Het probleem is dat onze moderne wereld en leeftijd de boodschappers kan dwarszitten, en als onze hormonen niet goed werken, werken onze organen, cellen en lichamen ook niet goed. En als ons lichaam niet goed werkt, kan er niet goed energie worden geproduceerd en kunnen we vermoeid raken.

Ons doel met dit hoofdstuk is je een beter inzicht geven in wat er aan de hand zou kunnen zijn met je hormoongehaltes. We richten ons op de bijnieren, die een grote rol spelen in het reguleren van je energie, slaap, immuunsysteem en stofwisseling. We zullen ook kijken naar wat er gebeurt als het misgaat met hormonen als cortisol en adrenaline, en wat de voor- en nadelen zijn van het innemen van testosteron. Aan het einde van het hoofdstuk ontkrachten we een van de meest schadelijke culturele mythes omtrent leeftijd en het wanhopige verlangen en de zware culturele druk die we ervaren om voor altijd jong te blijven.

Laat je door dit hoofdstuk informeren zodat je beter begrijpt wat er op hormonaal vlak allemaal gebeurt.

DE ENERGIELEKKEN

Energielek #1: je bijnieren laten de cortisolproductie in het honderd lopen

De bijnieren zijn piepkleine klieren die boven de nieren zitten. Ze produceren hormonen die helpen bij de regulatie van de bloedsuikerspiegel, immuunreactie, stofwisseling, spijsvertering en meer.

Twee hormonen die de bijnieren produceren, spelen een hoofdrol in ons vermoeidheidsverhaal: cortisol en adrenaline.

Laten we eerst naar cortisol kijken. *Cortisol* speelt een rol in veel processen van je lichaam. Het helpt ontstekingen te remmen. Het helpt je stofwisseling te regelen en het houdt je bloedsuikerspiegel op peil door glycogeen (glucose) vrij te maken uit voorraden in de lever en spieren.

Stel dat je lichaam in de loop van een dag glucose nodig heeft, oftewel energie. Er is niet direct iets beschikbaar en misschien ben je druk bezig en heb je geen tijd om iets te eten. Je lichaam spreekt ook de vetreserves niet aan omdat (a) het geen vetverbrandingsmachine is of (b) het vet al in gebruik is om kwik vast te houden zodat je jezelf niet vergiftigt.

Als je lichaam niet over de glucose beschikt die nodig is, stuurt het een bericht naar de bijnieren: 'Hé, maak eens wat cortisol zodat wij aan ons glycogeen kunnen komen.' Dan gaan de bijnieren aan de slag om cortisol aan te maken, die wordt afgegeven aan de bloedbaan. Het cortisol helpt om je glycogeenvoorraden vrij te maken.

Dit proces vindt ook 's nachts plaats, wanneer je slaapt en je hersenen energie nodig hebben om alle herstelwerkzaamheden uit te voeren. Je bijnieren gaan aan de slag. Ze maken wat cortisol aan, dat je glycogeenvoorraden vrijmaakt. Je brein wordt gevoed en is tevreden.

Cortisol heeft ook een andere rol, namelijk reageren op stress. Cortisol staat zelfs bekend als het stresshormoon. Het geeft je energie en helpt je om te gaan met de dagelijkse stressoren. We komen zo meteen terug op cortisol, even geduld. We moeten eerst een andere speler in ons verhaal introduceren.

Als je gestrest bent, zorgen je bijnieren voor de aanmaak en afgifte van zowel cortisol als adrenaline.

Adrenaline is een hormoon dat een cruciale rol speelt in de vecht-of-vluchtreactie. Het is het spul dat je gebruikt als je tijdens een lange trektocht een bocht om loopt en ineens oog in oog staat met een beer. Adrenaline geeft je systeem een boost om je snel in en uit een noodsituatie te krijgen.

Adrenaline kan ook 's nachts worden gebruikt als er niet genoeg glycogeen op voorraad is om je brein te voeden. Misschien is je bloedsuikerspiegel te laag. In dat geval geven je bijnieren wat adrenaline af. Ze moeten je snel wakker maken, zodat je iets kunt eten waardoor je bloedsuikerspiegel weer omhooggaat.

Wat we hier beschrijven, is volkomen natuurlijk en normaal. Maar nu ontspoort ons verhaal. Cortisol is bedoeld voor gebruik overdag. Maar door middel van korte afgiftes. Adrenaline is enkel bedoeld voor gebruik in noodsituaties. Bij sommige mensen pompen de bijnieren veel te vaak cortisol en adrenaline het lichaam in.

De redenen hiervoor lopen uiteen. Het kan komen door problemen met de bloedsuikerspiegel, maar ook door stress. We hebben het al het hele boek over onze defecte wereld. Veel mensen leiden een stressvol leven. We zitten de hele dag in een vecht-of-vluchtstand. Dat betekent dat ons lichaam cortisol en adrenaline aanmaakt van het moment dat we wakker worden tot het moment dat we eindelijk in slaap vallen, en dat vergt veel van onze bijnieren. 'De bijnieren worden geprikkeld als we onder constante, voortdurende stress leven,' vertelde dokter Meghan Walker, een natuurgenezingsarts die zich heeft gespecialiseerd in het optimaliseren van de gezondheid en prestaties van ondernemers. 'Je bijnieren kunnen niet naar buiten kijken, dus ze kunnen niet herkennen of we een pelgrimstocht maken met onze stam en een tekort aan water hebben of dat we over tien dagen een heel belangrijke deadline moeten halen.'[1]

Onze bijnieren zijn fabrieken geworden die dag en nacht cortisol produceren. Dat is niet goed.

De jaren beginnen te tellen en uiteindelijk kunnen je bijnieren het begeven. Ze kunnen het punt bereiken waarop ze zeggen: 'Man, ik kan niet meer. Ik ben kapot. Ik kan dit tempo niet langer volhouden.' Als dat gebeurt, is je cortisolgehalte het eerste wat eraan gaat. Het neemt af, en nu heb je niet meer de puf om de dag door te komen en word je overmand door vermoeidheid.

Energielek #2: je cortisolpatroon is omgekeerd

Cortisol speelt ook een grote rol in het reguleren van je slaap-waakcycli. Als je wakker wordt, is het cortisol dat je helpt om uit bed te komen.

Je opent je ogen en je hersenen raken een beetje gestrest bij de gedachte aan de dag die voor je ligt. Dat is niet erg. Dat kleine beetje stress laat je bijnieren weten dat er wat cortisol nodig is.

In een natuurlijke wereld zou je cortisolgehalte in de ochtend moeten pieken. Naarmate de dag verstrijkt moet het dalen terwijl je gehalte aan melatonine (dat je helpt in slaap te vallen) begint toe te nemen.

Maar die golfbeweging blijft uit.

'Ik zie veel mensen die moe zijn en ook een omgekeerd cortisol-patroon hebben,' legde dokter Heidi Hanna uit. 'Helaas vertonen de meeste mensen die chronisch vermoeid zijn, of het nu psychische of lichamelijke vermoeidheid is, dit omgekeerde patroon. Er is op systemisch niveau echt iets aan de hand. Het is niet zo dat ze gewoon zwak zijn of eroverheen (de vermoeidheid) moeten stappen.'[2]

Als je cortisolpatroon is omgekeerd, betekent dat dat je cortisolgehalte in de ochtend laag is en je geen energie of motivatie hebt om te kunnen functioneren. In de loop van de dag neemt het gehalte dan toe, om een hoogtepunt te bereiken voordat je naar bed gaat. Dan kun je niet uitrusten en herstellen omdat er cortisol door je lichaam stroomt en je in opperste staat van paraatheid bent.

Er bestaan veel theorieën over waarom zo'n omgekeerd cortisolpatroon optreedt. Een daarvan is dat we onze hersenen gewoon niet kunnen uitschakelen. Onze gedachten en de stress van onze moderne wereld zorgen ervoor dat we in de hoogste versnelling staan.

We worden ook overprikkeld met angstaanjagende nieuwskoppen die adrenaline opwekken. We lezen voor het slapengaan het belangrijkste nieuws op onze apparaten en bekijken zodra we wakker worden het laatste nieuws op onze apparaten – die ook nog eens dat gevaarlijke blauwe licht afgeven dat ons cortisolgehalte laat pieken, ons melatoninegehalte laag houdt en onze pijnappelklier verstoort.

Veel mensen zitten ook gevangen in een vreselijke werkcultuur. Ze hebben een onredelijke baas die met onrealistische deadlines en verwachtingen komt. Ze leven in een stad van deadlines, proberen met de constante werkdruk om te gaan en offeren daarvoor hun slaap op. Als je moe bent en echt wilt slapen, maar jezelf niet toestaat die rust te pakken, wordt je brein gedwongen je hersenen aan te spreken en te zeggen: 'Hé, deze persoon wil doorgaan, we zijn nog niet klaar met marcheren, zorg ervoor dat het gebeurt.' En hup, je bijnieren pompen cortisol je lichaam in zodat je alles kunt bijbenen.

Om je normale cortisolpatroon terug te krijgen moet je je stress onder controle krijgen, je slaap-waakritme resetten door op normale tijden te slapen en je blootstelling aan blauw licht in de avonduren beperken. Dit klinkt alsof er werk te doen is, maar het is juist het tegenovergestelde; het betekent dat je veel vaker moet chillen en je niet schuldig moet voelen als je er af en toe uitziet als een nietsnut. Het betekent dat je moet accepteren dat je af en toe wat minder moet doen zodat je kunt herstellen.

Energielek #3: je pikt cortisol van andere hormonen

Je brein is een soort opperheer die bereid is elk orgaan in je lichaam op te offeren om zelf in leven te blijven. Als het cortisol nodig heeft om zijn suikervoorraad op peil te houden, stress te beperken of met inflammatie om te gaan, zal het ervoor zorgen dat het het krijgt, koste wat het kost.

Zelfs als je bijnieren reageren met: 'Hé, we hebben geen cortisol meer, want deze persoon eist al twintig jaar het uiterste van ons,' maakt dat niets uit. Daar kan je brein niet mee zitten. Het wil cortisol en zal het krijgen ook. Als je bijnieren normaal functioneren, is er niets aan de hand.

Als ze dat niet doen, is het een probleem.

Je bijnieren worden gedwongen van alles bij elkaar te schrapen om meer cortisol te maken. Ze pikken de ruwe materialen voor cortisol van andere hormonen die ze ook aanmaken. Het is alsof ze een heel bos hebben omgehakt, maar nog steeds hout nodig hebben voor hun boten en zich dus naar een ander bos verplaatsen.

Je bijnieren maken uiteenlopende hormonen aan, waaronder geslachtshormonen die de groei van de voortplantingsorganen aansturen (testikels en eileiders). Een van de hormonen die je bijnieren zo kunnen pikken, is *pregnenolone*. Dat is basismateriaal voor andere geslachtshormonen, zoals testosteron, progesteron en oestrogeen.

Als je lichaam pregnenolone begint te gebruiken voor cortisol, kan er een tekort ontstaan. Daardoor gaan je geslachtshormonen slechter werken, en vervolgens ook je geslachtsorganen. Een man kan dan misschien geen erectie meer krijgen. Een vrouw kan haar menstruatie overslaan of vruchtbaarheidsproblemen krijgen.

Het is alsof je domino speelt. Het ene hormoon valt om en andere volgen. Als je testosterongehalte laag is, kun je magere spiermassa verliezen (en daarmee ook mitochondria). Je lichaamsvet zou kunnen toenemen en je huid kan droger worden.

De bijnieren pikken niet alleen van testosteron. Ze halen ook wat weg bij progesteron, dat een kalmerend hormoon is. Als je een laag progesterongehalte hebt, ben je prikkelbaarder en heb je misschien moeite met slapen. Je bijnieren kunnen ook stelen van oestrogeen. Als het gehalte daarvan daalt, kunnen vrouwen last krijgen van opvliegers (net als tijdens de menopauze), een onregelmatige menstruatie en ze kunnen zich down voelen. Oestrogeen zou een link hebben met serotonine, een neurotransmitter in de hersenen die een geluksgevoel geeft.

Dit zijn maar enkele voorbeelden van de vele uiteenlopende bijwerkingen die kunnen optreden als je bijnieren cortisol van andere hormonen moeten wegnemen. En alle wegen leiden er uiteindelijk toe dat jij vermoeid raakt.

Energielek #4: je gebruikt testosteron als langetermijnoplossing

Het innemen van testosteron is een van de vaste behandelmethodes geworden. Als je naar de dokter gaat en vertelt dat je moe bent, zal je testosterongehalte een van de eerste dingen zijn die hij laat testen.

Als het laag is, zal hij misschien zeggen: 'Ah, ik weet waarom je moe bent! Hier, neem deze hormoonvervanger, dan voel je je snel beter.' Toegegeven, je gaat je inderdaad beter voelen. Als je je amper kunt bewegen en je testosterongehalte een dieptepunt heeft bereikt, helpt zo'n middel je weer op de been. Testosteron helpt om meer energie uit je cellen te 'persen' en laat het lichaam weten dat er groei plaatsvindt en het dier dus in beweging moet komen.

Een andere reden dat je je beter voelt, is dat testosteron je lichaam helpt om meer mager spierweefsel aan te maken. Je weet: hoe magerder het spierweefsel, hoe groter en sterker je energie producerende mitochondria worden. Je energieproducenten kunnen weer aan de slag. Daarom voel je je beter.

Testosteron helpt ook je humeur te verbeteren en vergroot je competitiedrang en mentale scherpte. Mensen met een laag testosterongehalte voelen zich vaak verslagen en gedeprimeerd, dus als het toeneemt, voelen ze zich tot meer in staat, tevredener met hun leven en bereid om de wereld te veroveren. Testosteron kan mensen echt kracht geven.

Maar er zit een schaduwkant aan het gebruik van testosteron – of elk ander hormoon. Als je hormonen als testosteron gaat innemen, ziet je lichaam dat als een teken dat het ze niet meer hoeft te maken. Waarom zou je energie verspillen aan de productie van hormonen als dat niet nodig is? Dat is niet goed. Je wilt dat je lichaam op natuurlijke wijze zelf testosteron en andere hormonen aanmaakt. Hoe langer je lichaam afhankelijk is van een hormoontoevoer van buitenaf, hoe lastiger het wordt om je lichaam weer zelf aan het produceren te krijgen.

Een andere keerzijde is dat het testosteron dat mannen innemen, soms wordt gebruikt voor de aanmaak van dihydrotestosteron, dat een geslachtshormoon en steroïde is. Je zult absoluut meer energie krijgen, maar als je te veel dihydrotestosteron in je lichaam hebt, kan je haar gaan uitvallen en kun je een toegenomen kans op prostaatkanker hebben.

Bij sommige mensen kan het testosteron ook worden gearomatiseerd tot oestrogeen. *Aromatase* is een chemisch proces waarbij een molecuul wordt veranderd door er een waterstofatoom vanaf te halen. Het testosteron wordt zo uit elkaar gehaald en verandert in oestrogeen. Dan kun je denken aan mannen met 'mannenborsten'. Dat kan al zijn gebeurd voordat het testosteronsupplement werd ingezet. Als je een man bent en gewichtsproblemen en 'mannenborsten' hebt, zal testosteron je niet helpen – het zal alleen je oestrogeenproblemen groter maken. Het zorgt ervoor dat je je haar sneller verliest en vergroot de kans op kanker. Voor vrouwen die al moe zijn en omkomen in het oestrogeen, zal deze neerwaartse spiraal het alleen maar erger maken.

Als je ten slotte goed naar het gezondheidsprofiel kijkt van iemand die testosteron inneemt, zul je waarschijnlijk zien dat het cortisolgehalte niet goed is. Deze mensen hebben vaak stofwisselingsstoornissen en andere hormonale problemen.

Energielek #5: je wordt aangespoord om eeuwig jong te zijn

We kunnen het onderwerp hormonen niet afsluiten zonder aandacht te besteden aan zo'n beetje de grootste druk waaronder we leven in de huidige tijd: de druk om jong te blijven.

Onze media en cultuur lijken een sfeer van angst en schaamte te creëren rond het ouder worden, en soms leidt die wens om er jong uit te blijven zien ertoe dat we hormoonvervangers gaan gebruiken. Er worden ons regelmatig antiverouderingscrèmes en andere producten aangeprezen en we worden aangespoord om ervoor te zorgen dat we geen rimpels of grijze haren krijgen. Dat is de druk waar mannen en vrouwen elke dag mee te maken krijgen.

Je jong willen voelen, het gevoel willen hebben dat je lichaam jeugdig en sterk is en bruist van het leven is één ding. Het is anders wanneer de media je vertellen dat je jong moet blijven. We leven in een nonsenscultuur die ons voorhoudt dat we moeten drinken uit een mythische bron van jeugd die helemaal niet bestaat, en dat is maar goed ook.

Het idee is schadelijk. Het is giftig. En het trekt alle levenskracht en energie uit mensen.

Je lichaam verandert als je ouder wordt, en tijdens die overgang kun je je soms minder energiek voelen.

Persoonlijke zoektocht (Pedram)

Vroeger dacht ik dat ik een superheld was. Ik had alles in mijn leven volledig uitgestippeld. Ik runde een succesvolle onderneming, schreef boeken, nam podcasts op en maakte documentaires.

Mijn vrouw en ik verwachtten onze eerste baby. We hadden een uitgerekende datum, dus ik had mijn leven volgepland tot het moment dat het mannetje geboren zou worden.

'De mens maakt plannen en God lacht,' zoals het gezegde luidt. De baby kwam *twee weken te vroeg* – dat was helemaal niet volgens plan. Ik had het gevoel dat ik op een strand naar een mooie zonsondergang had staan kijken en ineens de zee in werd gesleurd door een gigantische golf die me vanuit het niets te pakken kreeg. De daaropvolgende twee jaar voelde het alsof ik zo hard als ik kon zwom om alleen maar mijn hoofd boven water te houden, zodat ik nog net een hap lucht kon nemen voordat de volgende golf over me heen sloeg en me weer onder water trok.

Ineens was iets wat ik altijd voor lief had genomen, 'nachtrust', van me afgenomen. Ik dronk nooit koffie, tot mijn zoon werd geboren. Voor het eerst in mijn leven vond ik het moeilijk om te sporten; ik had er geen zin in. Ik had niet eens zin in seks.

Ik werd overspoeld door veel meer verplichtingen dan waarvoor ik de tijd en energie had, maar het voelde alsof ik geen keus had. Ik moest doorgaan, hoe uitgeput ik ook was. Twee jaar lang moesten mijn bijnieren voortdurend cortisol aanmaken om me overeind te houden, en daarna moesten ze van andere hormonen pikken tot er niets meer was. Ik was gestrest, gespannen en moe, zo moe.

Het was enorm moeilijk om me ermee te verzoenen. Ik was een man van meditatie, van kungfu, een gids in de wereld van gezondheid en wellness, en ik kon niet meer. Ik kon het tempo onmogelijk nog bijhouden – niet zonder van mijn vrouw een weduwe en van mijn zoon een kind zonder vader te maken.

Dus ik gaf mezelf voor één winterzonnestilstand toestemming om mijn professionele verplichtingen terug te schroeven, me te concentreren op mijn gezin, te leren beter om te gaan met stress, nieuwe dagelijkse gewoonten te starten en meer te rusten zodat mijn bijnieren en hormoonhuishouding konden herstellen.

De daaropvolgende maanden keerde ik mezelf naar binnen. Ik stond mezelf toe te slapen wanneer dat nodig was. Ik hield een dagboek bij. Ik maakte lange wandelingen in de natuur en ik deed meer aan qi gong. Ik begon duidelijkere grenzen te stellen voor mijn werk, zei vaker nee tegen projecten en ja tegen dingen die geld opleverden en me in staat stelden mijn gezin te onderhouden, mijn bedrijf te laten groeien en meer mensen te helpen herstellen. Ik beperkte de cafeïne en gebruikte adaptogenen om mijn bijnieren en hormoonhuishouding beter te ondersteunen – precies zoals ik mijn patiënten zo vaak had geadviseerd. Ik stopte met mijn zelfkritiek, en vertelde mezelf dat het oké was om moe te zijn en het rustig aan te doen tot ik weer energie had. Ik bracht meer tijd door met mijn vrouw, hielp haar met de dag- en nachtvoedingen, het verschonen van luiers, de was, de afwas en de dagelijkse taken die het grootbrengen van een dreumes met zich meebrengt. Ik bracht bewust meer balans in mijn dagelijkse leven.

Het duurde ongeveer zes maanden voor mijn bijnieren en hormoonhuishouding hersteld waren, mijn lichaam weer functioneerde en ik mijn energie terug had, maar het werkte.

Dat is vijf jaar geleden en ik heb sindsdien nergens meer last van gehad.

TESTEN

Als je naar een dokter gaat om je bijnieren te laten testen, zal die vaak bepaalde hormoongehaltes willen controleren. Lage gehaltes zouden kunnen wijzen op bijnierproblemen. Naar welke hormonen zal je arts willen kijken? Deze testen zullen bovenaan het lijstje staan.

Cortisol

Door je cortisolgehalte op verschillende momenten van de dag te testen kan een arts zien of je last hebt van een omgekeerd cortisolpatroon. Hij kan je cortisolgehalte meten door je urine, speeksel of bloed te testen.

ACTH-hormoontest

Dit zou de meest gerichte test zijn voor het vaststellen van bijnierproblemen. Je arts meet het cortisolgehalte in je bloed voor- en nadat hij je een injectie met een synthetische vorm van ACTH geeft.[3]

Bloedonderzoek

Een uitgebreid bloedonderzoek kan hormoongehaltes meten en onevenwichtigheden laten zien. Je arts kan het niveau testen van hormonen als oestrogeen, progesteron, testosteron/DHEA en cortisol. Hij kan ook kijken naar de concentratie SHBG (geslachtshormoonbindend globuline) in je bloed. SHBG is een eiwit dat hormonen als testosteron, oestradiol (een oestrogeen) en dihydrotestosteron (DHT) door het hele lichaam transporteert.

DHEAS-testen

Door je concentratie DHEAS te testen kan een arts vaststellen hoe je bijnieren functioneren. Deze test wordt meestal in combinatie met andere testen gedaan. Bij mannen kan ook naar testosteron en andere mannelijke hormonen worden gekeken. Bij vrouwen wordt hij gecombineerd met hormoontesten, waaronder voor oestrogeen, testosteron, prolactine en meer.

Speekseltesten

Je arts kan het gehalte van sommige hormonen meten via een speekseltest. Enkele van deze hormonen zijn testosteron, oestradiol en progesteron.

DE ENERGIEREMEDIES

Energieremedie #1: neem adaptogenen op in je eetpatroon

Je bijnieren zijn uitgeput, wat kun je doen? Op de korte termijn zou je zogenaamde *adaptogenen* kunnen gebruiken. Dat zijn natuurlijke remedies die je lichaam kunnen helpen zich aan te passen aan stressoren in je leven. Veel inheemse volken over de hele wereld die vaak te maken hebben met een ruig klimaat, gebruiken deze kruiden zodat hun lichaam zich beter kan aanpassen. Ze kunnen je systeem een boost geven als je erdoorheen zit, of een overprikkeld systeem tot rust brengen. Zo maken mensen in Siberië soep van *Eleutherococcus*, dat lijkt op ginseng, die ze eten als het in de winter dertig graden onder nul is.

In de Chinese geneeskunst wordt het adaptogeen *Astragalus membranaceus* gebruikt, dat tot soep wordt verwerkt en in de wintermaanden aan kinderen wordt gegeven om hun immuunsysteem te versterken. Het werkt ook ontstekingsremmend.

Als mensen chronisch moe zijn, wenden functioneel artsen zich vaak tot adaptogenen. Die zijn perfect voor onze moderne, vaak gestreste wereld. En ze zijn perfect om de bijnieren en je stressniveau te ondersteunen.

Je kunt ze 's avonds innemen en als thee of tonicum drinken. Je kunt adaptogenen zo lang blijven gebruiken als nodig is.

Een waarschuwing. De meeste artsen zullen eerst je cortisolgehalte willen testen. Adaptogenen kunnen het cortisolgehalte verhogen of verlagen, dus je wilt vooraf wel weten of je het juiste kruid kiest.

Dit zijn enkele van de beste adaptogenen voor je bijnieren:

Ashwaganda. Dit wordt gebruikt voor mensen die een hoog of een laag cortisolgehalte hebben en extreem vermoeid zijn. Het is ook fantastisch voor een goede nachtrust. Het kan je energie geven wanneer je dat nodig hebt, en het schroeft je energiepeil terug wanneer je zou moeten rusten en herstellen. Mensen die 'onder hoogspanning' staan als ze moe zijn, maar hun gedachten niet kunnen uitschakelen, hebben hier meestal ook baat bij.

Rhodiola. Rhodiola, of rozewortel, geeft je energie. Het kan het energiepeil ook verlagen. Het is een mild middel dat goed helpt om je systeem te herstellen als je door vermoeidheid bent geveld.

Heilig basilicum. Dit kruid werkt kalmerend en verzachtend. Het kan ook je humeur verbeteren.

Eleutherococcus. Dit middel, dat ook wel Siberische ginseng wordt genoemd, is populair onder mensen die last hebben van chronische, langdurige stress. Het verhoogt of verlaagt je energiepeil, afhankelijk van wat je nodig hebt.

Ginseng en/of zoethout. Deze twee zijn nuttig als je cortisolniveau tot nul is gezakt. Ze stuwen het cortisolgehalte allebei op en kunnen helpen om het hoog te houden. Als je een hoge bloeddruk of een hoog cortisolgehalte hebt, moet je ze geen van beide gebruiken.

Citroenmelisse. Dit kan helpen voor een goede nachtrust, en werkt ook geweldig bij angstgevoelens en algemene spanningen – dingen die kunnen optreden als je vermoeid bent.

Maca. Maca staat bekend om het vermogen hormonen in balans te brengen. Anders dan andere adaptogenen is maca een radijssoort, die in Peru veel wordt gegeten.

B-vitaminen. Vitamine B voedt de bijnieren en helpt bij je stressreactie en humeur. 's Morgens een vitamine B-complex nemen kan je energiepeil een boost geven.

Energieremedie #2: doe gewoon rustiger aan

Je bijnieren en hormonen, en dan met name een omgekeerd cortisolpatroon en problemen met een laag cortisolgehalte, hangen nauw samen met hoe je stress ervaart. Het heeft te maken met blootstelling aan schadelijke stress waardoor het lichaam in de vecht-of-vluchtstand blijft. Een deel van de oplossing is dat je moet leren om het rustiger aan te doen en liever te zijn voor jezelf.

We weten dat het een beetje suf klinkt als we zeggen: 'Wees lief voor jezelf.' Maar we zeggen het toch, en we blijven het zeggen. Wij hebben die boodschap net zo hard nodig als ieder ander. Het is iets wat in onze cultuur ontbreekt, en daar gaan we aan ten onder. Het is iets wat ontbreekt in ons leven, maar we moeten toch rustiger aan doen, naar ons lichaam luisteren en het geven wat het nodig heeft.

Als je moe bent, zeg je waarschijnlijk niet tegen jezelf: 'Ik gun mijn prachtige lichaam een pauze om mijn energiepeil omhoog te krijgen.' Je zult eerder zeggen: 'Wat ben je toch een loser; waarom kun je niet meer zijn zoals Cindy daar, koffiedrinken, een facelift nemen en doorgaan? Zeur niet zo.'

Die mindset maakt je kapot. Als je niet uitrust als je overwerkt bent, blijf je steeds meer van jezelf eisen en blijf je daarmee steeds meer van je bijnieren en hormonen eisen, tot ze het opgeven.

Dan beland je uitgeput op je rug.

Pedram maakt graag tochten door afgelegen streken. In het begin laadde hij zijn tas vol en ging hij in een veel te hoog tempo van start, waardoor hij na een tijdje hijgend langs de route stond om te zien hoe oudere, meer ervaren wandelaars langswandelden alsof ze een ommetje maakten.

Hij heeft in de loop der tijd geleerd een ritme aan te houden waarbij hij altijd genoeg lucht heeft. Hij doet rustig aan en is altijd nog in staat om te praten zonder buiten adem te raken. Hij heeft dit inmiddels ook toegepast in andere delen van zijn leven. Op welk ander vlak holde hij zichzelf ook voorbij? Hoe kon hij het rustiger aan doen en altijd genoeg lucht hebben?

Met een langzaam en gestaag tempo win je de race – dat geldt niet alleen in het malle fabeltje over de schildpad en de haas. Wees de schildpad en leef langer. Doe rustig aan en stook een gezond vuurtje op in je buik.

Er zijn momenten dat je lef en vastberadenheid moet tonen en moet doorzetten. Daar kunnen we je van alles over vertellen. Maar je moet jezelf ook de ruimte geven om je veilig, op je gemak, gekoesterd en vredig te voelen.

Veel mensen hebben dat op geen enkel moment in hun dagen. We leven in een erg mannelijke cultuur waarin al het vrouwelijke is uitgedoofd. Maar het leven is tweeledig. De natuur is tweeledig. Het mannelijke en het vrouwelijke bestaan allebei om een reden, en ieder van ons – ongeacht ons geslacht – moet leren hoe we van beide kanten gebruik kunnen maken.

Dat is wat we van jou vragen. Als jij jezelf geen toestemming kunt geven om te rusten en ontspannen en het rustiger aan te doen, laat ons het dan doen. Laat ons zeggen: geef je lichaam wat het nodig heeft, wat het wil. Het is oké om uit te rusten en op te laden, dat hoort bij het rustiger aan doen. Gun je lichaam de kans om op te houden je bijnieren uit te putten door ze voortdurend cortisol of adrenaline door je systeem te laten pompen.

'We geven aan het opnieuw opladen lang niet zoveel prioriteit als aan het opmaken, het geven, het doorgaan, het rennen, het haasten,' zei dokter Heidi Hanna. 'We kunnen herstellen en duurzame energie hebben, en intussen ook hoogtepunten beleven, topprestaties leveren, maar dat kan alleen als we naderhand weer met beide benen op de grond landen, tot rust komen en onszelf weer opladen.'[4]

Maak een lange wandeling in de buitenlucht. Trek het bos in. Mediteer. Volg een yogales. Heb seks. Ga naar het strand of een meer. Spring in het water en zwem. Ga liggen weken in bad. Speel met je kinderen – laat hen je eraan herinneren hoe leuk het leven kan zijn.

Kies alleen voor activiteiten die je uit de vecht-of-vluchtstand halen. Als je dat doet, breng je de balans terug voor je bijnieren en hormonen en ga je je beter voelen. Zorg voor een goede, herstellende nachtrust. Veel van de leefstijlveranderingen die we eerder hebben genoemd, kunnen je helpen je bijnieren en omgekeerde cortisolpatroon weer op orde te krijgen.

Energieremedie #3: geef je darmen extra aandacht

Alles in je lichaam staat met elkaar in verbinding. Het zal geen verrassing zijn dat je darmen een grote rol spelen bij de balans in je hormoonhuishouding. In je darmen bevinden zich speciale bacteriën die helpen bij de omzetting van hormonen. We hebben het hierover gehad in hoofdstuk 3, over het darmstelsel en het immuunsysteem. We raden daarom aan om dat hoofdstuk nog eens te bekijken en de remedies door te nemen.

Let vooral op prebiotische en probiotische voeding.

Prebiotica bevatten een heleboel vezels, en daar zijn de goede bacteriën in de darmen gek op. Het eten van rauwe knoflook, rauwe of gare uien, asperges, havermout, prei, lijnzaad, appels en bananen kan de goede bacteriën in de darmen een oppepper geven.

Probiotica kunnen dingen zijn als kimchi, yoghurt, zuurkool, augurken, miso en tempé.

Energieremedie #4: vind de oorzaak

'Er is meer nodig dan alleen hormonen om je hormonen op orde te krijgen,' vertelde dokter Anna Cabeca, een verloskundige en gynaecoloog en deskundige op het gebied van vrouwengezondheid. 'Het gaat om gebruiken en leefstijl, voedingsgewoonten en supplementen die zullen helpen, maar dat hangt af van waar het individu last van heeft.'[5]

Dr. Cabeca herhaalde wat we al van veel hormoondeskundigen hadden gehoord. Alleen testosteron innemen zal je vermoeidheidsproblemen waarschijnlijk niet voor altijd oplossen. Je moet dieper graven om te begrijpen waaróm je hormoongehaltes überhaupt zo laag zijn. Dat is zo voor elk hormoongehalte dat uit balans is.

Een goede arts zal misschien testosteron en andere hormonen gebruiken om je lichaam weer op gang te krijgen, maar een geweldige arts zal ze als noodoplossing inzetten en ondertussen samen met jou proberen te achterhalen wat de onderliggende oorzaak is.

Als je arts je testosteron wil voorschrijven, neem dat dan niet klakkeloos aan. Vraag wat het plan voor de komende twee maanden is, en dan voor de komende twee jaar.

Laat je door geen énkele medicus afschepen met een recept of behandelplan zonder dat er is gesproken over een strategie voor de lange termijn. Als dit een beschrijving van jouw arts is, zoek dan een ander en kijk niet achterom. Zoek een betere arts die samen met jou op zoek gaat naar de onderliggende problemen.

De onderliggende oorzaken voor problemen met de bijnieren en hormonen lopen uiteen. Het kan zijn dat je stressniveau te hoog is en je daar in de loop van de dag beter mee moet omgaan. Misschien ligt het aan je eetpatroon en eet je, bijvoorbeeld, te veel bewerkte voeding.

Misschien word je te veel blootgesteld aan giftige stoffen. 'Ontzettend veel chemicaliën zijn hormoonverstorende stoffen, wat wil zeggen dat ze oestrogeen, progesteron, schildklierhormonen en andere hormonen gaan vervangen,' legde dokter Darin Ingels uit, een natuurgeneeskundig arts die is gespecialiseerd in milieugeneeskunde, de ziekte van Lyme en autisme.[6] Hormoonverstorende stoffen belemmeren het natuurlijke vermogen van het lichaam om hormonen aan te maken, omdat de chemicaliën de hormonen nabootsen en je lichaam zo laten geloven dat het produceert wat het nodig heeft. Als je toevallig verzorgingsproducten, crèmes, lotions, parfums of andere producten met een kleur of geur gemaakt met ftalaten gebruikt, kunnen je hormonen verstoord zijn en kan dat je vermoeidheid veroorzaken. Ftalaten zijn bekende hormoonverstorende stoffen.

Zal het vinden van de oorzaak van de disbalans in je bijnieren en hormoonhuishouding meer werk vergen? Waarschijnlijk wel.

Is het het waard? Zeker weten.

Energieremedie #5: omarm je levensfase

De enige manier om uit de mediahel te komen die je aanspoort om voor altijd jong te blijven, is verandering aanbrengen in je mindset rondom ouder worden. We willen niet zeggen dat dat gemakkelijk is. Maar als je weer de controle wilt krijgen over je energie, moet je niet langer toestaan dat de cultuur je leegzuigt.

Zou je in plaats van te doen alsof je niet ouder wordt, niet beter elke fase van je leven kunnen omarmen? Stel dat je elk punt dat je bereikt juist viert, ondanks alles? Er zit zoveel moois in het begrijpen van onze sterfelijkheid, zoveel moois in elke periode en verandering in ons leven bewust doormaken en er het beste van maken.

Je zult je op je zestigste niet meer zo jeugdig voelen als toen je twintig was. Je zult geen zin meer hebben om de hele nacht uit te gaan en te dansen. Kom op, wij zijn veertigers; wij willen niet de hele nacht dansen. Als we dat doen, zijn we een maand uitgeschakeld. En dat is normaal. We zijn vaders van jonge kinderen.

Hoe meer je je afzet tegen de natuurlijke ritmes van het leven en de natuur, waarvan je deel uitmaakt, hoe meer energie het je kost. Laat dat niet gebeuren. Maak je los van onze defecte wereld en een cultuur die je voorhoudt dat jeugdigheid en jong blijven de enige belangrijke dingen zijn.

Omarm de levensfase waarin je je bevindt. Houd op met jezelf vergelijken met andere mensen, en dan vooral met de mensen die je overal op je schermen en in de tijdschriften ziet. Probeer af te stemmen op je lichaam en vraag wat het nodig heeft, of dat nu een rustige wandeling in de buitenlucht of een kom soep is. Misschien moet je lekker in bed gaan liggen met een glas hete thee en een goed boek. Of misschien moet je een glas wijn inschenken (geen hele fles) en je oude huisgenootje bellen om bij te kletsen. Houd rekening met je energiepeil. Houd rekening met de ritmes van je lichaam, met de ritmes van de seizoenen.

We durven te wedden dat je nieuwe energie en levenskracht zult vinden als je niet langer probeert tegen de stroom in te zwemmen en te vechten tegen de natuurlijke orde van de wereld.

Omarm alles van wie je bent en waar je staat op elk moment van je leven. Elke fase, elke leeftijd is mooi. Je moet het alleen zien.

Extra energieremedie: kweek lachrimpels

Rimpels: een duidelijk teken van veroudering of iets anders? Onze cultuur doet er veel aan om ervanaf te komen. Met Botox, bijvoorbeeld.

Wij hebben een revolutionair idee. Misschien moeten we het gewoon loslaten.

Serieus, laten we die naalden wegleggen en onze rimpels omarmen. Laten we er meer van genieten. Een van de mooiste, treffendste beelden ter wereld is een oudere persoon met een twinkeling in zijn blik en lachrimpels rond zijn ogen en mond.

Zulke mensen stromen over van de overvloed van het universum. Ze stralen kracht, wijsheid en vreugde uit. Het is alsof ze volledig operationele energiecentrales zijn die van binnenuit stralen.

Dat krijg je als je van het leven – *jouw leven* – en jezelf houdt. Een heel gemakkelijke manier om die rimpels te krijgen, die geen geld of tijd kost, is door gewoon meer te lachen.

Ook als je er geen zin in hebt. Lach. Lach als je aan het werk bent. Lach naar onbekenden die je tegenkomt in de supermarkt. Lach naar de automobilist naast je voor het rode stoplicht. Lach als je aan de telefoon zit of een e-mail typt.

Lach gewoon.

En laat je rimpels iets uitstralen wat dieper en verder gaat dan alleen maar 'ouder worden'. Laat ze uitstralen dat je een goed besteed leven leidt, vol vreugde en plezier.

OPLOSSING

Voordat ze ivf ging proberen, besloot Bethany langs te gaan bij een functioneel arts. Het bleek dat de gezondheid van haar bijnieren en de hormoongehaltes in haar lichaam nauw samenhingen met haar wens zich voort te planten. Biologische systemen hebben energie nodig om leven te kunnen doorgeven van de ene generatie op de andere, dus ze moest ervoor zorgen dat haar bijnieren en hormonen weer optimaal zouden werken.

Bethany's arts adviseerde haar veranderingen aan te brengen in haar leefstijl en gedrag en zei tegen haar: 'Je moet nu helemaal niet aan een zwangerschap denken. Ik heb zes maanden nodig om je weer gezond te maken.'

Bethany volgde het advies op en ging op zoek naar manieren om gezonder te worden.

Zes maanden later mediteerde Bethany dagelijks. Ze ging een paar keer in de week naar yoga, wandelde dertig minuten per dag in de buitenlucht, had ervoor gezorgd dat ze minder cafeïne binnenkreeg en gebruikte verschillende adaptogenen om haar bijnieren extra te voeden. Ze had ook gluten en zuivel uit haar eetpatroon gebannen omdat die hadden geleid tot enkele voedselintoleranties en het polycysteus-ovariumsyndroom (een aandoening die leidt tot hormonale onevenwichtigheden en zwanger worden kan bemoeilijken). Bethany deed ook haar best om haar wens om zwanger te worden los te laten, wat ontzettend moeilijk is. Ze probeerde juist bij de dag te leven, er gezonde gewoonten op na te houden, haar lichaam, geest en ziel te voeden, qualitytime met haar man door te brengen, vaker met haar zus te praten en zichzelf toe te staan er gewoon te zijn.

Met deze veranderingen in haar leefstijl en eetpatroon en zonder de drang om zwanger te worden begon Bethany langzaamaan haar weg naar herstel. Acht maanden later bleek ze zwanger en inmiddels is Bethany een gelukkige moeder van twee kinderen.

PERSOONLIJKE UITDAGING

Breng een week lang een wees-lief-voor-jezelfgewoonte in je leven. Het maakt niet uit wat. Het moet alleen iets zijn waarvan je ontspant, dat je het gevoel geeft iets goeds voor jezelf en je lichaam te doen, en dat je helpt het rustiger aan te doen. Het hoeft ook niet heel lang te duren, hoewel wij je niet zullen tegenhouden als je elke dag een uur zelfzorg in je leven brengt.

Begin, als dat nodig is, klein. Sta jezelf toe om ten minste tien tot vijftien minuten voor jezelf te nemen. Misschien vind je het in het begin lastig om het rustiger aan te doen, maar we durven te wedden dat je het aantal minuten na een week al wilt verhogen.

HOOFDSTUK 8

Het brein

Frank had zijn MBA behaald en kreeg vervolgens een topbaan als onderzoeksanalist bij een van de grootste investeringsbanken op Wall Street. De eerste jaren blonk Frank uit in zijn werk en gold hij als een veelbelovend talent.

Zijn werk bestond uit het bekijken van macrotrends in de economie. Hij zat elke dag urenlang grafieken en spreadsheets te bestuderen en deed aanbevelingen over wat goede investeringen waren en wat niet.

Het was een stressvolle baan waarin miljoenen dollars op het spel stonden. Frank was slechts zo goed als zijn laatste aanbeveling. Als hij een verliezer uitkoos en zijn bank pensioengeld verspeelde aan een verkeerde aanbeveling, zou zijn kop als eerste rollen. Dat betekende dat Frank onder ongelofelijk veel druk stond om ervoor te zorgen dat zijn aanbevelingen en analyses *perfect* waren.

Er stond voor Frank veel op het spel. Bovendien werd hij erg goed betaald voor zijn denkvermogen – een vermogen dat begon af te nemen. Hij verloor elk jaar iets meer van zijn scherpte. De hoeveelheid gegevens die maar bleef binnenkomen, was enorm en er hing altijd een tijdslimiet aan. Hij had geen problemen met het rekenwerk, maar elke diepteanalyse en elk verslag kostte hem meer moeite en tijd.

Voorheen kon hij acht uur zonder pauze doorwerken, en soms lukte twaalf of veertien uur ook zonder problemen. Nu kan hij zich nauwelijks langer dan twee uur concentreren. Hij komt achter te liggen met zijn werk en moet regelmatig dagen van twaalf uur maken om alles op tijd af te krijgen. Hij slaapt bijna niet. Hij blijft lang op om nog wat werk af te ronden of ligt zich in bed zorgen te maken om de kwaliteit van zijn werk en zijn niet-aflatende verantwoordelijkheden.

Hij is kapot – fysiek, mentaal en emotioneel – en zoekt wanhopig naar een oplossing die hem zijn denkvermogen en energie terug zal geven. Frank is naar de plaatselijke natuurvoedingswinkel gegaan en heeft verschillende supplementen geprobeerd. Niets hielp. Hij dacht dat er misschien echt iets mis was met zijn hersenen, dus hij heeft een hersenscan laten maken, maar daar kwam niets uit naar voren. Hij is ook naar een psycholoog geweest die hem vertelde dat hij gestrest was (dat wist hij al).

Frank denkt dat het probleem misschien in zijn carrière zit en dat hij van baan moet veranderen. Maar dat wil hij eigenlijk niet. Hij vindt het heerlijk om met getallen te werken en trends te analyseren. Toch heeft hij misschien geen andere keuze, want het werk is zwaarder dan ooit en zijn hersenen werken niet meer mee.

HET PROBLEEM

Nu we bijna aan het einde van onze vermoeidheidsreis zijn, moeten we je waarschuwen, want dit is het hoofdstuk van de strenge aanpak. We gaan vraagtekens zetten bij hoe je je leven hebt geleid en de besluiten hebt genomen waardoor je uiteindelijk bij dit boek terecht bent gekomen. Veel van de remedies zullen niet snel werken of gemakkelijk zijn, maar ze kunnen wel een enorm verschil maken in je leven.

Soms lijkt het misschien alsof we in herhaling vallen omdat we teruggrijpen op eerdere hoofdstukken en aanbevelingen voor herstel. Dat doen we bewust. Alles wat met vermoeidheid te maken heeft, hangt met elkaar samen en alle wegen leiden naar je brein.

Je brein is als een gloeilamp. Als het ingeschakeld is, heb je het gevoel dat je energie hebt, dat je helder kunt denken en dat je goede, rationele beslissingen kunt nemen. Je voelt je ook opgewonden, betrokken en gelukkig met het leven.

Als je oververmoeid bent, voel je dat allemaal niet. Dan heb je het gevoel dat je continu met een weekendkater rondloopt en vraag je je af of je hersenen nog wel werken.

We noemen dit *geestelijke oververmoeidheid*. Je brein voelt echt vermoeid. Je voelt je minder scherp, vaag, wazig. Je hebt het gevoel dat je niet logisch kunt denken, dingen kunt overzien of knopen kunt doorhakken. Je voelt je misschien verward en lijkt dingen maar traag te kunnen verwerken. Het kan moeite kosten om gebeurtenissen, mensen of woorden terug te halen. Je kunt je ook angstig, bezorgd, futloos of down voelen. Geestelijke oververmoeidheid kan van invloed zijn op je humeur en mogelijk verlies je de zin in het leven.

Heel veel mensen zijn geestelijk uitgeput en sommigen hebben het niet eens in de gaten. Er is een mate van zelfbewustzijn voor nodig om te beseffen dat je geest niet op vol vermogen werkt. Als je niet direct doorhebt dat je minder goed functioneert, kun je al snel in een neerwaartse spiraal terechtkomen. Je kunt niet altijd de gedragspatronen herkennen die je naar dit moment hebben gebracht, omdat het orgaan dat aangetast is hetzelfde orgaan is dat voor je zou moeten denken en je zou moeten helpen nadelig gedrag en slechte keuzes te herkennen. Datgene waarmee je de wereld waarneemt, dat je werkelijkheid vormgeeft, functioneert niet meer.

Geestelijke oververmoeidheid kun je ook niet zomaar omkeren. Anders dan de onderwerpen in onze andere hoofdstukken, is geestelijke oververmoeidheid geen oorzaak van jouw vermoeidheid. Het is een symptoom, en vaak het duidelijkste. Als de bacteriën in je darmen van slag zijn, als je geen goede nachtrust krijgt, als je te veel suikers en koolhydraten eet, als je niet genoeg beweging krijgt of als je wordt blootgesteld aan te veel giftige stoffen, heeft je brein daaronder te lijden. Je licht wordt gedimd. Het flakkert en je voelt je klote.

Om iets aan geestelijke oververmoeidheid te doen moet je de onderliggende oorzaak ervan vinden en die behandelen. In dit hoofdstuk bespreken we enkele potentiële redenen, waaronder energie- en voedingsstoffentekorten, inflammatie, chronische stress, trauma's en leefstijlkeuzes.

Het is onze bedoeling je de inspiratie en kracht te geven om naar de waarheid te blijven zoeken. Als de waarheid er uiteindelijk toe leidt dat je aan de slag moet met enkele van de eerdergenoemde energielekken, dan is dat zo. Volg de route die je moet nemen.

Als je de onderliggende problemen oplost, kan je brein herstellen. Als je brein hersteld is, gaat je licht feller schijnen. Als je licht feller schijnt, wordt je geest helderder en scherper, en voel je je lichter, gelukkiger, opgewondener. Dan heb je de energie en motivatie om het grootse leven te leiden waarvan we weten dat je ernaar verlangt.

Toon je kracht in dit hoofdstuk. Wees gefocust, wees vastberaden, wees veerkrachtig. Je brein is buitengewoon, en als je het optimaal kunt laten functioneren, leid je een buitengewoon leven.

DE ENERGIELEKKEN

Energielek #1: je brein heeft meer energie nodig

Je eetpatroon, darmstelsel en brein hangen met elkaar samen. We hebben het eerder gezegd, maar je brein heeft veel energie nodig om te kunnen functioneren. Het vertegenwoordigt 2 tot 5 procent van je totale lichaamsgewicht, maar verbruikt maar liefst 20 procent van je energie.[1]

Bij veel mensen die last hebben van vermoeidheid en geestelijke uitputting is het zo dat het brein gewoon niet de energie krijgt die het nodig heeft om goed te kunnen functioneren. Hier kunnen veel redenen voor zijn, dus laten we enkele van de belangrijkste bekijken.

Onevenwichtige darmbacteriën

Als je darmbacteriën van slag zijn, kunnen ze je voedsel niet goed verteren. Als je voedsel niet wordt verteerd, krijgen je hersenen niet de glucose (suiker) die ze nodig hebben om goed te functioneren en raken ze vermoeid. (Je krijgt ook vervelende maag-darmklachten als constipatie, winderigheid, diarree en andere dingen waar we liever niet over praten.)

Er zijn ook tekenen dat onevenwichtigheid in de darmen van invloed kan zijn op de *nervus vagus*. De nervus vagus is de tiende hersenzenuw die van de hersenen naar verschillende organen loopt, waaronder de organen die je spijsverteringsstelsel vormen. Het is de meest uitgebreide zenuw en, geloof het of niet, er vindt echt tweerichtingscommunicatie plaats als je eet.

Je brein stuurt via de nervus vagus een boodschap naar je spijsverteringsorganen: 'Hé, maak je klaar; er komt eten aan dat je moet verteren.'

We ontdekken nu dat de bacteriën in de darmen invloed kunnen hebben op alle zenuwen langs dat kanaal. Als je een overvloed aan slechte bacteriën in je darmen hebt, kunnen die naar buiten glippen en via de knopen van de nervus vagus omhoogklimmen en zo zelfs helemaal in je hersenen terechtkomen. Onderzoekers linken de ziekten van Parkinson en Alzheimer nu aan deze bacteriën en ontdekken dat het wel vijftien jaar kan duren voor ze vanuit de darmen via de nervus vagus de hersenen bereiken.

De slechte bacteriën kunnen niet alleen van invloed zijn op je gezondheid op de lange termijn, ze kunnen je ook geestelijk uitputten en langzaam je systeem uitschakelen.

Te veel suikers en koolhydraten

Onderzoek laat zien dat je hersenen beter functioneren als ze worden gevoed met gezonde vetten in plaats van suikers en koolhydraten. Als je nog één reden nodig had om koolhydraten en suikers uit te bannen, is dit hem wel.

Te veel mensen krijgen nog altijd te veel suiker en koolhydraten binnen en dat tast hun denkvermogen aan; daarbij kan het ook leiden tot problemen met de bloedsuikerspiegel die schadelijk kunnen zijn voor de hersenen. Als je bloedsuikerspiegel de hele dag en nacht blijft pieken en dalen, schommelen je cognitieve vermogen en emoties mee. Je kunt niet meer helder en rationeel denken en wordt tegelijkertijd boos, prikkelbaar, snibbig – dat noemen we ook wel *hangry*.

Als je gewend bent om je lichaam te voeden met suikers en koolhydraten, kan het best wat tijd en moeite kosten om over te schakelen op vet als brandstof. Meestal houdt het in dat je je mitochondria moet opbouwen door mager spierweefsel te kweken; en dat is ook weer iets waar veel mensen aan zouden moeten werken.

Niet genoeg elektrolyten

Je brein bestaat uit twee soorten cellen. De ene zijn *gliacellen*, waar we het bij het volgende energielek over zullen hebben, en de andere zijn *neuronen*. Neuronen voeren hersenfuncties als reuk, waarneming, emoties, zicht en beweging uit door chemische en elektrische signaaltjes uit te zenden en te ontvangen.

Elektrolyten zijn mineralen als natrium, chloride, fosfor, magnesium, calcium en kalium, die je lichaam nodig heeft zodat de elektrische signalen goed doorkomen. Ons gehele zenuwstelsel functioneert door verschillen in elektrische gradiënten tussen zenuwen. Deze elektrolyten maken dat mogelijk. Simpel gezegd vervoeren ze elektronen op en neer langs de zenuwbanen via een soort kettingreactie (denk aan een menigte die de 'wave' doet) in een zenuwcel. Stel je dat een miljard keer voor en je krijgt een idee van de schaal waarop dit overal in je lichaam en hersenen plaatsvindt. Om dit goed te laten functioneren, hebben je brein en lichaam de juiste balans van mineralen of elektrolyten uit je voeding nodig.

Als je elektrolyten niet in balans zijn, verloopt de elektrische geleiding niet goed en staken de neuronen hun werk. Als de neuronen hun werk niet meer doen, gaan je organen, spieren en weefsels trager werken en voel jij je doodop – naast andere bijwerkingen.

Waterinname

Je moet water drinken, schoon en gifvrij water. Het is zo simpel, maar toch raken veel mensen uitgedroogd. We drinken niet genoeg, en als we niet genoeg water binnenkrijgen, kan ons systeem zichzelf niet schoonspoelen. Water bouwt het bloedvolume op zodat onze voedingsstoffen naar de juiste plaatsen kunnen worden gebracht en gifstoffen het lichaam uit kunnen worden vervoerd. Als we niet genoeg water drinken, stapelen de gifstoffen zich op in ons lichaam en brein en komen onze voedingsstoffen niet waar ze moeten zijn om ons van energie te voorzien.

Energielek #2: inflammatie is je brein binnengedrongen

We hebben al besproken dat inflammatie slecht is voor je lichaam, maar het is ook slecht voor je brein. Als er in je lichaam ontstekingen zitten, slaat dat over naar je hersenen.

'Het duidelijkste teken dat iemand last heeft van vermoeidheid die samenhangt met inflammatie van de hersenen is dat wanneer ze hun brein gebruiken ze compleet gevloerd worden,' zei dokter Datis Kharrazian. 'Ze kunnen niet meer dan een paar paragrafen lezen, maar ze kunnen misschien wel een work-out doen; ze kunnen fysieke dingen doen, maar geen cognitieve dingen. En dat is een van de duidelijkste waarschuwingstekens dat er is mis is met het brein.'[2] Als je een ontsteking in de hersenen hebt, kunnen je gliacellen worden ingeschakeld om de infectie en inflammatie te bestrijden. Normaal gesproken ondersteunen je gliacellen je neuronen. Als je 's nachts slaapt, scharen je gliacellen zich om je neuronen, waar ze de aftakkingen verzorgen en bijwerken zodat ze op een efficiënte manier informatie kunnen versturen en ontvangen.

Gliacellen helpen ook om giftige stoffen die gedurende de dag door de hersenen zijn opgepikt af te voeren. Ze ruimen eiwitfragmenten op die bijvoorbeeld amyloïde plaque vormen, die uiteindelijk kan leiden tot dementie, alzheimer of parkinson.

Je gliacellen zijn miskende helden die een onmisbare rol vervullen voor je gezondheid en levenskracht. Maar als deze cellen worden ingezet om inflammatie te bestrijden, kunnen ze niet meer opruimen. Dat betekent dat alle giftige stoffen en plaques zich opstapelen, waardoor jij je steeds verwarder gaat voelen en op de lange termijn vatbaarder wordt voor ernstige ziekten.

Zoals dokter David Perlmutter ons uitlegde, kan inflammatie ook het functioneren van onze energieproducenten, onze mitochondria, in het geding brengen en dat heeft weer invloed op het functioneren van onze hersenen.

Als de inflammatie toeneemt doordat we niet genoeg herstellende slaap krijgen of doordat we er een ongezond eetpatroon op na houden, creëren we een situatie die een dreiging vormt voor ons vermogen om brandstof die we consumeren als voedingsbron voor onze mitochondria te gebruiken, die vervolgens onze cellen van energie voorzien.

Als je je realiseert dat je brein, dat, afhankelijk van je lichaam, 2 tot 5 procent van je totale lichaamsgewicht inneemt, in de ruststand 25 procent van je energie verbruikt, zie je in dat het een erg energievretend deel van je lichaam is. De mitochondria moeten genoeg brandstof krijgen. Alles wat de werking van de mitochondria verstoort, zal leiden tot slecht functioneren van de hersenen.[3]

Als je lichaam en hersenen lijden onder inflammatie, zal dat ook impact hebben op je mitochondria, omdat die moeten overschakelen van het produceren van energie op het beschermen van je cellen. Er zijn vijf belangrijke oorzaken voor inflammatie: slechte voeding, stress, gifstoffen, microben en allergenen. Als je inflammatie een halt wilt toeroepen, moet je gezond eten, goed slapen, ontspannen, giftige stoffen mijden en goed voor je darmen zorgen.

Energielek #3: je komt om in chronische stress

We leven in een bijzondere tijd. Onze voorouders hadden absoluut stress in hun leven. Maar dat was meestal acute stress. Bijvoorbeeld omdat iemand – of iets – hen achternazat of probeerde te doden. Meestal kwam er snel een einde aan de situatie. Ze wisten te ontsnappen, of ze vonden de dood.

Zo is het nu niet. Nu lijkt het alsof veel van ons omkomen in chronische stress. Het is een dood door duizenden papiersneetjes. Amerikanen behoren zelfs tot de meest gestreste mensen van de wereld.[4]

De Verenigde Staten zouden een land van mogelijkheden zijn waar mensen van over de hele wereld naartoe komen voor een beter, gelukkiger, welvarender leven voor henzelf en hun gezinnen. Maar we worstelen in ons leven met stress, ongerustheid, zorgen en angst.

Is dat echt hoe we willen leven? Is dat echt de Amerikaanse droom die we najagen? Natuurlijk niet. Niemand steekt vrijwillig zijn hand op en zegt: 'Ja, ik wil me graag aanmelden voor al die stress.'

Het kan aanvoelen alsof je geen keuze hebt, alsof de wereld is doorgedraaid, defect is, en er niets is wat je eraan kunt doen. Zo is het ook, we leven echt in een defecte wereld.

Het is ook zo dat je veel meer controle over deze wereld en je stress hebt dan je denkt.

Je brein is *ground zero*. Het stressverhaal begint hier, met hoe je de wereld om je heen begrijpt en ervaart en er vervolgens op reageert. Om stress te kunnen begrijpen moet je begrijpen wat stress veroorzaakt. Daarvoor moeten we kijken naar de *amygdala*, een amandelvormig klompje neuronen dat diep in de hersenen ligt. Het maakt deel uit van je *limbische systeem*, dat emoties, herinneringen en opwinding aanstuurt.

Je kunt je amygdala zien als het controlecentrum dat oordelen velt en besluiten neemt over hoe je zenuwstelsel reageert op een gebeurtenis. Het gebruikt ervaringen uit het verleden, je waarden en opvattingen om te onderscheiden wat een dreiging vormt en wat niet veel voorstelt. Als de amygdala problemen bespeurt, betekent dat dat er een regelrechte oorlog wordt ontketend. Hij stuurt direct een waarschuwing via de zogenaamde HPA-*as* (hypothalamus-hypofyse-bijnier-as) naar je bijnieren om ze te laten weten dat ze cortisol en adrenaline moeten afscheiden.

Zoals we eerder al hebben verteld, stromen die cortisol en adrenaline door je systeem en bam! Je staat nu in de vechtstand, vluchtstand of verstijfstand. Daardoor pompt je lichaam geen bloed meer naar organen als je lever en spijsverteringsstelsel, maar leidt het om naar je armen en benen, zodat je in staat bent te vechten, te rennen voor je leven of je te verstoppen.

Als je in deze vecht-, vlucht- of verstijftoestand zit, komt de bloedstroom naar de *prefrontale cortex* in je hersenen ook tot stilstand. De prefrontale cortex is waar je kritische, rationele en morele denkvermogen ligt. Het is wat je onderscheidt van de apen. Dit is denken met je volledige brein. Je linker- en rechterhersenhelft communiceren met elkaar, en jij hebt geweldige inzichten die leiden tot briljante ideeën en oplossingen.

Als je in de angstmodus staat of als je brein wordt overspoeld door stress, verdwijnt dit allemaal. Het bloed wordt naar lagere hersencentra gestuurd. Het probleem is dat je amygdala *de hele tijd* wordt gebombardeerd met ervaringen die hij bestempelt als angstaanjagend. Daardoor leef je de jaren die je beste zouden moeten zijn, als een gestrest, doodsbang dier met de staart tussen de poten.

Je lichaam bevindt zich voortdurend in oorlogstijd, waardoor je lever niet zoveel giftige stoffen verwijdert als hij zou doen als je in een ontspannen rusttoestand verkeerde. Je spijsvertering functioneert niet optimaal. Je mitochondria produceren ook niet zoveel energie; ze zijn ingezet om je cellen te beschermen.

Geen wonder dat je doodmoe bent. Geen wonder dat je niet helder kunt denken.

Energielek #4: een trauma eist je levenskracht op

Er is nog iets wat een vecht-, vlucht- of verstijfreactie oproept en indirect onze energie opeist: *trauma*.

Een trauma en vermoeidheid gaan vaak hand in hand.

Trauma is een bredere categorie dan veel mensen denken. Experts categoriseren trauma als 'Grote T' of 'Kleine T'. 'Grote T'-trauma's zie je bij slachtoffers van seksueel geweld, fysiek geweld of huiselijk geweld, slachtoffers van een natuurramp, een oorlog, een grote schietpartij of een ongeluk, mensen die een kind of een geliefde hebben verloren, en mensen die een pandemie of andere grote gebeurtenis binnen de samenleving hebben meegemaakt of getuige zijn geweest van een 'Grote T'-gebeurtenis.

'Kleine T'-trauma's zijn bijvoorbeeld emotionele mishandeling, een ontwikkelingstrauma (dat plaatsvindt tijdens de ontwikkeling in de kindertijd), verbale mishandeling, verwaarlozing, echtscheiding, verraad (bijvoorbeeld door overspel), afwijzing, schande, de dood of het verlies van een geliefde (ook een huisdier), chronische stress en het gevoel overweldigd te worden, en dat je wordt gepest of lastiggevallen.

Tot trauma's behoren ook traumatisch hersenletsel (THL), dat je oploopt door een fysiek ongeluk, en symptomen van een posttraumatische stressstoornis (PTSS).

Elke zeer ontregelende, emotionele, fysieke of psychologische ervaring die dieper gaat dan het vermogen van het lichaam om met stress om te gaan kan een traumatisch stempel drukken op ons brein en lichaam. Dat is vooral zo wanneer je voor je achttiende een trauma hebt doorgemaakt.

We hebben het er niet vaak over, maar zelfs de kleine gebeurtenissen die dagelijks, eens per maand of eens per jaar plaatsvinden, kunnen traumatisch worden. Stel dat iemand tijdens het wekelijkse teamoverleg jouw idee afdoet als stom, en jij in plaats van te denken: *het zal wel, het is toch een idioot* of *hij heeft vast een rotdag*, in beslag wordt genomen door gedachten als: *niet te geloven dat hij dat zei. De volgende keer zal ik hem een klap verkopen, of ik zal hem zeggen waar het op staat. Hij komt hier niet zomaar mee weg.* Je blijft erover piekeren en laat je meeslepen door het trauma-drama.

Als we blijven rondlopen met onopgeloste trauma's, kunnen die gemakkelijk weer worden opgewekt. Als je een associatie hebt met een bepaalde geur, geluid, beeld of zelfs een woord dat in het verleden tot een trauma heeft geleid, wordt de amygdala elke keer dat je die geur ruikt, dat geluid hoort, het beeld ziet of een bepaald woord hoort, opnieuw geprikkeld en ontstaat er een stressreactie. Cortisol en adrenaline stromen door je systeem. Je lichaam gaat over in een vecht-, vlucht- of verstijfstand en je verkeert in een opperste staat van paraatheid, klaar voor het gevaar.

Uiteindelijk verlies je energie omdat je er heel veel van verbrandt om je traumareactie te kunnen opvangen.

We noemen dit hier, omdat veel mensen niet beseffen dat het hun levenskracht opeist. Als een trauma de bron van jouw vermoeidheid vormt, kun je dit lek alleen dichten door diep in je binnenste te graven en in het reine te komen met het verleden.

Energielek #5: je hebt zo weinig energie dat je er niet meer met je hoofd bij bent

Als je brein niet de energie heeft om te functioneren, kan het niets doen. Je verliest je scherpte en je neemt slechte beslissingen; je drinkt terwijl je zou moeten slapen, je eet rotzooi, je beweegt niet en zorgt niet voor je lichaam en energiepeil zoals zou moeten.

Deze slechte beslissingen kunnen ertoe leiden dat je vermoeid raakt. Je brein wordt afgestompt en je voelt je futloos. Je belandt in een neerwaartse spiraal en neemt steeds meer slechte beslissingen. Vervolgens word je boos op jezelf vanwege die beslissingen en neem je nog slechtere beslissingen.

Je zakt steeds dieper weg. Je bent nu op elk vlak uitgeput – fysiek, emotioneel, geestelijk en spiritueel – en het voelt alsof er geen hoop meer is, alsof je er niets aan kunt doen. Maar dat is niet zo. Je bent tot meer in staat dan je beseft; het voelt alleen niet zo.

Persoonlijke zoektocht (Nick)

Ik heb een THL, wat ik lange tijd niet wist. Het voelde gewoon alsof mijn brein voortdurend 'aan' stond, alsof ik mijn gedachten niet kon uitschakelen. Ik dacht over alles in mijn leven te veel na en maakte me overal zorgen om, en ik voelde me er ellendig en moe door terwijl ik me eigenlijk niet zo zou moeten voelen. Ik at goed. Ik had een regelmatige nachtrust. Ik had een carrière en een gezin waar ik van hield. Toch voelde het altijd alsof ik op mijn hoede was, alsof ik altijd klaar moest zijn om 'de volgende klap' op te vangen.

Toen ik naar de dokter ging, stelde ze voor dat we neurofeedback zouden proberen. We gebruikten daarvoor een kwantitatief eeg (QEEG), waarvoor er kleine sensoren op mijn hoofd werden bevestigd die mijn hersengolven en -frequenties in real time zouden meten. We sneden verschillende gespreksonderwerpen aan als visuele en auditieve stimuli om te kunnen zien hoe mijn hersenen reageerden.

Eerst piekten mijn bètahersengolven een uur lang knalrood. Bètagolven zijn goed voor concentratie en werk, maar als ze langere tijd een hoge frequentie aanhouden, kan dat leiden tot geestelijke angst en stress. Ik bleek vast te zitten in die bètagolven.

Mijn dokter volgde mijn hartslagvariabiliteit (HRV) om mijn stressniveau te meten. Dat is een fantastische manier om te ontdekken hoe het voelt wanneer je gestrest bent en wanneer je ontspannen bent. Tijdens deze neurofeedbacksessie zag mijn dokter dat mijn bètagolven piekten en hielp ze me in de alfatoestand te komen (hersengolven die samenhangen met ontspanning, meditatie en rust).

Ik moest me concentreren op een diepe ademhaling en meditatie en zag toen de cijfers op mijn hartslagmeter langzaam omlaaggaan.

Ik ging de hele dag een hartslagmeter dragen, die me een

waarschuwing gaf zodra ik te veel begon te stressen. Ik nam dan een paar minuten om me op mijn ademhaling te concentreren en te mediteren, en dan zakten mijn hartslag en hersengolven weer naar een normaal niveau.

Binnen een maand had ik mijn stressniveau beter onder controle. Met neurofeedback, de hartslagmeter, technieken voor een diepe ademhaling en meditatie kreeg ik mijn hersenen weer onder controle. Tegenwoordig verspil ik geen energie meer aan onnodige of zinloze gedachten.

TESTEN

Om je hersenen te testen zal een functioneel arts een aantal van de al eerdergenoemde testen gebruiken. Gifstoffen, voedselovergevoeligheden, onevenwichtigheden van de bijnieren en hormonen, voedingstekorten – het zijn allemaal zaken die kunnen worden getest om problemen met je brein op te lossen.

Onthoud dat geestelijke oververmoeidheid niet de bron van je vermoeidheid is; het is een symptoom van die vermoeidheid.

DE ENERGIEREMEDIES

Energieremedie #1: krijg meer energie in je hersenen

Als je geestelijke oververmoeidheid wordt veroorzaakt door een gebrek aan energie, is het zaak om je eetpatroon en darmgezondheid op orde te krijgen. Dat zijn de belangrijkste bouwstenen van een brein dat volledig opgeladen is. Als je hersenen niet de juiste brandstof krijgen, kunnen ze hun werk nooit goed doen.

De lijst met remedies voor dit energielek is erg lang; daar hebben we hier niet genoeg ruimte voor. We geven je daarom alleen een aantal tips om je aandacht op te richten. Als een van de suggesties je bekend voorkomt, is dat alleen maar goed. Alles is immers met elkaar verbonden.

Van suiker naar eiwitten, gezonde vetten en complexe koolhydraten

We vertellen niets nieuws met deze tip. Weg met de suiker. Weg met de simpele, 'snelle' koolhydraten. Kies voor een eetpatroon met gezonde, onbewerkte producten vol eiwitten, gezonde vetten en complexe koolhydraten.

Vermeerder je elektrolyten

Dit zijn geweldige, natuurlijke manieren om je elektrolyten te vermeerderen als het gehalte te laag is. Dit zijn onze favoriete manieren om het aantal eenvoudig omhoog te krijgen.

Eet veel gekleurde groente en fruit. Als je je elektrolyten een algehele boost wilt geven, moet je ervoor zorgen dat je veel bladgroenten eet en dat er kleur in je eetpatroon zit. Zorg voor gevarieerde, rijke voeding met verschillend gekleurde, onbewerkte producten. (We hebben het dan niet over chips of suikerrijke ontbijtgranen.) Probeer voortaan ten minste twee verschillend gekleurde dingen per maaltijd te eten. Bijvoorbeeld wortels en blauwe bessen, of een zoete aardappel en broccoli. Dit is ook een geweldige manier om de goede bacteriën in je darmen een oppepper te geven. Voor meer magnesium moet je bonen, bladgroenten, noten en zaden eten en voeg voor kalium avocado, spruitjes, boerenkool, broccoli, kiwi, sperziebonen en aardbeien toe aan je eetpatroon.

Graag wat zout. De meeste mensen proberen te veel zout te vermijden, maar zout is wel een belangrijk mineraal voor je neuronen. Als je brein traag werkt en je een zoutarm dieet volgt, kun je een snuf zeewier toevoegen aan je soep, stoofschotel en smoothie. Kombu, wakame en dulse bevatten natrium en sporenmineralen die goed zijn voor je hersenen. Als je een hoge bloeddruk hebt, moet je altijd je arts inlichten over veranderingen in je eetpatroon en je bloeddruk regelmatig laten controleren.

Neem een bad met epsomzout. Weken in een zoutbad is een goede manier om magnesium op te nemen. We hebben magnesium al een paar keer eerder genoemd. Het is een geweldig mineraal dat heel veel doet om je lichaam en geest gezond en blij te houden.

Drink meer water

Een manier om makkelijk meer water te drinken? Drink een glas zodra je wakker wordt. Dat is een prima manier om je systeem schoon te spoelen en je voor te bereiden op de dag. En nee, sportdranken tellen niet mee voor hydratatie. Bronwater waar alle mineralen nog in zitten is eigenlijk de beste keuze.

Energieremedie #2: beperk inflammatie van je brein

Inflammatie is gemeen. Tenzij je mikt op de 'goede dingen' en opzettelijk een ontstekingsreactie uitlokt om mager spierweefsel op te bouwen, wil je er juist alles aan doen om inflammatie te beperken. De grote vraag is alleen: hoe?

'Je moet echt kijken naar je eetpatroon, voeding en leefstijl en erachter komen wat de triggers zijn,' vertelde dokter Datis Kharrazian. 'Je kunt ontstekingsremmende natuurlijke verbindingen en nutraceutica (voeding of voedingsproducten die helpen het probleem aan te pakken) gebruiken om inflammatie tegen te gaan. Je kunt je eetpatroon aanpassen zodat het minder ontstekingsreacties geeft en je moet zorgen dat je voldoende slaapt. Het draait om je hele leefstijl. Inflammatie van de hersenen kun je in elk geval niet oplossen met een simpel supplement. Het is een ernstig, klinisch probleem.'[5]

We hebben in dit boek al verschillende remedies genoemd die een mogelijke inflammatie in de hersenen kunnen verminderen. We willen je niet vervelen met herhalingen, dus noemen we hieronder een snelle checklist met verwijzingen naar de betreffende hoofdstukken:

- Zorg voor het juiste ontstekingsremmende eetpatroon; doe je niet tegoed aan dingen als gluten, zuivel, granen, soja en suiker die je darmen niet kunnen verteren. (Zie hoofdstuk 3: het darmstelsel en het immuunsysteem.)

- Zorg ervoor dat je darmbacteriën in balans zijn. (Zie hoofdstuk 3: het darmstelsel en het immuunsysteem.)
- Zorg ervoor dat je sport, zodat je sterke en gezonde mitochondria opbouwt. (Zie hoofdstuk 4: sport en beweging.)
- Zorg ervoor dat je 's nachts goed slaapt, zodat je brein gifstoffen kan opruimen. (Zie hoofdstuk 5: slaap en herstel.)
- Zorg ervoor dat je je lichaam niet onnodig blootstelt aan giftige stoffen. (Zie hoofdstuk 6: toxiciteit.)
- Zorg ervoor dat je genoeg vezels eet, zodat afvalstoffen gemakkelijker kunnen worden opgeruimd en zorg ervoor dat je lever goed functioneert. (Zie hoofdstuk 6: toxiciteit.)

Je hebt het beperken en beheersen van inflammatie zelf in de hand, maar daarvoor moet je wel naar je leefstijlkeuzes kijken en veranderingen doorvoeren om verschil te maken.

Energieremedie #3: beperk je stressniveau

Als je last hebt van chronische stress, moet je daar echt iets aan doen, maar dat is niet altijd eenvoudig. Voor veel mensen is het een kwestie van kleine stapjes nemen en werken aan hun geestelijke gezondheid.

Er is niet één specifieke of goede manier om dit aan te pakken. Je moet goed naar je leven kijken en proberen oplossingen te vinden die voor jou werken.

Kost dat moeite? Ja. Vereist het veel oefening? Ja. Is het iets waar je de rest van je leven mee bezig blijft? Ja. Zoals zo vaak in onze vermoeidheidsreis is er nu ook geen snelle oplossing om van die chronische vermoeidheid af te komen. Maar je moet wel de controle opeisen over je brein. Anders slokt het al je energie op en uiteindelijk je leven.

Om je op weg te helpen beschrijven we hieronder een aantal simpele ideeën. Probeer kleine aanpassingen te doen, kleine veranderingen in je leven aan te brengen, zodat je uiteindelijk de energie weer voelt stromen.

Geef je gedachten aan een dagboek

Het bijhouden van een dagboek is een goede manier om gedachten uit je hoofd te krijgen en over te dragen aan het universum zodat jij die last niet meer hoeft te dragen. Je kunt een echt dagboek en een pen pakken, maar je kunt ook iets tikken op je computer. Leg jezelf geen restricties op. Denk er niet bij na. Schrijf gewoon alles op wat er in je opkomt, waar je boos of gestrest over bent, wat je voelt.

Dit is alleen maar voor jou; het is een veilige plek om je gedachten en emoties de vrije loop te laten. Je hoeft geen schrijver te zijn om dit te kunnen doen. Je hoeft er ook niet lang mee bezig te zijn. Schrijf 's morgens of 's avonds tien minuten alles op. Stel een timer in en ga aan de slag.

Een variant op deze remedie is het populaire *dankbaarheidsdagboek*. Het is populair omdat het werkt. Je focussen op waar je echt dankbaar voor bent, helpt je om stress te verlichten en beter in het moment te leven.

Experimenteer met het moment waarop je schrijft. Probeer vijf dingen waarvoor je dankbaar bent op te schrijven voor je gaat slapen en/of zodra je wakker wordt. 'Denk voordat je opstaat aan alle dingen waarvoor je dankbaar bent,' opperde dokter Leigh Erin Connealy, een vooraanstaande figuur in de functionele geneeskunde. 'Dan komt elke cel tot rust, en dat is wat we allemaal elke dag proberen te bereiken. Als er rust is, kunnen we omgaan met onze emoties, kunnen we onze hormonen beter beheersen, kunnen we in de hand houden hoe we eten. Hoe we voedingsstoffen en al het andere verteren en opnemen.'[6]

Laat Moeder Natuur je geest ontspannen

Wanneer ben je voor het laatst een tijdje buiten geweest? We hebben het vaak over uitstapjes in de natuur, omdat die zo effectief zijn. Moeder Natuur herstelt ons. Ze brengt onze drukke geest tot rust, vermindert onze stress en hernieuwt onze levenskracht. Dat is toch geweldig?

Uit een onderzoek bleek dat mensen die 's morgens en 's middags tachtig minuten in het bos doorbrachten een lagere hartslag, een aanzienlijk hoger energiepeil en minder last van depressiviteit, vermoeidheid, bezorgdheid en verwarring hadden.[7]

Je hoeft niet elke dag tweeënhalf uur naar buiten om de vruchten te plukken, maar als het kan, des te beter. Begin gewoon met vijftien of twintig minuten. Maak als het kan een wandeling in de ochtend, rond lunchtijd, na het werk of na het avondeten.

Naar buiten gaan is een van de beste activiteiten die je met je gezin kunt ondernemen. Plan in het weekend tijd in om naar een park of natuurgebied te gaan. Als er geen bos in de buurt is, ga dan naar een park en zoek daar een boom op.

Als je buiten bent, focus je dan op het zijn. We zitten zo vaak in ons hoofd, praten in onszelf, kijken terug op die stressvolle bespreking, of maken ons zorgen over wat er morgen kan gebeuren. Stop met piekeren, maar kijk naar de kleur van de blaadjes. Kijk naar hun vorm.

Zie de wereld om je heen. Dit activeert je rechterhersenhelft, waardoor je creatiever wordt en beter in staat bent om problemen op te lossen.

In de natuur zijn geeft energie, vermindert stress en activeert de rechterhersenhelft, zodat je je uiteindelijk beter gaat voelen, meer energie hebt en een volledig opgeladen brein hebt. Dat lijkt ons een win-winsituatie.

Plan elk uur een moment in om te ontspannen

Veel mensen moeten zichzelf aanleren om te ontspannen en stress te beperken. Een goede manier om dit te doen is een timer instellen zodat je elk uur even stopt met hetgeen waarmee je bezig bent en vijf minuten pauzeert om geestelijk gezond te blijven. Als dat te veel is, pauzeer je een minuut of twee. Je hebt een telefoon met een ingebouwde timer – maak er gebruik van!

Doe wat je wilt. Kom achter je bureau vandaan en doe wat rekoefeningen. Doe een paar squats. Sluit je ogen en adem diep in door de neus, zodat de lucht je buik bereikt. Ga mediteren.

Wat belangrijk is, is dat je je systeem tot rust brengt en je lichaam en geest eraan herinnert hoe het voelt om te ontspannen, wat er ook allemaal om je heen gebeurt.

Maak verdorie plezier

Het maakt niet uit hoe je stress beperkt, als je het maar doet. Kies iets wat jij wilt doen. Het kan iets zijn wat je vroeger leuk vond om te doen, maar waarvoor je sinds je huwelijk, de kinderen en het leven geen tijd meer had.

Als je ontspant van tuinieren, ga tuinieren. Als je ontspant van buiten zijn, ga naar buiten. Als het yoga of meditatie is, ga dat doen. Als het lezen of een film kijken is, doe dat. Als het koken of bakken is, als het in bad gaan is, als het de kinderen voor de gek houden is, als het een bordspel doen met je partner is, doe het.

Sta jezelf toe even pauze te nemen, te ontspannen, te genieten van het leven en je geest tot rust te laten komen. Je zult je daarna als herboren voelen.

Zeg vaker 'nee'

Doe je te veel toezeggingen? Dat is niet erg. De meesten van ons hebben dat op een bepaald punt in ons leven. We zeggen ja wanneer we dat echt willen en zouden nee moeten zeggen als we het niet willen. Of je nu geneigd bent mensen te behagen, behulpzaam wilt zijn, een verkeerde inschatting maakt van de tijd, energie en moeite die iets zal kosten, of het gewend bent om iedereen boven jezelf te stellen, dit gaat over het stellen van en vasthouden aan grenzen. Het gaat over leren dat je nee kunt zeggen zonder dat de wereld vergaat.

Je zult dan zelfs meer energie en aandacht hebben voor de mensen, taken en ervaringen waartegen je wel ja zegt. En dat is weer goed.

Leer ademhalen

Je ademhaling heeft een sterke, bijna magische uitwerking op je energiepeil. Door controle over je ademhaling te hebben krijg je controle over je energiepeil. Sterker nog, je krijgt controle over of je in een vecht-, vlucht- of verstijfstand blijft zitten of in een rust-en-verteerstand zit.

De meeste mensen hebben een oppervlakkige ademhaling. Ze ademen alleen vanuit hun borst, en door hun mond. Maar wanneer je langzaam inademt door je neus en de lucht helemaal naar je buik laat stromen, kun je je zenuwstelsel in een tragere, rustigere, meer ontspannen toestand brengen. Er zijn maar een paar minuten voor nodig om vanuit een gestreste toestand in een ontspannen toestand te komen.

Probeer dit eens: adem vier tellen in door je neus en stuur de lucht naar het diepste punt in je lichaam (ongeveer drie vingers onder je navel) en houd hem daar vier tellen vast. Doe deze oefening drie keer. Concentreer je op het ademen via je buik. Je buik moet op- en neergaan, niet je borst.

Dit is ook een goede oefening: adem in vier tellen in en adem dan in zes tellen uit. Hierdoor vertraagt je hartslag.

Je kunt deze ademhalingstrucjes gebruiken op het moment van een stressreactie of voor een mogelijk stressvolle gebeurtenis. Je kunt een diepe ademhaling oefenen voor het eten, voor het slapengaan, voor dat gesprek met je baas of voor dat online teamoverleg. Je kunt ze gebruiken als je in de auto zit en vaststaat in het verkeer of als je ineengeklemd tussen vreemden in de metro of trein zit.

Als je chronisch gestrest bent, kunnen ademhalingsoefeningen de beste hulpmiddelen zijn. Ze kosten niets en je kunt ze altijd en overal doen.

Ban de stress uit

Sommige mensen kunnen hun chronische stressniveau alleen verlagen door stress helemaal uit te bannen. We kunnen je hier niet stap voor stap vertellen hoe je dat kunt doen; daar kun je een heel boek mee vullen. Maar we kunnen je wel een spiegel voorhouden en je helpen ontdekken waar je stress misschien vandaan komt. Uiteindelijk moet jij degene zijn die beslist of je je reactie op stress moet veranderen of stress helemaal moet uitbannen.

Denk eens na, wat houd je 's nachts uit je slaap?

- Zijn je financiën op orde?
- Ben je gelukkig in je relatie met je partner?
- Ben je tevreden over je relatie met je vrienden, familieleden of ouders?
- Ben je blij met hoe je omgaat met je kinderen?
- Vind je je werk leuk?
- Vind je je baas aardig?
- Vind je je collega's aardig?
- Ben je tevreden over je werkplek en de cultuur die er heerst?

Al deze dingen kunnen veel energie opslokken. Als een van deze dingen ervoor zorgt dat je gedachten overuren draaien, kan dat betekenen dat je grote aanpassingen in je leven moet doen om er iets aan te veranderen. Dat kan moeilijk zijn, maar op de lange termijn zal er een zware last van je schouders (en uit je hoofd) verdwijnen.

Probeer een hartslagmeter

Jaja, je bent op zoek naar remedies voor je brein. Daar zijn er niet zoveel van, maar er is een apparaatje waarmee mensen fantastische resultaten boeken. Een hartslagmeter die je *hartslagvariabiliteit* (HVR) meet, geeft je stressniveau aan.

Je kunt zo'n meter bijvoorbeeld in de vorm van een horloge kopen. Veel van deze smartwatches hebben een app die dit voor je berekent. Als je gestrest bent en je hartslag omhoogschiet, begint het horloge te trillen. Het is een fantastisch middel om je beter bewust te worden van je lichaam, waardoor je jezelf tot de orde kunt roepen als de spanning oploopt en je in de vecht-, vlucht- of verstijfstand gaat. Mensen combineren dit vaak met ademhalingstechnieken als manier om bewust hun stressniveau omlaag te brengen.

Het is zo effectief dat sommige artsen die wij hebben gesproken, patiënten hebben gehad die geen kalmeringsmiddelen meer nodig hadden door het gebruik van een dergelijke meter en ademhalingsoefeningen – zo goed werkt het. (We willen hiermee niet zeggen dat je moet stoppen met het gebruik van kalmeringsmiddelen. Dat is iets wat je alleen in overleg met je arts moet doen.) We kunnen niet garanderen dat het voor iedereen hetzelfde zal uitpakken, maar het is het proberen waard als je iemand bent die snel gestrest is, veel nadenkt en zich snel zorgen maakt.

Energieremedie #4: zoek hulp voor je trauma

Laten we realistisch blijven, we kunnen je geen recept geven om je trauma met een paar snelle remedies op te lossen. Dat is niet alleen onmogelijk, het zou ook een belediging zijn naar jou. Een trauma is een heel complex, heel reëel probleem dat een grondigere, respectvollere aanpak verdient.

Dit is een openbare aankondiging en medische disclaimer: er zijn hele boeken geschreven over trauma's. Deze korte paragraaf zal en kan je niet genezen. Hij is alleen bedoeld om je meer inzicht te geven in een mógelijk gebied in je leven dat je veel energie kost.

Als je dit hoofdstuk zit te lezen en vermoedt dat een trauma de bron kan zijn van jouw vermoeidheidsproblemen, moet je je niet laten ontmoedigen. Dit boek is vooral bedoeld om je vermoeidheidsprobleem te ontrafelen. Er zijn ontzettend veel factoren die ertoe kunnen leiden dat je vermoeid bent, niet helder kunt denken en niet in staat bent om op hoog niveau te functioneren. Dit boek is erop gericht jou er beter bewust van te maken wat jouw unieke situatie is.

Als je vermoedt dat een trauma de bron van jouw vermoeidheid kan zijn, is dat een overwinning. Dat betekent dat je een stap dichter bent bij het terugkrijgen van je levenskracht en het keren van het tij.

Het betekent dat er een weg is die je in kunt slaan, in plaats van maar in kringetjes te blijven lopen, je af te vragen wat er aan de hand is en hoe je weer vooruit kunt komen.

Als er nog iets opgelost moet worden – wat het ook is – zoek dan alsjeblieft professionele hulp. Yoga, qi gong, meditatie en andere vormen van mindfulness kunnen een rol spelen, maar schieten waarschijnlijk tekort als het om een zwaar trauma gaat.

De meeste mensen kunnen een trauma alleen loslaten onder begeleiding van een medische deskundige als een therapeut. Als dat voor jou geldt, is dat oké. Je moet hier overheen komen, dus ga ermee aan de slag. Werk samen met een therapeut. Als je alles wat je hebt opgekropt in een veilige omgeving met een deskundige therapeut verwerkt, zul je weer nieuwe energie krijgen.

In de tussentijd willen we drie technieken met je delen die ons allebei hebben geholpen om trauma's in onze eigen levens naar boven te halen en los te laten. Maar dit is geen vervanging voor professionelere hulp. Het zijn alleen een paar dingen om je op weg te helpen.

Doe de ACE-test

De meeste mensen weten niet eens dat ze met een trauma rondlopen. Als je wilt weten of een trauma een rol speelt bij jouw vermoeidheid, zijn er goede testen die je kunnen helpen vaststellen hoe getraumatiseerd je mogelijk bent. Een van de testen die wij erg goed vinden, is de ACE-test. Het kost je ongeveer vijf minuten om hem in te vullen, hij is gratis en hij gaat in op verschillende vormen van trauma en misbruik waar je voor je achttiende mogelijk mee te maken hebt gehad.

Floattherapie

Een goede manier om trauma's naar boven te halen en het hoofd leeg te maken, is het gebruik van een cabine waarin alle zintuigen worden ontlast. Deze watertanks waarin je in complete rust, stilte en duisternis in water kunt drijven, waren populair in de jaren zestig en

zeventig en maken nu weer een opmars. Het water is op lichaamstemperatuur gebracht en de cabine voorkomt dat je zintuigen worden geprikkeld; daardoor kun je je volledig focussen op je innerlijke
bewustzijn.

Zonder alle binnenkomende informatie beginnen de hersenen te
trippen. Veel mensen krijgen hallucinaties. Je krijgt de ruimte om
lagen af te werpen en naar binnen te treden. Voor de meeste mensen
kan het ontzettend ontspannend en verkwikkend zijn. Voor anderen
is het een schokkende ervaring waarin hun trauma naar boven komt.

Als dat voor jou zo is, kun je vervolgens het beste naar een therapeut gaan bij wie je kunt loslaten wat er naar boven is gekomen, in
plaats van het weer te laten wegzakken.

Neurofeedback

We hebben vijf soorten hersengolven die worden gelinkt aan verschillende delen van ons brein en samenhangen met angst, impulsi-
viteit, cognitieve onbuigbaarheid, emoties, gedachten en gedragingen.
Neurofeedback is een geweldig middel omdat het je in real time kan
laten zien welke frequentie je hersengolven hebben.

De vijf soorten hersengolven zijn:

1. Delta, een slaaptoestand.
2. Thèta, een dromerige, ontspannen toestand.
3. Alfa, een meditatieve, ontspannen toestand.
4. Bèta, een concentratietoestand die samenhangt met werk.
5. Gamma, een zeer hoge, zeer snelle frequentie.

De meeste neurofeedback meet geen gammagolven, maar pikt wel
bètagolven op. Bètagolven (vooral hoge bètagolven) en je amygdala
kunnen hechte vrienden zijn. In de bètatoestand ben je erg gefocust.
Het kan zijn dat je waargenomen dreigingen analyseert, in gedachten de weg uit een doolhof probeert te vinden of een puzzel probeert
op te lossen.

Er is niets mis met bèta, maar we kunnen het overdrijven. En dat is waar chronische stress en trauma's een rol spelen.

Als een trauma is getriggerd, is het vaak lastig te voorkomen dat je in je hoofd te veel gaat piekeren, te veel gaat stressen of een traumatische ervaring herbeleeft. Als je lichaam angstig is, in een vecht-, vlucht- of verstijftoestand verkeert, weten je hersenen niet hoe ze dat moeten uitschakelen. Ze zitten vast in de hoge bètafrequentie.

Alfa is de oplossing. Het is als de koppeling tussen de verschillende versnellingen. Als je weet hoe je alfagolven, die worden gelinkt aan meditatie en een ontspannen brein en lichaam, kunt activeren, kun je je amygdala leren om niet langer in elke hoek gevaar te zien. Op die manier word je niet meer steeds getriggerd door de dingen om je heen.

Neurofeedback helpt je de hersengolven te herkennen en je brein door middel van meditatie en ontspanningstechnieken anders te laten reageren.

Energieremedie #5: maak eerst kleine veranderingen

Wil je je beter voelen? Wil je het gevoel hebben dat je genoeg energie hebt voor de dag, voor alle mogelijke uitdagingen, wil je je sterk, levendig en gelukkig voelen en zin hebben in het leven?

Daar heb je je hersenen voor nodig.

Om je gloeilamp fel te laten schijnen moet jíj hem de juiste voeding geven. Jíj moet de juiste elektrolyten leveren. Jíj moet ervoor zorgen dat je naar bed gaat, gaat slapen, je brein laat ontspannen. Jíj moet sporten en je lichaam in beweging laten komen. Jíj moet ontspannen en de stressreactie tegenhouden.

Jíj. Jíj. Jíj moet jouw universum beheersen en de juiste beslissingen nemen om je energiepeil weer op het juiste niveau te krijgen. Je zult niet op een dag wakker worden en je lamp op magische wijze hebben ingeschakeld. Dat is niet hoe het leven in elkaar zit, en het is ook niet hoe je brein in elkaar zit.

Je gezondheid op de eerste plaats zetten is niet egoïstisch, dus laat het schuldgevoel, de angst en de zorgen maar achterwege. We weten dat dat soms gemakkelijker gezegd dan gedaan is, maar luister alsjeblieft goed. Door van je eigen welzijn je belangrijkste prioriteit te maken, zul je uiteindelijk alle energie krijgen die je nodig hebt om er te zijn voor je gezin en je werk. Iedereen in je omgeving profiteert ervan. Het beloofde land van levenskracht en levenslust bestaat. Maar het blijft voor veel mensen onbereikbaar omdat ze niet de juiste beslissingen en keuzes maken voor hun leven.

Als je niet meer helder kunt denken en je doodmoe bent, waarom is dat zo? Hoe ben je in die situatie beland? Welke keuzes en beslissingen hebben ervoor gezorgd dat je hier nu bent?

We weten dat dit lastige vragen zijn om jezelf voor te leggen. We weten dat in de spiegel kijken en je fouten toegeven een bittere pil is. Het laatste wat we willen is je het gevoel geven dat je je moet schamen, of je ontmoedigen of je een schuldgevoel aanpraten over je verleden. Júíst niet.

We willen dat je je stérk genoeg voelt om je vermoeidheid te boven te komen door ándere beslissingen te nemen. Want dat is wat je moet doen, ongeacht de onderliggende oorzaken. Pas als je je gedrag verandert, pas als je andere keuzes maakt over hoe je je leven leidt, zul je de energie en levenskracht krijgen waarvan je droomt.

Wij kunnen je alle remedies en oplossingen van de wereld aanreiken, alle tips en middelen en technieken om je energiepeil omhoog te brengen. Maar wij kunnen er niet voor zorgen dat je er komt.

Jij moet er zélf voor zorgen dat je er komt, en het zit allemaal in je hoofd.

Je hebt innerlijke kracht en innerlijke vastberadenheid nodig, de wil en het doorzettingsvermogen, want in het begin zal je brein nog niet echt meewerken. Het heeft een natuurlijke afkeer van pijn. Het zal alles doen om dat wat aangenaam en bekend is te beschermen. Voor het brein is dat veilig.

Het onbekende, het ongemakkelijke, het nieuwe en andere gedrag – ook al is het gezonder – lijken gevaarlijk. We durven te wedden dat je in dit boek dingen hebt gelezen waarop je brein reageerde met: 'Ik dacht het niet, hoor.' Misschien was het de noodzaak om vijftien minuten per dag te sporten. Of om een uur of twee voor het slapengaan alle apparaten uit te zetten. Of het uitbannen van suiker, bewerkte voeding en koolhydraten. Of het overstappen op andere verzorgingsproducten of het installeren van een waterfilter.

Wat 'het' ook was, begrijp dat die weerstand ontstaat doordat je brein niet van verandering houdt. Misschien vóél je niet de zin om de remedies te proberen die wij noemen. Misschien vóél je je te moe. Misschien vóél je je te neerslachtig. Er kan veel voor nodig zijn om je brein ervan te overtuigen dat het nee moet zeggen tegen die drie glazen wijn in de avond, en ja tegen op de vloer gaan zitten om te mediteren.

Maar andere beslissingen en een nieuwe leefstijl zullen je van je vermoeidheid af helpen.

Als je brein tegenstribbelt, wat kun je dan doen? Je kunt klein beginnen. We hebben het over gedragsaanpassingen. Je plukt de laagst hangende vruchten en begint met de veranderingen waarvan je weet dat ze je lukken, en dat houd je dan ten minste twee weken vol, het liefst een maand.

Daarna voeg je er een andere gedraging aan toe, een andere nieuwe keuze. Met langzame, gestage stappen leer je je brein te vertrouwen op de gezondere keuzes. Voor je het weet, ben je uit deze vermoeidheidstoestand en is alles beter dan je je kon voorstellen.

Er is geen andere manier. Om je brein goed te laten functioneren moeten al je systemen goed functioneren. Dan, en alleen dan, zal je brein de energie hebben om zijn licht fel te laten schijnen en jou te helpen betere beslissingen te nemen. Vanaf dat moment zit je in een opgaande spiraal.

Extra energieremedie: roep de versterking van kruiden in

Er bestaat niet zoiets als een supplement dat overal goed voor is, maar sommige kunnen wel de gezondheid van je brein helpen ondersteunen. Een aantal van de populairste zijn:

Kurkuma. Kurkuma vermindert inflammatie, ontgift de lever en hersenen, brengt de microben in je darmen in balans en verbetert het geheugen en het cognitieve vermogen. Ja, het is fantastisch spul. Je kunt kurkuma toevoegen aan curry's, soepen en zelfs smoothies.

Eleuthero. Eleuthero, of Siberische ginseng, is goed voor mentale helderheid, de concentratie, het verminderen van vermoeidheid en boosten van je energiepeil. Het zou ook de bloedsuikerspiegel kunnen stabiliseren. Je moet wel oppassen dat je de juiste hoeveelheid gebruikt. Het is een stimulerend middel, van te veel kun je je een beetje gejaagd gaan voelen.

Je kunt maximaal zes weken elke dag een kleine hoeveelheid innemen. Gebruik het daarna twee tot drie weken niet.

Ginkgo biloba. In de praktijk van dokter Datis Kharrazian is het meest effectieve plantaardige middel dat wordt gebruikt tegen inflammatie van de hersenen ginkgo biloba, dat de bloedsomloop en bloedcirculatie naar de hersenen verbetert.[8] Dit is geen nieuwe remedie. Het blad van de prachtige ginkgoboom wordt al eeuwen gebruikt om de bloedcirculatie naar de hersenen te vergroten. Recente wetenschappelijke proeven hebben laten zien dat het bij mensen met een cognitieve achteruitgang kan worden gebruikt om de hersenfunctie te verbeteren.[9] Dat lijkt ons een enorm pluspunt.

Gotu kola. Gotu kola wordt al duizenden jaren gebruikt in India, China en Indonesië en staat erom bekend dat het energie geeft en het zenuwstelsel in balans brengt, en psychische angst en stress helpt verminderen. Het helpt ook om mentaal alerter te zijn.

Bacopa. Bacopa is een ander belangrijk kruid uit de ayurvedische geneeskunde en wordt gebruikt om de geest scherper te maken en het geheugen te versterken. Het wordt ook gebruikt voor de behandeling van psychische angst en het zou ontstekingsremmend zijn. Het is vaak verkrijgbaar als pil of poeder waarvan je met heet water thee kunt maken.

OPLOSSING

Franks brein kreeg niet de benodigde energie om goed te kunnen functioneren. Hij moest redelijk grote veranderingen in zijn leefstijl en eetpatroon aanbrengen om zijn lamp weer fel te laten schijnen. Hij paste eerst zijn eetpatroon aan en koos voor meer biologische groenten en fruit en meer gezonde vetten zoals avocado, olijfolie en vis.

Hij bracht sport ook weer terug in zijn dagelijks leven. Vroeger ging hij graag joggen, maar naarmate hij meer uren ging werken, schoot het sporten erbij in. Nu maakte hij hoe dan ook een uur per dag vrij voor cardio, waarmee hij zijn angst en stress onder controle kreeg. Uiteindelijk stopte Frank om zes uur 's avonds met werken. Eerst wist hij niet hoe hij al zijn werk voor die tijd gedaan moest krijgen, maar binnen twee weken merkte hij dat hij zich langer kon concentreren en nam de kwaliteit van zijn werk toe. Zijn hersenen leken ook weer optimaal te werken. Hij zag de trends en legde verbanden met fondsen waarin moest worden geïnvesteerd.

Tot zijn verrassing werkte zijn brein efficiënter en krachtiger als hij het rust gunde. Zijn situatie veranderde zo drastisch dat hij in dat jaar promotie en zijn eigen hedgefonds kreeg. Frank stopt nog steeds elke avond op tijd met werken en gunt zijn hersenen rust als ze dat nodig hebben.

PERSOONLIJKE UITDAGING

Gun jezelf een week lang een breinpauze tijdens je werk. Sta jezelf eenmaal per uur toe om tijd vrij te maken en weg te lopen van je werk, in beweging te komen en/of je geest tot rust te brengen. Doe drie minuten lang squats of rekoefeningen, sluit je ogen en ga mediteren, doe ademhalingsoefeningen, dans, lach… het maakt niet uit wat je doet. Het enige wat ertoe doet, is dat je pauze neemt, je geest rust gunt en een beetje rust en luchtigheid in je leven brengt.

HOOFDSTUK 9

Spirituele gezondheid

Shawn leidde een puur, gezond leven. Hij en zijn vrouw waren twaalf jaar getrouwd en hadden drie kinderen. Hij en zijn vrouw praatten niet meer zoveel als vroeger, ze gingen niet meer zo vaak uit en hadden minder vaak seks, maar ja, ze hadden het allebei druk met hun carrière en het gezin, en zo hoort het ook in een huwelijk waarin kinderen zijn.

Shawn had een goed uitgebalanceerd eetpatroon en bleef in beweging door te fietsen, te trainen met gewichten en wandeltochten te maken. Zijn financiën waren ook goed op orde, en hij voelde niet de stress die veel van zijn overbelaste vrienden ervoeren.

Het enige minpunt dat hij kon bedenken was zijn baan, maar hij voelde zich schuldig als hij daarover klaagde. Shawn werkte als accountant voor een verzekeringsmaatschappij. Zijn vader was accountant geweest, dus hij was opgegroeid met het idee dat hij er ook een moest worden. Shawn was ook echt goed met getallen, dus hij deed het werk met gemak.

Er was niets 'mis' met zijn werk. Het was alleen vreselijk saai. Maar hij hield zichzelf voor dat hij het ermee moest doen, dat hij blij mocht zijn dat hij een baan had die goed betaalde en goede arbeidsvoorwaarden had. Wat kon hij zich nog meer wensen in de toenmalige economie?

Het leven was over het algemeen goed voor Shawn, en daarom begreep hij dan ook niet waarom hij toch zo moe was. Elke dag was een worsteling en hij voelde zich vanbinnen leeg en afgestompt. In de weekenden sliep hij twee uur bij. Soms was pannenkoeken bakken voor de kinderen al vermoeiend.

Shawn had er een gewoonte van gemaakt om 's avonds als zijn vrouw al naar bed was en hij wat tijd over had te gamen. Het was zijn manier om te ontspannen, maar het begon wel invloed te krijgen op zijn nachtrust omdat hij tot wel één uur 's nachts doorging.

Shawn voelde zich zo rot dat hij uiteindelijk met zijn huisarts ging praten, en die vertelde hem dat het normaal was om het wat rustiger aan te gaan doen als een man van zijn leeftijd kinderen en een carrière had. Zijn dokter liet een paar testen doen, maar de uitslagen vielen allemaal binnen de marges. Shawn had geen onderliggende ziekten en hij leek ook niet depressief. Hoewel er geen duidelijke oorzaken waren voor zijn vermoeidheid, voelde hij zich toch lusteloos en dat beviel hem niet.

HET PROBLEEM

Ga met een fysieke of mentale aandoening naar een willekeurige inheemse genezingstraditie ergens op de wereld en je krijgt niet alleen maar wat kruiden aangereikt. Eerst zullen ze dieper willen graven, in spirituele zin, om erachter te komen wat er mis is met je *geest* of *ziel*.

Als je in Zuid-Amerika bent, zullen genezers plantaardige medicijnen gebruiken om je inwendige wereld wakker te schudden. Ze gebruiken planten als ayahuasca of huachuma (ook bekend als San Pedro) om je staat van bewustzijn te veranderen. Het doel is om je ego op de proef te stellen en de opvattingen die je externe wereld hebben gevormd, te testen, zodat het enige wat overblijft de ware essentie is van wie jij bent.

Als je in Noord-Amerika bij inheemse mensen bent, zullen ze zweethutten gebruiken. Ze gebruiken geen kruiden, maar hitte om de intensiteit om je heen op te voeren, waardoor er vaak verontrustende gedachten naar boven komen die zich hebben schuilgehouden in je psyche. Dat kunnen negatieve gedachten over jezelf zijn, belemmerende angsten over hoe zwak je bent, en misschien zelfs trauma's uit het verleden.

Maar of je nu in Zuid-Amerika, Noord-Amerika of een ander deel van de wereld bent, het doel is hetzelfde: je spirituele wezen naar buiten halen en je lagere ziel naar de oppervlakte sturen zodat hij kan worden gezien en vrijgelaten. Als alles uit de weg is geruimd, ben je een schoon blad dat openstaat voor genezing.

De werkelijke vraag is: *wat is genezing?*

Als je probeert een beeld van wie je denkt te zijn (het afweermechanisme naar buiten toe waarmee je je zwakke verhaal opkrikt) op te lappen, zal dat waarschijnlijk niet werken. Je moet in je kern genezen.

Dat lijkt misschien heftig en volledig buiten je comfortzone, maar het werkt. We hebben gezien dat veel mensen baat hadden bij die oude ceremonies, die al eeuwen, en misschien zelfs langer, worden gebruikt. We hebben zelf ook zulke ceremonies doorgemaakt. Ze hebben ons een pak rammel gegeven, maar op een goede manier.

We kunnen je geen psychedelische planten geven, en we hebben ook geen zweethut waar we je in kunnen zetten, maar we willen toch proberen je innerlijke wereld wakker te schudden met het middel dat we wel hebben: *onze woorden.*

In dit hoofdstuk houden we niets achter en zetten we overal vraagtekens bij. Dit hoofdstuk is bedoeld om je in beweging te brengen, je ego wakker te schudden en je aan te sporen vraagtekens te plaatsen bij je geloof en opvattingen, de betekenis en het hogere doel van je leven, waarom je energie nodig hebt, aan wie je die energie geeft in relaties, en wie jij *denkt* te zijn tegenover wie je *werkelijk* bent.

We willen direct en openhartig zijn, want dit hoofdstuk is het geheim. Het is de plotwending. Het is waar het in het leven allemaal om draait.

Vanaf het begin hebben we je stap voor stap uitgelegd hoe je je energie van buitenaf kunt laten ontbranden door gebruik te maken van je eetpatroon en voeding, je darmstelsel en immuunsysteem, slaap en beweging, je bijnieren en brein en nog veel meer. Je doet die dingen, en je voelt je beter. Je krijgt een energiekick.

Maar de snelste manier om van je vermoeidheid af te komen is door je energie *van binnenuit* te doen ontbranden.

Alles wat je tot nu toe hebt gedaan, draaide erom dat je genoeg energie opbouwde om warm te blijven in de donkere, koude nacht, tot je tot het besef kwam dat de energie waarnaar je zocht altijd al binnen in je zat. Die energie is je geest. Het is je ziel die geduldig wacht tot je wakker wordt om de vlam aan te wakkeren, het vuur te voeden en jou dan toegang te geven tot de oneindige energie.

Diep vanbinnen weet je dat de defecte wereld waarin je leeft en het spel dat je probeert te spelen niet kloppen. Je weet dat deze wereld niet goed is. Je weet dat dit niet is hoe het leven zou moeten zijn. Het is niet de bedoeling dat je je de hele tijd leeg en moe voelt.

We hoeven niet meer in die wereld te passen. Je kunt jezelf wakker schudden door je innerlijke vlam te ontsteken.

Dat kunnen wij niet voor je doen. Wij kunnen alleen voor een vonkje zorgen, en dat is ook waarop we hopen. We weten hoe het is om je vanbinnen dood te voelen. Het wonder is dat hoe ver heen je ook denkt te zijn, je die innerlijke vlam weer kunt aanwakkeren en het vuur kunt voeden – op elk moment, altijd, ongeacht je leeftijd, ongeacht de problemen die je hebt gehad of nog hebt.

De macht om je innerlijke vuur aan te steken en op te stoken ligt volledig bij jou.

Stel je geest en hart open. Heb moed. Wees dapper. Wees trouw aan jezelf en je geest.

Als je trouw bent aan wie je werkelijk bent, zal de defecte wereld, die je door het leven heeft gesleept en bedwelmd, langzaam vervagen. Uiteindelijk sta je vol energie midden in het leven.

DE ENERGIELEKKEN

Energielek #1: je weet niet wat je hogere doel is

Het heeft geen zin om brandstof met een hoog octaangetal in je tank te doen als je geen idee hebt waar je naartoe gaat of wie er achter het stuur zit. Waarom heb je energie nodig?

Het is als de auto voltanken zonder dat je een bestemming in gedachten hebt. Hoeveel keer kun je rond je huizenblok rijden? Wat is het nut van de rit?

Er was eens een verpleegkundige die beweerde maar een uur of twee per nacht te slapen. De meeste mensen dachten dat ze loog, dus onderzoekers van een universiteit besloten haar in de gaten te gaan houden. Ze dachten dat ze haar wel zouden betrappen op een hazenslaapje.

Ze draaide de rollen om. Nadat ze haar twee weken hadden gevolgd, waren de onderzoekers doodop. Ze moesten beamen dat het waar was wat ze zei en dat het vrijwel onmogelijk was om haar bij te benen. Ze was de meest positieve persoon die ze ooit hadden ontmoet. Alles draaide voor haar om dienstbaarheid en ze leidde een zorgzaam, barmhartig leven. Het enige wat ze wilde doen, was anderen helpen.

Ze tartte de wetenschap en logica die voorschreef dat mensen ten minste acht uur verkwikkende slaap nodig hebben. Zij had maar twee uur nodig, hooguit. Hoe laadde ze zichzelf op? Waar haalde ze haar energie vandaan? Het waren haar vertrouwen en haar grote verbondenheid met haar hogere doel. Ze geloofde dat ze met een reden was geboren en op deze planeet was gekomen, en dat was om andere mensen te verzorgen en te helpen. Het was dat je-ne-sais-quoi dat onderzoekers niet konden verklaren of begrijpen.

Het lijkt erop dat ze was geworden wat inheemse stammen in Zuid-Amerika een *hol bot* noemen. Bij een hol bot speelt er geen ego mee, waardoor de persoon een zuiver kanaal voor het Universum wordt. Als dit gebeurt, straalt de betreffende persoon het licht van het Universum van binnenuit uit en wordt hij onstuitbaar. Men dacht dat de heiligen in deze personen waren veranderd.

Niets kan je vuur beter aanwakkeren dan erachter komen wat de reden is dat je hier op aarde bent. Als je de reden vindt, vind je een bron van eindeloze, onbeperkte energie waaruit je kunt putten. Mensen die zoiets hebben, een hoger doel, iets om voor te leven, leven over het algemeen langer, zijn gezonder en hebben meer energie en levenskracht.[1]

We weten dat dit grote idealen zijn, en het is dan ook helemaal niet eenvoudig om zo'n zuiver kanaal voor het Universum te worden. Maar wat is het een mooi ideaal, en wij weten allebei uit ervaring dat wanneer je dat hogere doel vindt, je licht vanzelf begint te schijnen.

Wij hebben allebei een heel goed idee van waarom we hier zijn. We weten dat het de bedoeling is dat we mensen helpen te herstellen. We kennen onze gaven en talenten. We zijn creatief, we kunnen goed communiceren en we hebben een oprechte drang om mensen te laten zien hoe ze hun leven kunnen bijsturen. Deze wetenschap en het uitvoeren van ons doel geeft ons ontzettend veel energie.

Er zijn dagen en weken dat we maar blijven doorwerken. Dat is geen probleem. We werken tot in de kleine uurtjes van de nacht omdat we zo op onze missie gefocust zijn dat ons lichaam de extra energie wel ergens vandaan kan halen. Soms voelt het alsof er een grotere macht in het spel is.

Als je bent afgestemd op je hoogste idealen, vind je energievoorraden waarvan je geen idee had dat je ze bezat. Maar als je niet bent afgestemd op je hogere doel, als je lichaam en geest niet overeenstemmen met je leven en hoe je je energie verbruikt, zal het je veel moeite kosten om uit bed te komen en aan de dag te beginnen.

Energielek #2: je hebt niets groters om in te geloven

Betekenis en een hoger doel gaan vaak hand in hand met religie, spiritualiteit en geloofssystemen. Als je niet gelooft dat je leven betekenis heeft, als je niet gelooft dat het feit dat je hier bent in deze tijd en ruimte een hoger doel dient, als je niet gelooft dat er een groter geheel is, wat heeft het dan allemaal voor zin? Zonder betekenis kan het leven al snel saai en zinloos worden.

Niets ten nadele van atheïsten, maar gezien wie wij tweeën zijn, zal dit geen verrassing zijn: *vasthouden aan het geloof dat we enkel levende robots van vlees en botten zijn, is een behoorlijk angstaanjagende, beperkende en energieverspillende manier van leven.* Het onderzoek is gedaan en het vonnis is onbetwistbaar: religie en spiritualiteit kunnen een therapeutische uitwerking hebben, of het nu gaat om het verminderen van neerslachtigheid, psychische angst, vermoeidheid of een willekeurige combinatie.

Als je in een hogere macht gelooft, als je gelooft dat er meer is in dit leven en dat er een bepaald hoger doel is, heb je een grotere kans om langer te leven (en dat gaat hand in hand met een toegenomen energiepeil). Het doet er niet toe of dat geloof is verbonden aan een georganiseerde religie als de islam, het jodendom, katholicisme, een geloof als het hindoeïsme, of een geloof en filosofie als het boeddhisme of taoïsme.

Het gaat niet om hoe je het noemt. Het gaat om het geloof in iets groters wat je een energieboost kan geven.

Zijn alle verhalen over een hogere macht waar? Wij weten het niet. Niemand weet het helemaal zeker. Wij geloven zelf dat er iets groters in deze wereld is wat het universum in beweging zet en alle levende wezens, of het nu planten, dieren, insecten of bomen zijn, bezieling geeft. We hebben allebei ervaringen gehad die ons de magische onderlinge verbondenheid van al het leven hebben laten zien; de diepgaande verbondenheid van al het leven zelf. Het is iets waar je veel kracht uit kunt putten, en als je het eenmaal hebt gezien, kun je moeilijk ontkennen wat je hebt ervaren.

Maar zelfs als het niet zo is, zelfs als de lichten voor altijd doven als het gordijn voor de laatste keer valt, houden we onze hersenen liever voor dat ze moeten geloven in iets groters. Als dat ons helpt om langer te leven, gelukkiger te zijn, een betere echtgenoot, vader, vriend, zoon – mens – te zijn, dan willen we dat placebo best elke dag slikken.

Energielek #3: je stopt je energie in giftige relaties

De relaties in je leven kunnen een bron van energie zijn en je helemaal opladen, maar ze kunnen je ook leegzuigen. Je kunt al het andere goed doen, maar als je gevangenzit in een giftige relatie, zal je energie volledig worden opgeslokt. Er is geen tegenwicht voor slechte vrienden, hoeveel chiazaad of magnesium je ook door je aderen jaagt.

Je kunt in het universum op twee manieren energie drinken. Een van die manieren is verticaal. Het is de weg van de mysticus of heilige, van de yogi of de sjamaan. Dat is een persoon wiens innerlijke licht zo zuiver, zo sterk en zo verbonden met het ritme van het universum is dat het hun hele wezen voedt. Ze krijgen hun energie van de hemel en aarde en zijn vervuld van levenskracht.

De tweede manier is horizontaal, van planten en dieren. Dit is letterlijk het eten van voedsel, maar ook het geven en nemen van energie op een psycho-emotioneel niveau met de mensen in ons leven. We wisselen onze energie elke dag uit met andere mensen, maar er zijn ook mensen die alle levenskracht uit ons zuigen.

Dat zijn *giftige relaties*. Die kun je hebben met je echtgenoot, partner, ouder, baas, een familielid, collega of vriend.

Of we het leuk vinden of niet, elk van onze relaties houdt zich aan een uitgesproken of niet-uitgesproken overeenkomst of afspraak. Deze verplichtingsregels bepalen hoe we ons naar elkaar gedragen, en als ze niet zijn opgesteld volgens de hoogste idealen die we eerder hebben genoemd, zul je voor uitdagingen komen te staan.

Het is de hoogste tijd om eens naar de drie tot vijf belangrijkste personen in je leven te kijken en jezelf af te vragen (geen zorgen, we noemen de vragen in het remediedeel) of de betreffende relatie, zoals die er op dit moment uitziet, je voedt of vergiftigt.

Energielek #4: je weet niet wie (of wat) je *werkelijk* bent

De 'drie schatten'-theorie uit de Chinese geneeskunst gaat ervan uit dat we drie energieën binnen in ons hebben die het leven vormen en onderhouden.

Jing is onze fundamentele energie. Het is de magische kracht waarmee je geboren wordt. Je kunt die tijdens je leven versterken door oefeningen als qi gong en door een puur, gezond leven te leiden. Je kunt er niet meer van krijgen. Je moet het doen met wat je hebt.

Qi is de energie van het leven. Je kunt het vertalen als 'levens-kracht' en het stroomt door je lichaam. Alles op de wereld heeft qi. Het wordt ook geactiveerd door je jing. Het is de energie waarover we het in dit boek hebben. Qi stroomt tussen je organen, voedt je spieren en drijft ons leven aan. Alles in het leven heeft energie nodig om op gang te blijven.

In de Chinese geneeskunst gelooft men dat je qi kan opraken. Rusten, het eten van bepaalde etenswaren, bewegen, slapen en het beperken van stress zijn manieren om het aan te vullen. Men gelooft ook dat je qi kan vastlopen. Dat is waar acupunctuur zich op richt; op het openen van de kanalen in het lichaam zodat de qi er gemakkelijk en onbelemmerd doorheen kan stromen.

Shen is de geest, of wat we op het westelijk halfrond misschien wel de ziel noemen. Het is wat onze diepere betekenis en plaats hier op de planeet aanstuurt, wat ons lichaam en onze energie naar een hoger doel leidt. Het aanwenden van jing om qi te voeden draait volledig om het verlichten van shen, zodat we kunnen ontwaken als de personen die we werkelijk zijn – een vlam die het eeuwige vuur van alles wat is, aanwakkert.

De metafoor voor de drie schatten is een kaars. Jing is de was, qi is het vuur en shen is de gloed rond de vlam.

Als je de drie energieën in balans brengt door een goed, puur leven te leiden, resulteert dat in zelfontplooiing. Zelfontplooiing is weten wie je werkelijk bent en daar verbinding mee maken. Als je dat doet, leid je een bevredigend, betekenisvol leven, compleet met alles waar we het over hebben gehad – betekenis en een hoger doel, geloof in een hogere macht en liefdevolle, samenhangende relaties. De meeste mensen zijn als kaarsen die te snel opbranden. We eten de verkeerde dingen, we krijgen niet genoeg slaap of beweging, we ontgiften niet en hebben onze stress niet onder controle en daardoor brandt onze vlam te heet en te snel en smelt de was aan alle kanten weg. Als je de kaars te snel opbrandt, kom je niet tot zelfontplooiing of de kans om een bevredigend leven te leiden. Het is een ongezonde 'verbrandingssnelheid'.

Stel je in plaats daarvan een rustig brandende kaars voor met een vlam die een lichte, maar duidelijke gloed afgeeft, een aura. De zin van het leven is dat we deze gloed om ons heen creëren die ons verlicht en ons helpt het licht in de duisternis te zien. De zin is om ons bewustzijn te activeren, om wakker te worden en een licht te worden voor onszelf.

De werkelijke vraag is: hoe brand jij in het universum? Verspreid je een gloed?

We gaan nu echt spiritueel doen, dus houd je vast. In de eeuwenoude religies als de kabbala, het oorspronkelijke *merkaba*, wat Egyptisch was, en honderden andere was de zon de bron van al het leven. In deze oude religies werd een verlichte mens herboren als een ster.

Wat is een ster? Het is dat je bewustzijn de kern van *wie je bent* zodanig begrijpt dat je aan het einde van dit leven verbrandt en zelf een ster wordt.

Je wordt een schitterend, onverwoestbaar licht voor het universum en dat is nu precies de zín. Het gaat niet om van hot naar her rennen, kinderen maken en Porsches kopen. Het spel van het leven gaat erom dat je de schitterendste, meest geactiveerde versie van jezelf wordt. Het gaat erom dat je een rustig brandende kaars wordt en uiteindelijk genoeg energie opbouwt om te verbranden als een zon (wat een ster is), zodat je een baken van licht kunt zijn in jouw wereld en gemeenschap.

Het gaat erom dat je diep vanbinnen verbinding maakt met de ware kern van wie je bent, met wát je bent. Alles wat je wegleidt van zelfontplooiing, dat ervoor zorgt dat je vergeet wie je werkelijk bent, zal ertoe leiden dat je vermoeid raakt.

Persoonlijke zoektocht (Pedram)

Ik ben de zoon van immigranten. Mijn ouders zijn in Iran geboren. Mijn vader ging in Duitsland naar school voordat hij en mijn moeder mijn zus en mij meenamen naar Amerika. Als kind ging ik als mijn huiswerk af was, zitten niksen in mijn slaapkamer. Mijn vader, die als zoveel immigranten veel had opgeofferd voor zijn kinderen, trok dan mijn deur open en wilde weten: 'Wat ben je aan het doen?'

Ik zei dan dat ik klaar was met mijn huiswerk. Dan staarde hij me even aan om me vervolgens te vertellen dat ik dan iets anders moest gaan leren. Ik vroeg dan: 'Waarom moet ik iets anders gaan leren? Ik ben acht!'

Al op heel jonge leeftijd leerde ik mezelf aan om altijd te doen alsof ik druk bezig was. Als mijn huiswerk klaar was, ging ik aan mijn bureau poppetjes zitten tekenen. Als mijn vader dan binnenkwam en vroeg wat ik aan het doen was, kon ik zeggen: 'Wiskunde.' Mijn vader was dan trots en zei: 'Goed zo!'

Mijn vader was een fantastische vader. Maar deze ervaring heeft bij mij de basis gelegd voor een slecht functionerend besturingssysteem waarin ik moet werken om te ontspannen. Ik kan me heel moeilijk ontspannen, helemaal in het bijzijn van mijn vrouw. Soms zit ik vijf minuten op de bank, maar zodra zij binnenkomt, spring ik overeind en moet ik haar laten zien dat ik productief bezig ben. Stel je voor dat ze denkt dat ze met een nietsnut getrouwd is!

Het is belachelijk. Ik ben vierenveertig. Ik ben medicus en

een taoïstische priester. Ik ben bij de dalai lama in de leer geweest. Ik run twee ondernemingen. Ik ben documentairemaker. Ik heb een *New York Times*-bestseller geschreven, maar mijn vrouw mag niet zien dat ik ontspan omdat ik bang ben dat ze dan denkt dat ik lui ben? Als ik het zo samenvat, klinkt het idioot, maar toch is het wat er in mijn hoofd omgaat.

Het zou mijn energie opslokken en me uitputten als ik die gedachten niet zou opmerken, en als ik ze niet los kon zien van wie ik werkelijk ben.

Dat is waarom ik mediteer en aan vechtsport doe. Ik ben voortdurend bezig mijn geest tot rust te brengen, zodat ik mijn onzin kan onderscheiden van het meer diepgaande deel van mezelf dat is vervuld met energie en rust. Ik doe dit alles al tientallen jaren en tóch moet ik mezelf soms in de spiegel aankijken en vragen: 'Wie zegt dat?' Ik moet actief oefenen om te ontspannen met mijn vrouw en open tegen haar zijn over mijn wonden.

Is dat het allemaal waard? Zeker weten. Het zijn deze dagelijkse gewoonten die mijn energie laten stromen, zodat ik de brandstof heb om mijn leven te leiden.

TESTEN

Je spirituele gezondheid is zeer persoonlijk en uniek. Alleen jij kunt inschatten hoe het ermee staat en of dit deel van je leven aandacht en aanpassingen nodig heeft. Anders dan andere testen die we hebben beschreven, hoeft er nu geen bloed, speeksel of ontlasting te worden onderzocht om vast te stellen of je op het hoogste niveau functioneert.

In plaats daarvan hebben we een aantal vragen opgesteld die je moeten helpen over jezelf en je spirituele gezondheid na te denken.

Zorg ervoor dat je op een rustige plek zit. Denk niet te lang na over de antwoorden. Ga voor het antwoord dat het eerst in je opkomt en sta er niet te lang bij stil. Dit gaat er niet om dat je diep graaft en waarom-vragen stelt.

Het is de bedoeling dat je duidelijk ziet, duidelijk voelt en duidelijk ervaart wat er plaatsvindt in je innerlijke wereld. Houd je antwoorden in gedachten als je de remedies doorleest.

1. Geloof je dat je een hoger doel hebt in dit leven?
2. Weet je wat je hogere doel is in dit leven?
3. Voel je je verbonden met dat hogere doel?
4. Geloof je in iets wat groter is dan jijzelf?
5. Wil je geloven in iets wat groter is?
6. Denk aan de belangrijkste relaties in je leven. Heb je het gevoel dat deze mensen van je houden, je steunen en aanmoedigen?
7. Voel je je in deze relaties gekleineerd, vernederd of veroordeeld?
8. Voel je je veilig in deze relaties, zodat je alles kunt doen of zeggen zonder het gevoel te verliezen dat de ander van je houdt en je steunt?
9. Zijn er gedachten of gevoelens die je niet hebt uitgesproken of getoond aan de mensen die het dichtst bij je staan en die je wel kwijt moet?
10. Heb je het gevoel dat je een band met jezelf hebt?
11. Vertrouw je op je gevoel en intuïtie?
12. Ben je aardig voor jezelf en doe je aan zelfzorg?
13. Kun je jezelf fouten vergeven en doe je dat ook?
14. Heb je onrealistische verwachtingen van jezelf?
15. Voel je je opgewonden, blij en dankbaar over het leven?
16. Heb je een vaste gewoonte die je spirituele gezondheid versterkt?
17. Heb je behoefte aan een vastere of betere gewoonte?

DE ENERGIEREMEDIES

Energieremedie #1: vind je hogere doel

'Ik merk dat mensen die doelgericht leven, die in hun passie leven, die hun geluk volgen, over het algemeen worden verkwikt en geboeid door de kwaliteit van het leven dat ze leiden. Ze leiden niet zomaar hun leven; ze leven hun ziel,' vertelde Sachin Patel, een succescoach in de functionele geneeskunde. 'Als we mensen kunnen helpen hun hogere doel te vinden, als we mensen kunnen helpen hun geluk te volgen, als we mensen kunnen helpen geboeid te worden door hun dag, kunnen ze putten uit een bron van onmeetbare energie. Het is niet iets wat we in labuitslagen kunnen zien. Het is die aangeboren kracht die ons aanstuurt. Het is de kracht die alles in het universum aanstuurt.'[2]

Wat Sachin beschrijft klinkt fantastisch, en we kennen niemand die nee zou zeggen tegen dat leven. De kunst is om erachter te komen wat die passie en dat hogere doel zijn. Als je het niet weet, kun je jezelf afvragen: *met welk doel ben ik hier op aarde gekomen? Wat zijn mijn gaven en talenten? Wat vind ik leuk om te doen?* Dat kan wel of niet je beroep zijn. Het kan een hobby zijn. Het kan een interesse zijn. Het kan vrijwilligerswerk zijn. Het kan het opvoeden van je kinderen zijn. Het kan zijn hoe je elke dag de wereld in gaat en omgaat met onbekenden.

Het vinden van je betekenis en hogere doel hangt niet altijd samen met de term 'succes' zoals wij die in de westerse cultuur omschrijven. Het gaat niet om het verwerven van een bepaalde mate van naamsbekendheid of het verdienen van bakken met geld. Misschien krijg je het allebei. Misschien ook niet.

Wat belangrijk is, is dat je je waarheid vindt en daarnaar gaat leven; dat je weet dat dít – wat dit ook is – de reden is waarvoor je bent geboren.

Dat moet je zelf uitvinden; wij kunnen het je niet vertellen. Maar uit ervaring weten we hoeveel energie je krijgt als je je betekenis en hogere doel vindt. We hopen en bidden dat het je lukt.

Een andere manier is een lijst maken van je passies. Waarin ben je geïnteresseerd? Waar raak je opgewonden van? Wat raakt je? Is er een sociaal, milieugerelateerd of humanitair doel waar je enthousiast van wordt? Houd het simpel. Vraag jezelf: *wat voor daad of activiteit zou me nu, op dit moment, echt gelukkig maken?* Of: *als ik wie dan ook kon zijn en wat dan ook kon doen, wat zou het dan zijn?*

Of je kunt meteen voor de *Braveheart*-aanpak (onze persoonlijke favoriet) gaan en jezelf vragen: *voor welk doel, idee of gemeenschap zou ik mijn leven willen geven?* Dat lijkt misschien theatraal, maar de wereld heeft helden en heldinnen nu harder nodig dan ooit.

Als je al weet wat je passie is, maar het om de een of andere reden in de la hebt opgeborgen, moet je bedenken hoe je haar met kleine, duurzame stapjes terug kunt brengen in je leven. Door langzaamaan terug te keren naar je passie en hogere doel, breng je direct een gevoel van leven en energie in elke ademteug.

Energieremedie #2: ontdek waarin je gelooft

Iets vinden om in te geloven kan helpen om je leven betekenis en een hoger doel te geven in de dagelijkse sleur die stressvol, vervelend en ontmoedigend kan zijn.

Misschien moet je deel gaan uitmaken van een doel. We leven in een tijd waarin sociale rechtvaardigheid, milieukwesties en economische problemen een hoofdrol spelen. Mensen sluiten zich aan bij grotere bewegingen. Misschien wordt er een beroep gedaan op je betrokkenheid binnen je gemeenschap, en kun je de plek waar je woont helpen opknappen en verjongen.

Misschien ontdek je waarin je gelooft als je je verdiept in een religie. Religies kunnen ingewikkeld zijn. We geven ons niet graag volledig over aan één religie, geloof of geloofssysteem. We zeggen niet dat je je hoofd moet buigen en een christen, een boeddhist, een hindoe of wat dan ook moet worden. We denken ook niet dat terugkeren naar het geloof van je ouders de oplossing is.

Als je een religie wilt vinden of wilt gaan voor een meer op geloof gerichte manier van leven, moet je kritisch zijn. Voor een religie die je probeert te beschamen, die je beperkingen wil opleggen, of die je vertelt dat je naar de hel gaat als je hun regels niet opvolgt, moet je huiverig zijn. Een religie of geloof moet je geestelijk verheffen. Hij moet je aanmoedigen om te stralen, niet om je licht te dimmen.

Energieremedie #3: evalueer je relaties

We leven maar één keer. Aan wie geef je je energie? Met wie omring je jezelf? Word je omringd door positieve of negatieve mensen? Word je omringd door mensen die je verheffen of je naar beneden halen?

Als je probeert te achterhalen waar je vermoeidheid vandaan komt, moet je ook eens naar de mensen in je leven kijken.

Ongeveer vijftien jaar geleden ging Nick in de leer bij en samenwerken met sjamanen. Tijdens die reis leerde hij snel inzien welke relaties het waard waren om aan te houden en achter welke hij een punt moest zetten.

Toen hij zich bewust begon te worden van het heldere licht binnen in zichzelf, en inzag dat het zijn geboorterecht was om te stralen, voelde het bijna als een aanval als iemand het probeerde af te nemen.

Feit is dat mensen, bewust of niet, zullen proberen je licht te dimmen.

We willen je nu niet aansporen om een echtscheiding in gang te zetten of het contact met je ouders te verbreken (hoewel dat misschien net de grens is die je moet stellen). Om te beginnen moet je volkomen eerlijk tegen jezelf zijn over welke relaties je verheffen en welke je naar beneden halen.

Pak een vel papier en trek in het midden een lijn. Schrijf boven de linkerkolom 'haalt me omlaag' en boven de rechterkolom 'verheft me'. Vul daarna de namen in.

Als je haalt-me-omlaaglijst compleet is, kun je gaan bekijken welke relaties je wilt houden en verbeteren en welke je moet veranderen of stopzetten.

We weten dat we het eenvoudiger voorstellen dan het is. We zouden een heel boek kunnen schrijven over giftige relaties. Ons doel hier is alleen maar achterhalen of giftige relaties misschien de bron van je vermoeidheidsproblemen kunnen zijn.

Als je besluit dat een halfgiftige relatie het in stand houden waard is, zul je aan het werk moeten. Je zult betere grenzen moeten stellen. Dat houdt in dat je vaker nee moet zeggen of je gedachten, emoties en behoeften beter moet uiten. Het kan nodig zijn om daarvoor naar een therapeut of andere professional te gaan. Ga er maar van uit dat het tijd kost om de relatie helemaal goed te krijgen.

Wat er ook voor nodig is, doe het. Het is de investering waard.

In de tussentijd zijn er twee dingen die je meteen kunt doen om jezelf te ontlasten.

1. Kijk kritisch naar onuitgesproken overeenkomsten
Waarschuwing: je zult waarschijnlijk serieus moeten werken aan de relaties die je wilt behouden. Er zullen lastige gesprekken moeten worden gevoerd. Je zult open en eerlijk moeten zijn over je gevoelens.

Als je met iemand een relatie aangaat, ontstaat er altijd een soort onuitgesproken overeenkomst. Nick en zijn vrouw spreken elkaar daar regelmatig op aan. Dan gaat het van: 'Wacht eens even. Ik heb nooit gezegd dat ik op dat vlak van mijn leven iets wilde inleveren. Dat wil ik niet. Kunnen we erover praten? Kan ik iets anders voor je doen?'

Ze kunnen goed met elkaar praten en zijn bereid problemen samen op te lossen. Ze kijken daarbij ook naar zichzelf. Je moet weten wat je als individuen nodig hebt en wat je als partners nodig hebt.

2. Snijd banden door
Misschien besef je dat je een relatie hebt waar je vanaf moet. Een populaire manier om zo'n relatie rustig te laten gaan is het doorsnijden van banden. Het is een manier om de energetische verbinding

tussen jou en een ander los te laten. Dit is iets wat in veel genezingstradities over de hele wereld wordt toegepast.

Ga op een rustige plek zitten, sluit je ogen en haal je een ex, een vriendin, een ouder, een baas of iemand bij wie je het gevoel hebt dat hij je energie opslokt voor de geest. Stel je een koord voor dat jullie met elkaar verbindt en snijdt het dan door. Hoe je dat doet, is aan jou. Je kunt je voorstellen dat je een schaar gebruikt, of een bijl of zaag, dat je het oplost, verbrandt of een ander gereedschap of middel gebruikt waar jij je goed bij voelt.

Stel je voor dat je de ander terwijl je het koord doorsnijdt, vertelt dat je hem met liefde laat gaan en hem alle goeds wenst, en dat je niet langer een energetische band met hem wilt hebben. Herhaal dit proces zo vaak als nodig is.

Energieremedie #4: vind het licht binnen in je

Je kracht, je energie, je levenskracht komen vanuit de rust binnenin. Ze komen voort uit die rustig brandende kaars en vlam.

Maar de chaos vanbinnen kan ervoor zorgen dat je geen rustig brandende, sterke kaars kunt worden.

Dan kun je veel aan meditatie hebben. Het is het beste middel om terug te keren naar je kern, om je te herinneren aan wie je werkelijk bent, en om een zon voor het universum te worden. De kloof tussen willen mediteren en weten dat je moet mediteren, en kúnnen mediteren kan behoorlijk groot zijn.

Als je iemand bent die denkt: *o lieve hemel, ik sluit mijn ogen en ik kan mijn gedachten niet stil krijgen, het is te moeilijk*, tja, dan zal het moeilijk worden. Jammer dan. Je moet toch gewoon beginnen. Ga zitten, sluit je ogen, concentreer je op je ademhaling, *en nu stil zijn*, en herhaal dit.

Doe dit tot je je realiseert hoe *belachelijk* je innerlijke stem is, hoe hard hij schreeuwt, hoe druk hij is, hoe ontzettend chaotisch het is tussen je oren. Als je kunt beseffen dat deze chaos is wat je leven zal worden, en dat het zal bepalen wie jij als persoon zult worden, zul je in staat zijn wie je denkt te zijn los te koppelen van wie je werkelijk bent.

We verwachten niet van je dat je elke dag twee uur gaat mediteren. Zoals met alles moet je klein beginnen. Begin met de kleine stap die je kunt zetten. Als meditatie nooit zo jouw ding is geweest, ga dan eerst elke ochtend vijf minuten in een comfortabele kleermakerszit en met je ogen gesloten op de vloer zitten. Stel een timer in en doe je best.

Als vijf minuten te lang is, begin je met twee. Doe dit een week lang elke ochtend en voeg er dan 's avonds een sessie van twee tot vijf minuten aan toe. Het maakt niet uit wat voor emotie, herinnering, beeld, woorden of gedachten er in je opkomen. Laat alles toe. Probeer niets weg te drukken. Laat alles gewoon naar boven komen.

Als je voor een meer gevorderde meditatietechniek wilt gaan, vraag je: 'Wie ben ik?' Zie en hoor de reactie. Als je denkt dat je een antwoord hebt, stel je de vraag opnieuw. Vraag: 'Wie stelt deze vraag?'

Er zal nooit een definitief antwoord zijn, alleen meer diepgang om bloot te leggen. Het antwoord heeft weinig te maken met wie je denkt te zijn en veel meer met het vinden van de *essentie* van wie je werkelijk bent. Dat wezen, die stralende oneindige geest, die nooit een gebrek aan energie heeft, dat is het wezen dat je probeert te bereiken met je meditatie.

Extra energieremedie: vergroot je integriteit

Wat men in Genesis wil overbrengen is: 'Wat ik zeg, dat doe ik.' Als je elke ochtend opstaat en zegt: 'Vandaag is eindelijk de dag dat ik naar de sportschool ga,' of 'Vandaag is eindelijk de dag dat ik gezond ga eten', maar het dan niet doet, is het alsof je jezelf hebt verraden. Als je je afspraak met jezelf niet nakomt, breng je je integriteit in het geding.

Als we onszelf niet respecteren, vormen we een kloof tussen onszelf en onze ziel. Het bewijst voor de chaotische stem vanbinnen dat wc een loser zijn, dat we niet in staat zijn door te pakken, en dat wat we zeggen er niet toe doet.

Je woorden en de daden die ze spiegelen, zijn alles wat we hebben. Een van de eerste stappen die je moet zetten om je ziel weer te doen ontvlammen, is dat je moet stoppen met beloftes aan jezelf niet na te komen. Zeg niet dat je iets zult doen als je het niet kunt waarmaken.

Dat we erop blijven hameren dat je kleine stapjes moet nemen en kleine toezeggingen moet doen, heeft hier grotendeels mee te maken. We willen dat je overwinningen boekt, dat je successen ziet en voelt, en dat je aan jezelf laat zien dat je in staat bent tot grootse dingen. Elke keer dat je je aan je woord houdt, vergroot je het respect voor jezelf en breng je de chaotische stem binnen in je tot rust. Dit is een goede manier om die drukke stem die pachtvrij in je hoofd woont, de mond te snoeren.

Het enige wat nodig is, is één daad, één push-up, één groene smoothie tegelijk. Dat is ook hoe je je vuurtje opstookt. Als je een klein vuurtje brandend hebt gekregen, gooi je er niet een groot houtblok op. Dan dooft het meteen. Je legt er wat aanmaakhout en kleine stukken op, laat ze vlam vatten, en bouwt zo langzaam verder aan het vuur, de hitte en de intensiteit. Als het eenmaal brandt, wordt het steeds feller.

Voor je het weet, heb je je innerlijke vuur aangewakkerd, en dan zul je versteld staan van hoeveel energie je hebt om dingen gedaan te krijgen.

OPLOSSING

Shawn had alles goed gedaan. Zijn vermoeidheid werd niet veroorzaakt door zijn eetpatroon, beweging, nachtrust, gifstoffen of een van de andere dingen die we hebben beschreven. Het kwam door zijn baan en zijn relatie met zijn vrouw.

Shawn wist dat hij zijn werk niet leuk vond. Hij had alleen geen idee hoeveel van zijn levenskracht het opslokte. Het kostte Shawn tijd om van zijn vermoeidheid af te komen, maar het begon ermee dat hij realistisch en volkomen eerlijk tegen zichzelf was. Hij was niet bereid zijn carrière drastisch om te gooien. In plaats daarvan wilde hij zijn vaardigheden inzetten voor zijn passies.

Shawn had een passie voor het milieu en de natuur, dus hij ging op zoek naar vacatures voor accountants bij organisaties en ondernemingen die zich met het milieu bezighielden.

Hij ging ook op zoek naar mogelijkheden om een bijdrage te leveren aan lokale milieuorganisaties. Hij en zijn gezin maakten graag lange wandeltochten, dus hij besloot om wandelgids te worden en uitstapjes te organiseren die zijn gezin en anderen binnen hun gemeenschap graag deden in het weekend. Hij vond het heerlijk om deze tochten te plannen, organiseren en begeleiden. En hij putte extra energie uit de geweldige mensen die hij ontmoette en die al snel vrienden werden.

Het besef dat het milieu en de natuur hem na aan het hart lagen en het zetten van een paar kleine stappen gaven Shawn hernieuwde energie en hielpen hem om van zijn vermoeidheid af te komen.

Hij sprak ook met zijn vrouw over hun relatie en zijn gamegedrag. Door gesprekken met een therapeut realiseerde Shawn zich dat hij snakte naar meer intimiteit en verbondenheid met zijn vrouw. Toen hij er met haar over praatte, bleek tot zijn verrassing dat zij die kant van hun relatie ook miste en zich net zo vermoeid voelde.

Ze besloten om tijd met elkaar in te plannen. Ze hielden in hun agenda's tijd vrij voor seks en intimiteit en om met elkaar te praten. Shawn besteedde minder tijd aan computerspellen. Hij speelde nog weleens in het weekend en een of twee keer doordeweeks, maar hij maakte 's avonds ook tijd vrij om iets samen met zijn vrouw te doen.

Binnen een paar maanden waren Shawns energie en levenskracht terug. Dat was niet gebeurd als hij niet had stilgestaan bij wat er op spiritueel vlak gebeurde in zijn leven en bestaan.

PERSOONLIJKE UITDAGING

Pak een timer, kies een rustige, afleidingsvrije, comfortabele plek op de vloer of op een stoel waarbij je beide voeten op de grond kunt zetten en mediteer.

We dagen je uit om een week lang elke ochtend meteen na het opstaan vijf minuten te mediteren, en ook elke avond vijf minuten te mediteren, het liefst voordat je naar bed gaat.

Misschien biedt je geest in het begin nog weerstand. Misschien zijn je gedachten te sterk. Misschien flitsen er visioenen en beelden voorbij. Wat er ook naar boven komt – een gedachte, een emotie, een beeld – merk het op. Je hoeft er niets mee te doen.

Als je dit een week doet, zul je merken dat het lawaai begint af te nemen. Misschien ga je zelfs uitkijken naar je meditatiemomenten en verleng je ze van vijf naar tien minuten. Het kan zomaar een dagelijkse gewoonte van een halfuur worden waar je ook echt zin in hebt. Je kunt ook een meditatiesessie inplannen rond lunchtijd, of vroeg opstaan zodat je extra tijd hebt.

HOOFDSTUK 10

Opbloeien in een defecte wereld

Vlak nadat Pedram met zijn gezin naar Utah was verhuisd, kwam zijn vrouw bij hem met de energierekening. Die was verdubbeld. Hij dacht dat er iets met de verwarmingselementen mis was of dat het kwam doordat ze nu in een kouder klimaat woonden dan in LA en belde de klusjesman om te vragen of hij de verwarmingselementen anders kon instellen. De klusjesman zei dat die niet de oorzaak waren; ze konden nooit zoveel extra energie verbruiken. Hij merkte wel op dat de koelkast die beneden stond, erg warm was doordat de ventilator niet goed werkte.

Hij sloeg de spijker op zijn kop. Dat ene slecht functionerende apparaat had ervoor gezorgd dat de elektriciteitskosten omhoog waren geschoten en Pedram heel veel geld kwijt was.

De moraal van het verhaal: waar verlies je energie? Kijk nog eens terug en vraag jezelf af welk deel van je leven je energie opslokt.

Dit is misschien wel het einde van onze vermoeidheidsreis, maar niet van die van jou. Die van jou begint nu pas. Hopelijk heb je al een paar remedies uitgeprobeerd en voel je een kleine toename van je energiepeil. We hebben je de allerbeste adviezen over vermoeidheid van een aantal van de beste experts ter wereld gegeven. Maar het waren geen individuele adviezen.

Nu is het aan jou om deze informatie tot je te nemen en te gebruiken om je leven, en eigenlijk ook je wereld, compleet te veranderen. Het is tijd dat je ontdekt waar je energie weglekt, dat je de lekken dicht en je energiehuishouding weer op orde krijgt.

Probeer daarbij enkele van de belangrijke gegevens uit dit boek in gedachten te houden:

Zelfzorg is niet egoïstisch; het is het beste wat je kunt doen voor jezelf en de mensen die je dierbaar zijn
Wat veel mensen tegenhoudt, is niet een gebrek aan informatie. Het is de kloof tussen weten wat ze moeten doen en het daadwerkelijk doen. Dat begrijpen wij helemaal. Je wordt zoveel kanten op getrokken en geduwd. Er zijn zoveel mensen die op je rekenen, die aanspraak maken op je tijd, aandacht en energie.

Je wilt er voor hen zijn.

Je wilt de best mogelijke vader of moeder zijn, de best mogelijke echtgenoot of partner, de beste baas of werknemer, de beste vriend of vriendin, de beste broer of zus. Het is niet verkeerd om dat te willen of om je bezig te houden met het welzijn van de mensen in je leven. Alleen gebeurt het dan te vaak dat je jezelf op de laatste plaats zet.

Voor jezelf zorgen is niet egoïstisch. Het is een daad van liefde en zorgzaamheid. Als je jezelf oplaadt en voorziet van nieuwe energie, betekent dat dat je er beter kunt zijn voor de mensen van wie je houdt, voor het werk dat je doet en het leven dat je leidt.

Doe één kleine aanpassing en bouw zo verder op
Probeer geen held te zijn door alles aan te pakken of meer te doen dan je aankunt. Zoals we al hebben gezegd, doet niemand alles. Begin klein en bouw het dan verder op. Pas één ding in je leven aan, dan nog iets en dan nog iets. Voor je het weet, heb je een stevige basis opgebouwd voor je energie.

Je hebt de kracht om te genezen

Je krijgt van alle kanten 'goede' adviezen. Je wordt overspoeld door experts. Het is moeilijk in te schatten naar wat en wie je moet luisteren. Dit gaat niet om het verwerpen of wantrouwen van deskundigen. Die hebben we allemaal zo nu en dan nodig. Maar het is ook nodig om je lichaam te kennen en ernaar te luisteren. Als iets niet goed aanvoelt, vertrouw dan op je instinct. Dat geldt ook voor dit boek en de verzamelde adviezen die we delen.

Roep medische hulp in als dat nodig is

Wij geloven dat je in staat bent je vermoeidheidsprobleem op te lossen. En we zijn ons er ook heel goed van bewust dat sommige mensen meer ondersteuning nodig hebben dan een boek kan bieden. Misschien moet je de hulp inroepen van een medicus, en dat zal dan waarschijnlijk iemand anders zijn dan je huisarts.

Daarmee willen we geen afbreuk doen aan de uitstekende zorg van westerse artsen. Zij spelen absoluut een belangrijke rol bij gezondheid, wellness en herstel. Maar ze zijn ook opgeleid om een ziekte vast te stellen, er een etiket op te plakken en je te behandelen met medicijnen. Vermoeidheid vereist een groot, allesomvattend etiket met veel verschillende oorzaken.

Je hebt iemand nodig die met een meer holistische blik naar je lichaam kan kijken om vast te stellen hoe het functioneert. Praat eens met een functioneel arts. Als je je zorgen maakt over de kosten, zeg dat dan. Het is niet makkelijk om open te zijn over je financiën, maar veel professionals vinden het belangrijk dat beoordelingen en behandelingen op elk niveau effectief en haalbaar zijn, ook op financieel niveau. Misschien heb je het gevoel dat je een lening moet afsluiten om alleen een paar testen te laten doen. Doe het niet. Praat eerst met je arts. (En als je het gevoel hebt dat je onder druk wordt gezet om iets te doen, maak dat je wegkomt en zoek een andere medische bondgenoot.)

Wat je ook zoekt, zorg dat je bij iemand terechtkomt die de tijd neemt om met je aan de slag te gaan, die je helpt om je verschillende gehaltes te testen en in de gaten te houden en die je kan helpen bij het kiezen van de juiste supplementen en doseringen.

Artsen en andere geneeskundigen kunnen tijdens deze zoektocht je grootste bondgenoten zijn. Maak daar gebruik van. Je hoeft dit niet alleen te doen.

Dit is een reis, dus blijf doorgaan

Je bent niet binnen een dag van je vermoeidheid af. Ook niet binnen een week, en misschien zelfs niet binnen een maand. Bij ons allebei duurde het zes maanden voor de energie weer door ons lichaam stroomde. Bij sommige mensen kost het minder tijd, bij andere mensen meer. Heb geduld. Houd vol. Richt je op één verandering, één dag tegelijk.

En waag het niet om op te geven. Waag het niet om te stoppen met vechten om je energie terug te krijgen. Het is je geboorterecht. Je bent hier om een ster te zijn die fel schijnt. Word die ster en stop niet voordat het zover is. Al kost het je je hele leven – wat zeer waarschijnlijk is – ga gewoon door.

Er is licht aan het einde van de tunnel

Op dit moment lijkt het misschien heel ver weg, misschien zelfs onmogelijk, dat je je energie en levenskracht terugkrijgt. Je bent je energie niet van de ene op de andere dag kwijtgeraakt, en je zult haar waarschijnlijk ook niet van de ene op de andere dag terugkrijgen. Maar stukje bij beetje, dag voor dag, aanpassing voor aanpassing, zul je aan de andere kant komen. Mensen herstellen van vermoeidheid. Ze krijgen hun spirit en zin in het leven terug. Ze leren hoe ze hun energie op peil kunnen houden, zodat ze de energie hebben die nodig is voor hun verplichtingen. Jij kunt dat ook. Daar zijn we van overtuigd.

WELKE DROOM KIES JE?

Als je je energie weer op peil hebt, beloont het leven je dan met re-genbogen, onbeperkte zonneschijn, eenhoorns en vrolijkheid? Bete-kent dat dat je met een cocktail op het strand kunt gaan liggen? *Echt niet.*

Het leven zal je altijd blijven uitdagen. Je moet nog steeds je kin-deren opvoeden, je werk doen, een carrière opbouwen, aan de band met je echtgenote werken, tijd met je vrienden, broers en zussen en ouders doorbrengen, dingen voor de gemeenschap doen en al die andere dingen doen waarmee je je dagen vult.

Het verschil is dat je nu de energie hebt om het allemaal te doen, en om je leven te leiden. Als je de energie hebt om aan je verplichtin-gen te voldoen, kun je elke uitdaging die het leven je toewerpt met meer elegantie, geduld, vastberadenheid en rust aangaan.

De eerste stap in een nieuwe richting is altijd de moeilijkste. Jij hebt die stap al genomen door dit boek te lezen. Nu ga je verder met de volgende. Voor je het weet, sta je aan de andere kant van dit ver-moeidheidsprobleem en ervaar je het leven zoals je nooit voor mo-gelijk had gehouden. Je lichaam is sterk. Het is veerkrachtig. Hoe beter je ervoor zorgt, door het te voeden met gezonde, pure produc-ten, door het 's nachts te laten rusten en slapen, door het te laten bewegen en mager spierweefsel op te bouwen, hoe beter het voor jou zal zorgen.

Hoe sterker je lichaam is, hoe beter het zich zal kunnen verdedigen tegen indringers en dreigingen. Als je bruist van de energie zul je ook merken dat je af en toe laat naar bed kunt gaan, een keer een extra glas wijn kunt drinken of een cheeseburger met friet kunt eten zon-der dat die kleine uitspattingen je leegzuigen. O, je zult ze wel voelen, maar daar kom je wel overheen. En die onverwachte stress die er soms zal zijn? Nou, daar kun je ook veel gemakkelijker mee omgaan.

Wij steunen je. Wij geloven in je. Wij weten dat je de kracht hebt om je energiehuishouding te herstellen. Jij, en alleen jij, kunt je ver-moeidheid te boven komen. Je kunt dit.

Je zult ook wel moeten. Kijk maar om je heen. De wereld is gek geworden. Hij staat op springen. Iedereen maakt ruzie. Het klimaat trekt het niet meer. De wereld – onze planeet – valt uiteen. Moeder Aarde – de derde planeet vanaf de zon die we ons thuis noemen – is ook uitgeput.

De vragen die voor je liggen, zijn simpel: wil je leven in een wereld van oververmoeidheid, waarin je blijft doorgaan terwijl je overwerkt en gestrest bent? Wil je bestaan in een universum waarin je energie en levenskracht altijd tekortschieten? Of wil je het rustiger aan gaan doen, ervoor zorgen dat je weer energie krijgt, die doeltreffend gebruiken en een evenwichtig leven leiden?

Chaos en vermoeidheid of rust en levenskracht?

Je kiest zelf je droom, dus welke wil je in stand houden?

Wij weten het wel.

Wat kies jij?

Dankwoord

Dit boek is een braintrust. Het staat vol met ideeën, inzichten en verhalen van enkele van de grootste denkers en genezers met wie wij hebben mogen werken en van wie we veel hebben geleerd. We zijn veel dank verschuldigd aan de mensen die dit boek hebben gemaakt tot wat het is. Maryna Allan, Bree Argetsinger, Debra Atkinson, Robyn Benson, Summer Bock, Maggie Berghoff, Michael Breus, Cassie Bjork, Trevor Cates, Anna Cabeca, Jill Carnahan, Jodi Cohen, Joe Cohen, Leigh Erin Connealy, Amanda McQuade Crawford, Amy Day, Afrouz Demeri, Maru Davila, Gwen Dittmar, Erin Elizabeth, Udo Erasmus, Stephanie Estima, Keesha Ewers, Jake Fratkin, Ben Greenfield, Darin Ingles, Heidi Hanna, Mark Hyman, Tero Isokauppila, Datis Kharrazian, Rushelle Khanna, Kasie Kines, Susan Lovelle, Deborah Matthew, Joe Mercola, Tom O'Bryan, Reshma Patel, Sachin Patel, David Perlmutter, Kellyann Petrucci, Warren Phillips, Valencia Porter, Shelese Pratt, Sarah Rattray, Tom Rofrano, Robert Rountree, Christine Schaffner, Isabel Sharker, Mariza Snyder, Meghan Walker, Debora Wayne, Ari Whitten, Dani Williamson, Doni Wilson, Magdalena Wszelaki, Eric Zielinski en Sabrina Ann Zielinski – *dank jullie wel* dat jullie deel uitmaakten van dit project en jullie wijsheid met ons hebben gedeeld.

We zijn ook dank verschuldigd aan onze filmploeg die ons heeft geholpen honderden uren aan gespreksmateriaal uit te zoeken, plannen, filmen en verwerken. Lorenzo Phan, Mileen Patel, Courtney Donnelly, Sean Rivas, Carl Lindahl en Dave Girtsman – we hadden dit onmogelijk zonder jullie kunnen doen. Bedankt, allemaal!

Amanda Ibey, dank je dat je onze visie voor dit boek tot leven hebt gebracht. Dankzij jou is het nog beter geworden dan we hadden kunnen bedenken of hopen. Courtney Donnelly en Tom Malterre, dank jullie wel voor het redigeren van de eerste concepten van het manuscript en het bieden van waardevolle suggesties.

Ten slotte hebben we het geluk te mogen samenwerken met het fantastische team van Hay House. Reid Tracy, Patty Gift, Lisa Cheng en alle anderen van Hay House, allemaal bedankt dat jullie vanaf het begin in dit project geloofden en bij elke stap achter ons hebben gestaan.

Eindnoten

Hoofdstuk 1

1. Dr. David Perlmutter, interview met de auteurs, augustus 2019.

Hoofdstuk 2

1. 'How Many Calories Are in One Gram of Fat, Carbohydrate, or Protein?' USDA National Agricultural Library, geraadpleegd 30 december 2019, https://www.nal.usda.gov/fnic/how-many-calories-are-one-gram-fat-carbohydrate-or-protein.
2. 'Treating Sugar Addiction Like Abuse: QUT Leads World-First Study,' QUT, 7 april 2016, https://www.qut.edu.au/news?news-id=103307.
3. Ari Whitten, interview met de auteurs, augustus 2019.
4. Shan, et al., 'Trends in Dietary Carbohydrate, Protein, and Fat Intake and Diet Quality Among US Adults, 1999-2016,' *Journal of the American Medical Association* 322, 12 (24 september 2019): 1178-1187. doi:10.1001/jama.2019.13771.
5. Ibid.
6. Ibid.
7. 'Iron,' National Institutes of Health, Office of Dietary Supplements, geraadpleegd 16 november 2019, https://ods.od.nih.gov/factsheets/Iron-Health-Professional/.
8. Steiber, A., Kerner, J. en Hoppel, C.L., 'Carnitine: A Nutritional, Biosynthetic, and Functional Perspective,' *Molecular Aspects of Medicine* 25, 5-6 (oktober-december 2004): 455-473. https://www.ncbi.nlm.nih.gov/pubmed/15363636.
9. Westman, et al., 'Implementing a Low-Carbohydrate, Ketogenic Diet to Manage Type 2 Diabetes Mellitus,' *Expert Review of Endocrinology & Metabolism*, 13, 5 (september 2018): 263-272. https://www.ncbi.nlm.nih.gov/pubmed/30289048.
10. Maggie O'Neill, 'The Keto Diet Might Prevent Migraines – Here's What You Need to Know,' *Health*, 29 april 2019, https://www.health.com/condition/headaches-and-migraines/keto-diet-migraine.
11. Eric Kossoff, 'Ketogenic Diet,' Epilepsy Foundation, oktober 2017, geraadpleegd 24 februari 2020, https://www.epilepsy.com/learn/treating-seizures-and-epilepsy/dietary-therapies/ketogenic-diet.

12. Dr. David Perlmutter, interview.
13. Shubhroz, G. en Satchidananda, P., 'A Smartphone App Reveals Erratic Diurnal Eating Patterns in Humans That Can Be Modulated for Health Benefits,' *Cell Metabolism* 22, 5 (november 2015): 789-798. https://www.ncbi.nlm.nih.gov/pmc/articles/PMC4635036/.

Hoofdstuk 3

1. 'Fast Facts About the Human Microbiome,' The Center for Ecogenetics and Environmental Health, januari 2014, https://depts.washington.edu/ceeh/downloads/FF_Microbiome.pdf.
2. Ibid.
3. S.B. Eaton, 'The Ancestral Human Diet: What Was It and Should It Be a Paradigm for Contemporary Nutrition?' *The Proceedings of the Nutrition Society* 65, 1 (februari 2006): 1-6. https://www.ncbi.nlm.nih.gov/pubmed/16441938.
4. Katherine D. McManus, 'Should I Be Eating More Fiber?' *Harvard Health Publishing*, 27 februari 2019, https://www.health.harvard.edu/blog/should-i-be-eating-more-fiber-2019022115927.
5. Ibid.
6. Ibid.
7. Dr. Datis Kharrazian, interview met de auteurs, augustus 2019.
8. Ari Whitten, interview.
9. Dr. Datis Kharrazian, interview.
10. Untersmayr, E. en Jensen-Jarolim, E., 'The Role of Protein Digestibility and Antacids on Food Allergy Outcomes,' *The Journal of Allergy and Clinical Immunology* 121, 6 (juni 2008): 1301-1310.
11. Jennifer Couzin-Frankel, 'Can Antacids Boost Allergy Risk?' *Science*, 30 juli 2019, https://www.sciencemag.org/news/2019/07/can-antacids-boost-allergy-risk.
12. Cassady, et al., 'Mastication of Almonds: Effects of Lipid Bioaccessibility, Appetite, and Hormone Response,' *The American Journal of Clinical Nutrition* (8 maart 2009). http://ucce.ucdavis.edu/files/datastore/608-11.pdf.
13. Dr. Kellyann Petrucci, interview met de auteurs, augustus 2019.

Hoofdstuk 4

1. Dr. Heidi Hanna, interview met de auteurs, augustus 2019.
2. Rottensteiner, et al., 'Physical Activity, Fitness, Glucose Homeostasis, and Brain Morphology in Twins,' *Medicine and Science in Sports and Exercise* 47, 3 (maart 2015): 509-518. https://www.ncbi.nlm.nih.gov/pubmed/25003773.
3. Ari Whitten, interview.
4. Ibid.

5. Ibid.
6. Ben Greenfield, interview met de auteurs, augustus 2019.
7. Dr. Stephanie Estima, interview met de auteurs, augustus 2019.

Hoofdstuk 5

1. Dr. David Perlmutter, interview.
2. Dr. Datis Kharrazian, interview.
3. '1 in 3 Adults Don't Get Enough Sleep,' Centers for Disease Control and Prevention, 16 februari 2016, https://www.cdc.gov/media/releases/2016/p0215-enough-sleep.html.
4. Stuart Quan, 'What Is the Magic Sleep Number?' Harvard Health Publishing, 29 oktober 2015, https://www.health.harvard.edu/blog/what-is-the-magic-sleep-number-201509168280.
5. Rubin Naiman, 'Dreamless: the Silent Epidemic of REM Sleep Loss,' *ANNALS of The New York Academy of Sciences* (15 augustus 2017). https://nyaspubs.onlinelibrary.wiley.com/doi/abs/10.1111/nyas.13447.
6. Cirelli, C. en Tononi, G., 'The Sleeping Brain,' *Cerebrum* 2017 cer-07-17 (1 mei 2017). https://www.ncbi.nlm.nih.gov/pmc/articles/PMC5501041/?report=classic.
7. Dr. David Perlmutter, interview.
8. Beccuti, G. en Pannain, S., 'Sleep and Obesity,' *Current Opinion in Clinical Nutrition and Metabolic Care* 14, 4 (2011): 402-12. doi:10.1097/MCO.obo 13e3283479109.
9. Maya Allen, 'Is It Bad to Eat Before Bed? Nutritionists Answer,' The Thirty, 4 mei 2019, https://thethirty.whowhatwear.com/is-it-bad-to-eat-before-bed.
10. Ananya Mandal, MD, 'Caffeine Pharmacology,' News Medical Life Sciences, geüpdatet 26 februari 2019, geraadpleegd 6 december 2019, https://www.news-medical.net/health/Caffeine-Pharmacology.aspx.
11. Markham Heid, 'What's the Best Time to Sleep? You Asked,' *TIME*, 27 april 2017, https://time.com/3183183/best-time-to-sleep/.
12. Christensen, et al., 'Direct Measurements of Smartphone Screen-Time: Relationships with Demographics and Sleep,' *PLoS ONE* 11, 11 (2016): e0165331. https://journals.plos.org/plosone/article?id=10.1371/journal.pone.0165331.
13. Christopher Bergland, 'Late-Night Smartphone Use Often Fuels Daytime Somnambulism,' *Psychology Today*, 18 januari 2017, https://www.psychologytoday.com/us/blog/the-athletes-way/201701/late-night-smartphone-use-often-fuels-daytime-somnambulism.
14. Cassie Bjork, interview met de auteurs, augustus 2019.
15. Dr. Stephanie Estima, interview.
16. Ananya Mandal, MD, 'Caffeine Pharmacology,' News Medical Life Sciences, geüpdatet 26 februari 2019, geraadpleegd 6 december 2019, https://www.news-medical.net/health/Caffeine-Pharmacology.aspx.

Hoofdstuk 6

1. David Ewing Duncan, 'Chemicals Within Us,' *National Geographic*, geraadpleegd 3 januari 2020, https://www.nationalgeographic.com/science/health-and-human-body/human-body/chemicals-within-us/.
2. Ibid.
3. Dr. Robert Rountree, interview met de auteurs, augustus 2019.
4. James Hamblin, 'The toxins that threaten our brain,' *The Atlantic*, 18 maart 2014, https://www.theatlantic.com/health/archive/2014/03/the-toxins-that-threaten-our-brains/284466/.
5. Andrew Weil, 'Are Flame Retardants Toxic?' Dr.Weil.com, 9 oktober 2014, https://www.drweil.com/health-wellness/balanced-living/healthy-home/are-flame-retardants-toxic/.
6. Axel, et al., 'Human Health Implications of Organic Food and Organic Agriculture: A Comprehensive Review,' *Environ Health* 16, 111 (2017). https://www.ncbi.nlm.nih.gov/pmc/articles/PMC5658984/#CR79.
7. Średnicka-Tober, et al., 'Higher PUFA and n-3 PUFA, Conjugated Linoleic Acid, A-Tocopherol and Iron, but Lower Iodine and Selenium Concentrations in Organic Milk: A Systematic Literature Review and Meta- and Redundancy Analyses,' *The British Journal of Nutrition*, 115, 6 (28 maart 2016): 1043-1060. https://www.ncbi.nlm.nih.gov/pubmed/26878105.
8. Dani Williamson, interview met de auteurs, augustus 2019.
9. Yvette Brazier, 'How Does Bisphenol A Affect Health?' *Medical News Today*, geraadpleegd 20 november 2019, https://www.medicalnewstoday.com/articles/221205.php.
10. Mark Wilson, 'The Air You Breathe at Home Might Be Worse than the World's Most Polluted Cities,' *Fast Company*, 11 april 2019, https://www.fastcompany.com/90332899/the-air-you-breathe-at-home-might-be-worse-than-the-worlds-most-polluted-cities.
11. 'About Dental Amalgam Fillings,' U.S. Food and Drug Administration, geraadpleegd 6 januari 2020, https://www.fda.gov/medical-devices/dental-amalgam/about-dental-amalgam-fillings.
12. Dr. Afrouz Demeri, interview met de auteurs, augustus 2019.
13. Houlihan, et al., 'Body Burden: The Pollution in Newborns,' Environmental Working Group, 14 juli 2005, https://assets.ctfassets.net/toqcl9kymnlu/2GVUmYpZCgu6iuSiKEUY4m/9ccbb2938066649259c634806957d499/Body_Burden_in_Newborns.pdf.
14. Ibid.
15. 'Identifying and Reducing Environmental Health Risks of Chemicals in Our Society: Workshop Summary,' *National Academies Press*, 2 oktober 2014, https://www.ncbi.nlm.nih.gov/books/NBK268889/.
16. Ibid.
17. Ibid.
18. 'Drink Tap Water,' City of New York, geraadpleegd 16 november 2019, https://www1.nyc.gov/site/greenyc/take-action/drink-tap-water.page.

19. 'State With the Most Fluoridated Water,' Fluoride Alert, 2 maart 2016, http://fluoridealert.org/news/states-with-the-most-fluoridated-water/.
20. 'Is Flouridated Drinking Water Safe?' *Harvard Public Health*, voorjaar 2016, https://www.hsph.harvard.edu/magazine/magazine_article/fluoridated-drinking-water/.
21. Ibid.
22. Austin Price, 'Organic Diet Significantly Reduces Risk of Pesticide Exposure,' UC Berkeley Public Health, 19 februari 2019, https://publichealth.berkeley.edu/news-media/school-news/organic-diet-significantly-reduces-risk-of-pesticide-exposure-new-study-shows/.
23. Dr. David Perlmutter, interview.
24. Sheryl Huggins Salomon, 'What Is Glutathione? A Detailed Guide to the Antioxidant and Supplement,' *Everyday Health*, 4 januari 2019, geraadpleegd 30 november 2019, https://www.everydayhealth.com/diet-nutrition/diet/glutathione-definition-uses-benefits-more/#foodsources.

Hoofdstuk 7

1. Dr. Meghan Walker, interview met de auteurs, augustus 2019.
2. Dr. Heidi Hanna, interview.
3. 'Adrenal Insufficiency Diagnosis,' University of California San Francisco, geraadpleegd 6 januari 2020, https://www.ucsfhealth.org/conditions/adrenal-insufficiency/diagnosis.
4. Dr. Heidi Hanna, interview.
5. Dr. Anna Cabeca, interview met de auteurs, augustus 2019.
6. Dr. Darin Ingels, interview met de auteurs, augustus 2019.

Hoofdstuk 8

1. Ferris Jabr, 'Does Thinking Really Hard Burn More Calories?' *Scientific American*, 18 juli 2012, https://www.scientificamerican.com/article/thinking-hard-calories/.
2. Dr. Datis Kharrazian, interview.
3. Dr. David Perlmutter, interview.
4. Jaime Ducharme, 'Americans Are Some of the Most Stressed-Out People in the World, a New Global Survey Says,' TIME, 25 april 2019, https://time.com/5577626/americans-stressed-out-gallup-poll/.
5. Dr. Datis Kharrazian, interview.
6. Dr. Leigh Erin Connealy, interview met de auteurs, augustus 2019.
7. Qing Li, 'Effects of Forest Bathing on Cardiovascular and Metabolic Parameters in Middle-Aged Males,' *Evidence-Based Complementary and Alternative Medicine* 2016 (14 juli 2016). https://www.ncbi.nlm.nih.gov/pubmed/27493670.
8. Dr. Datis Kharrazian, interview.

9. Napryeyenko, O. en Borzenko, I., 'Ginkgo Biloba Special Extract in Dementia with Neuropsychiatric Features: A Randomized, Placebo-Controlled, Double-Blind Clinical Trial,' *Arzneimittelforschung* 57, 1 (2007): 4-11. https://www.ncbi.nlm.nih.gov/pubmed/17341003.

Hoofdstuk 9

1. Dennis Thompson, 'Have a Purpose, Have a Healthier Life,' *U.S. News*, 10 december 2019, https://www.usnews.com/news/health-news/articles/2019-12-10/have-a-purpose-have-a-healthier-life.
2. Sachin Patel, interview met de auteurs, augustus 2019.

Register